a viúva de safira

DINAH JEFFERIES

A viúva de safira

Tradução
ANDRÉ FONTENELLE

paralela

A Editora Paralela é uma divisão da Editora Schwarcz S.A.

Grafia atualizada segundo o Acordo Ortográfico da Língua Portuguesa de 1990, que entrou em vigor no Brasil em 2009.

TÍTULO ORIGINAL The Sapphire Widow

FOTO DE CAPA Mulher © Jeff Cottenden; fundo © Mike Mackinven/ Getty Images, © Dragan Todorovic/ Trevillion Images e © Michael Trevillion/ Trevillion Images

LETTERING DA CAPA Bruno Romão

PREPARAÇÃO Alexandre Boide

REVISÃO Érica Borges Correa e Renato Potenza Rodrigues

Dados Internacionais de Catalogação na Publicação (CIP)
(Câmara Brasileira do Livro, SP, Brasil)

Jefferies, Dinah
A viúva de safira / Dinah Jefferies ; tradução André Fontenelle. — 1ª ed. — São Paulo : Paralela, 2019.

Título original: The Sapphire Widow.
ISBN 978-85-8439-135-6

1. Ficção histórica inglesa I. Título.

19-23216 CDD-823

Índice para catálogo sistemático:
1. Ficção histórica : Literatura inglesa 823

Cibele Maria Dias — Bibliotecária — CRB-8/9427

[2019]

EDITORA SCHWARCZ S.A.
Rua Bandeira Paulista, 702, cj. 32
04532-002 — São Paulo — SP
Telefone: (11) 3707-3500
editoraparalela.com.br
atendimentoaoleitor@editoraparalela.com.br
facebook.com/editoraparalela
instagram.com/editoraparalela
twitter.com/editoraparalela

A viúva de safira

1
CEILÃO, 1935

NUMA PLANTAÇÃO DE CANELA

O corpo franzino mal permite adivinhar a idade. Sentado sob os galhos suspensos da figueira, ele tem um jeito solitário. Os raios de sol, filtrados pelas folhas lustrosas, dançam sobre seus membros finos. O rapaz, mais parecido com um duende do que com uma criança de carne e osso, é o tipo de menino que toda mãe sonha acalentar. Ele escolhe uma pedrinha e, concentrado, cenho franzido, atira o mais distante que consegue. Contente de vê-la cair mais longe que a anterior, ele se ergue e caminha pela pequena clareira cercada de azaleias, arrastando as sandálias nas folhas e nos gravetos que se quebram e estalam sob seus pés.

Ele contempla as corujas, que eriçam as penas e se remexem na árvore. Observa um esquilo listrado subir correndo um tronco de árvore, e então fareja o ar — perfume de canela, terra queimada, citronela e um quê de mar salgado que ele tem a impressão de quase saborear. Colhe uma minúscula flor de damasco e mergulha o nariz na fragrância suave e frutada. Será para sua mãe.

Uma libélula vermelha esvoaça de uma folha para outra, fazendo-o lamentar não ter trazido seu guia de insetos. Como aquela, ele só tinha visto no guia, ao lado de outras libélulas, donzelinhas e borboletas. Sabe que existem milhares delas no Ceilão — o lugar que sua mãe chama de "pérola".

Ele sente uma brisa fresca soprar nos braços, beliscando sua pele. Aquela floresta faiscante, banhada de sol, é o melhor lugar do mundo, e ele aguarda ansiosamente as caminhadas com a mãe, à noite, quando a temperatura cai. O calor do dia é extenuante para ela, mas ele conhece todos os pontos de sombra, e sempre tem um cantinho fresco para se abrigar. Então seu humor se altera, e um vestígio de tristeza muda seu semblante. Mesmo gostando de brincar sozinho, em seu íntimo ele quer algo mais, e uma sensação desagradável de culpa desperta um calafrio.

A sensação passa logo.

Quando ele sai com a mãe para passear, gosta de sentir o envolvente perfume dela e de enumerar as espécies de passarinhos, fazendo-a rir e fingir espanto por ele conhecer tantas. A mãe não é de rir muito, mas isso não chega a surpreender, ele pensa, considerando as circunstâncias. É a expressão que ele escuta o tempo todo: "considerando nossas circunstâncias, provavelmente não é uma boa ideia". Ou "considerando nossas circunstâncias, talvez seja melhor não".

Agora ele já está quase no alto do morro, seu lugar predileto ao ar livre. Dali é possível enxergar a quilômetros de distância e, com os olhos semicerrados, quase dá para distinguir o mar. Ele imagina as ondas geladas arrebentando em sua pele quente; enxerga a si mesmo correndo pela praia, a toda a velocidade, com o vento soprando em seus cabelos; consegue ver os pescadores ao anoitecer, antes de o céu ficar cor-de-rosa e o mar, lilás.

Ele leva um susto com o farfalhar das árvores e se detém para escutar. Deve ser um macaco-sinica, pensa, ou um langur com seu longuíssimo rabo. A mãe sempre diz para não dar trela ou alimentar os macacos, que depois disso passam a achar que você é subordinado a eles. Isso quer dizer que acham que você é inferior a eles. Su-bor-di--na-do. Deve ser ruim ser subordinado. Afinal, quem é que gosta de ser menos importante?

2
CEILÃO, 23 DE DEZEMBRO DE 1935

NA TRICENTENÁRIA CIDADE MURADA DE GALLE

O calor úmido passara dos trinta graus durante o dia. Mesmo agora, às sete da noite, ainda devia estar fazendo uns vinte e cinco. O vestido de Louisa Reeve, em cetim prateado com corte enviesado, havia sido costurado em Colombo e era réplica de um modelo que ela vira numa *Vogue* americana. A revista demorava tanto que, quando chegava, a moda já tinha mudado, mas era o melhor que dava para fazer. Os costureiros de Galle, embora muito confiáveis, eram antiquados, e tudo em que metiam a mão saía num estilo um pouco cingalês demais. Mas os de Colombo eram capazes de reproduzir qualquer coisa. Com seu metro e setenta e cinco, a feminilidade natural do elegante vestido lhe caía bem, para variar um pouco da blusa de linho e das calças confortáveis que costumava usar para andar de bicicleta.

Elliot veio por trás e a enlaçou num abraço.

"Satisfeita?", sussurrou-lhe no ouvido, antes de passar os dedos por seus cabelos.

"Ei, isso deu o maior trabalho." Ela havia transformado os cachos louros e rebeldes em ondas leves, presas na lateral por uma fivela em forma de safira.

"Está se sentindo bem?", perguntou Elliot, com um ar sério e preocupado.

Ela procurou a mão dele. "Estou, mas agora há pouco estava pensando em Julia."

"É mesmo?"

Ela fez que sim. "Eu estou bem."

"Que bom. O Natal vai ser maravilhoso. Você está estonteante." Ele fez menção de ir embora. "Se estiver mesmo tudo bem com você... posso dar uma olhada nos vinhos."

"Sua ideia ainda é sair para velejar no dia 26?"

"Acho que sim. Só por algumas horinhas. Você se importa? Jeremy arrumou um iate novinho em folha, e também vamos experimentar um trapézio novo, todo moderno. Ele mandou fazer por aqui mesmo, com um desenho que trouxe da Inglaterra. Dizem que é ideal para regatas."

Enquanto caminhava para a porta, Elliot roçou nela, e, ao sentir o leve aroma de colônia de cedro que a pele dele exalava, Louisa sorriu, observando-o se afastar pelo espelho. Mesmo depois de doze anos de casamento, ainda o achava lindo, com seus cabelos castanhos encaracolados, os olhos verdes e vivazes, e um charme que atraía qualquer um. Ele nunca precisou se esforçar muito. As amizades vinham até ele rápido e com facilidade, e sempre despertava comentários por onde andava. Ela também tinha seus amigos, embora levasse mais tempo para ficar íntima e não fosse despachada como Elliot. Por outro lado, gostava de conhecer bem as pessoas, de descobrir o que despertava o interesse delas. Em geral, quando fazia uma amizade, era para o resto da vida.

Louisa se debruçou na janela do andar de cima e fitou o céu azul e o cintilante mar azul-turquesa que banha Galle. O presente deu lugar ao passado, e ela reviveu o momento em que deu à filha o nome de Julia. Foi ali, bem naquele lugar, que a segurou nos braços por uma hora inteira, até as lágrimas a impedirem de enxergar. Quando haveria morrido? Durante o parto ou antes? Nascer sem vida. Qual o sentido disso? Eram perguntas que ainda a assombravam. Um único dia a mais e Julia poderia ter sido batizada na igreja Anglicana de Todos os Santos — exatamente onde se casou com Elliot e onde ela própria fora batizada.

Ainda agora, mais de dois anos depois, o passado tomava conta dela e, cheia de remorso, sentia que podia ter feito alguma coisa ou deixado de fazer. Ela fechou os olhos e imaginou um dia ensolarado e inebriante. Julia correndo na praia com os cachorros, Tommy, Bouncer e Zip, o menor da ninhada, todos cobertos de areia reluzente e com cheiro de sal, e a menininha gargalhando. Imaginou-a catando conchinhas e correndo sem parar até tropeçar a seus pés, de tanta pressa em mostrar à mãe seu tesouro, que instantes depois esqueceria por completo. E então se viu, numa imagem bem vívida, segurando a filha nos braços depois do banho e sentindo nos cabelos o perfume de xampu de bebê, com aroma de menta e maçã.

Ela deu um suspiro e, despedindo-se de seu sonho, voltou ao presente.

Só o que restava a ela era verificar se os empregados estavam a postos e se alguma flor havia murchado. Saiu para a varanda, pegou um fósforo e um círio e acendeu os lampiões do lado de fora e as velas repelentes de citronela. Na ponta dos pés, inspecionou a arandela onde um pássaro fizera seu ninho, para se certificar de que a lâmpada tinha sido retirada. Ela ouviu o "chirp, chirp" da mãe, vigilante. "Está tudo bem, pequenina", sussurrou. "Só vamos trocar a lâmpada depois que seus filhotes saírem voando." A brisa espalhava hibiscos rosados no jardim que circundava a varanda, e Louisa adorava se sentar ali para ouvir os sons do amanhecer, enquanto o sol da manhã banhava tudo ao redor.

Ela voltou para dentro, para a sala de estar, e observou as vigas de madeira do século XVIII da mansão colonial e os lustres, que davam ao ambiente um tom dourado. Ela mesma havia pintado de laranja as paredes e de azul-turquesa o batente da porta — o que espantava alguns, mais acostumados ao branco das paredes coloniais. Mas ela gostava do brilho. No teto, dois ventiladores de madeira escura giravam, renovando o ar, e no canto a sombra de uma palmeira decorativa fazia um desenho na parede. O gramofone tocava "I Only Have Eyes for You".

No andar térreo da casa ficavam a cozinha, a saleta da governanta, que trabalhava em regime de meio período, os escritórios e os salões principais. Os quartos de hóspedes e os dois banheiros ficavam no andar do meio, junto com o quarto de costura de Louisa. Por fim, no andar de cima, havia o quarto do casal, o banheiro e uma arejada sala de estar privativa, espaço tranquilo e banhado de sol, que se abria para um terraço. Nos fundos do jardim uma edícula abrigava as dependências para serviçais, embora uma parte deles morasse na cidade.

Pouco tempo depois, enquanto os últimos convidados chegavam, Louisa e Elliot foram para a entrada do salão principal dar as boas-vindas. Ela olhou para o céu, todo iluminado por um sol infinito. As venezianas das janelas da frente tinham ficado abertas, mas os vidros estavam fechados para evitar os insetos. Ela torcia para que, vistas de fora, as luzes brilhantes da casa transmitissem aconchego. Desejava que todos os convidados se sentissem bem naquele entardecer glorioso, que lhe provocava uma onda de empolgação.

Um dos convidados de Elliot apareceu. Jeremy Pike era filho de um produtor de borracha bem-sucedido, que havia virado amigo de Elliot ainda em Colombo. Homem elegante, de bigode bem aparado, ele costumava passar alguns dias na casa de veraneio da família, em Galle, velejando constantemente com Elliot. Apesar disso, Louisa não o conhecia muito bem. Era do tipo que estava sempre com outros homens. Depois dele, chegou um casal de mais idade, amigos do pai de Louisa, reclamando do calor sufocante. Foi então que, atrás dos dois idosos, ela reconheceu um casal de produtores de chá, descendo de um Daimler.

"Ah, que bom", disse Elliot. "Os Hooper vieram."

Louisa distinguiu a silhueta frágil de uma mulher de cabelo escuro trajando um vestido roxo e caminhando a passos lentos ao lado de um homem de grande estatura. Era uma moça muito bem-apessoada, com um penteado que terminava em cachos bem definidos e olhos que combinavam com a cor do vestido. Trazia nos braços um bebê enrolado num xale rendado. Ao perder levemente o equilíbrio, foi amparada por uma aia idosa que vinha logo atrás, que lhe estendeu a mão. O homem envolveu os ombros da jovem com o braço, e Louisa notou a postura protetora dele.

Elliot deu um passo à frente para saudá-los, com um sorriso largo no rosto. "Laurence e Gwendolyn, que bom que puderam vir."

Louisa estendeu a mão ao homem, e a esposa entregou o bebê à aia antes de vir até Louisa para beijá-la no rosto. “É tão bom vê-la de novo”, disse ela.

Louisa sorriu. “Faz meses desde que nos encontramos em Colombo.”

“Um chá no hotel Galle Face, não foi? Foi ótimo contemplar o oceano imenso e imaginar Galle tão longe, do outro lado. E agora aqui estamos nós.”

“Na época você ainda não tinha o bebê.”

Gwen balançou a cabeça. “Não mesmo. Faz tanto tempo.”

“Bem, é uma enorme alegria que você esteja aqui. O que está achando de Galle?”

“Adorável. Eu já tinha estado aqui uma vez, na época da minha mudança para o Ceilão, mas faz séculos. O centro é tão tranquilo. Mal posso esperar para conhecer mais quando acordar de manhã.”

“Posso ser sua cicerone?”

Gwen concordou. “Você vai ter tempo?”

“Tempo de sobra, e conheço tudo como a palma da minha mão.”

“Você morou aqui a vida inteira, não é?”

“Tirando o período do internato na Inglaterra. Passava um tempão andando de bicicleta. Como você deve ter notado, Galle é um morro cercado pelo mar dos três lados, então a segurança é total.”

“Adoraria conhecer melhor a cidade.”

“Então já está combinado. Imagino que vocês estejam hospedados no hotel New Oriental, no centro, não?”

Gwen fez que sim.

“Então eu vou buscá-los. Que tal às oito? Quanto mais cedo melhor, porque depois fica quente e úmido demais.”

“Excelente. Assim nos distraímos um pouco. Minha mãe veio da Inglaterra e está cuidando de Hugh, nosso filho, mas precisamos estar de volta para a ceia de Natal.” Ela sorriu quando o marido fez menção de falar, mas Elliot os interrompeu.

“Laurence, o que vai ser? Uma dose de um malte de primeira?”

Quando Laurence fez sinal de concordância, Elliot deu-lhe um tapinha nas costas. “Vamos deixar as duas a sós”, disse, piscando para Laurence e tocando levemente a mão de Louisa. “Tudo bem para você?”

Ela lançou um olhar para ele sem que os demais pudessem ver, indicando que esperava que ele não bebesse demais. Não, não, o tempo das apostas e das bebedeiras com certeza já tinha ficado totalmente para trás. Ela virou-se e sorriu para Gwen. "Qual o nome da sua bebê?", perguntou.

"Alice. Hoje ela completa seis semanas. Pequena demais para deixar em casa." Ela olhou em volta.

"Vou mostrar para você o quarto onde você pode deixar Alice dormindo."

Enquanto Gwen e a aia acomodavam a bebê, Louisa percorreu a casa. Ao fazer sala para os convidados, sentia uma leve fragrância de desinfetante de limão no ar e o aroma fresco das flores da *karanja* do jardim. Ela espalhara galhos pela casa, dentro de enormes vasos de cerâmica no assoalho. A floração precoce daquele ano deu flores pequenas, de um tom de púrpura bem claro, suas favoritas.

Ela havia convidado alguns amigos do pai e seus também, e incluíra na lista muitos comerciantes de toda a cidadela de Galle. Alguns estavam na varanda, reunidos perto das velas de citronela, usando suas roupas mais caras. O som das risadas entrava pelo salão. O que havia de bom em Galle era a maneira como os ingleses, pelo menos em parte, socializavam com os muçulmanos, os budistas, os hindus e os *burghers* — descendentes de portugueses ou holandeses. Era um lugar autenticamente multinacional e ecumênico. Também havia outras coisas boas, como o charmoso labirinto de vielas retas e estreitas, onde ela conhecia todo mundo pelo nome; o perfume de chá de hortelã ou gengibre feito na hora nas manhãs de sol; e as inúmeras cabras, vacas e os lagartos que avistava durante as caminhadas. Mostrar tudo isso a Gwen seria interessante.

A região do chá era um tanto afastada de Galle. Por isso, a vinda dos Hooper de tão longe era uma surpresa muito agradável. Como Louisa já conhecia todo mundo em Galle, encontrar Gwen propiciava uma oportunidade de passar o tempo de outro jeito. Seria divertido. As duas já haviam se encontrado algumas vezes e se deram bem desde o começo.

Ao virar-se, Louisa viu o pai: alto e magro, de óculos e sobrancelhas grossas, aparentava um ar austero para quem não o conhecia. E ela estava certa nesse sentido. Um homem de coração maior que Jonathan Hardcastle seria difícil encontrar: sempre de olho em injustiças, ele tratava os empregados com absoluta correção. Seu espírito empreendedor, porém, nem sempre era do agrado dos poderosos.

Ele se aproximou dela com os braços abertos. "Querida. Como sempre, você organizou tudo muito bem."

Eles se abraçaram, e ela sorriu. "O senhor sempre diz isso."

"E sempre digo que sua mãe estaria orgulhosa."

Eles se entreolharam. A esposa morrera quando Louisa tinha apenas sete anos e, embora ela tivesse pouca memória da mãe, sabia que o pai nunca a esqueceria. A filha tinha os mesmos olhos amendoados com toques de dourado, e o tempo todo ele comentava a semelhança entre as duas. Jonathan nunca mais se casou, o que significava que Louisa fora criada por uma aia, que lhe dava mais liberdade que uma mãe daria. Por isso, desde muito cedo, ela montava na bicicleta e saía por aí para ver o mundo, como costumava dizer. Em pouco tempo já havia pedalado por toda a antiga cidade murada, e foi se acostumando a fazer o passeio diariamente. As pessoas pareciam gostar de quando ela parava para jogar conversa fora.

"Vamos entrar juntos?", perguntou o pai.

"O senhor pode ir na frente. Só quero confirmar tudo com Ashan. Acho que está na hora de começar o serviço."

"Eu posso ir até lá."

"Não precisa se incomodar." Louisa apertou a mão dele. "Aproveite a noite, pai."

Ao atravessar o pequeno corredor dos fundos que ia até a cozinha, ela passou pela porta aberta do escritório de Elliot. De relance, reparou que ele estava com um homem de quem ela se lembrava vagamente. Um *burgher* de cabelo escuro, disso não havia dúvida, com sobrancelhas mal aparadas e semblante indiferente, um descendente dos primeiros portugueses que descobriram Galle. Surpresa por não ter sido informada sobre esse convidado, ela entrou para se apresentar. Elliot percebeu e franziu o rosto. Alguma coisa no ar irritado dele a incomodou, mas, antes que ela tivesse oportunidade de falar, um movimento repentino chamou a sua atenção, e Louisa percebeu um macaquinho de cara roxa penetrando a cozinha. Ela ia dar uma bronca nos empregados imediatamente; havia portas e janelas que não podiam ficar destrancadas. Os macacos eram espertos — se você oferecia um dedo, eles queriam logo um braço. Era a mesma frase, ela preferia não lembrar, que seu pai lhe dissera certa vez a respeito de Elliot.

3

Bem cedo, na manhã da véspera de Natal, Louisa saiu da mansão de Church Street, seguiu estrada afora, atravessou a Middle Street e foi buscar Gwen, conforme combinado. Elas marcaram de se encontrar no saguão do hotel New Oriental, um imponente prédio de estilo francês, com paredes de arenito de um metro de espessura. Louisa admirou o pé-direito alto, com forro de madeira. O hotel fora construído pelos holandeses em 1684, para ser o quartel dos oficiais da armada. Agora era ali que se hospedavam os comerciantes e fazendeiros de passagem, além de, em tempos mais recentes, um fluxo constante de turistas. O impressionante saguão de entrada, abarrotado de sofás e poltronas de ébano, com uma ou outra espreguiçadeira de junco, já estava movimentado.

As paredes estavam impregnadas do aroma de cera e charutos, além de um levíssimo toque do uísque da véspera. Um imenso pinheiro ocupava lugar de destaque, decorado com bolinhas e pequenas velas em seus suportes. Apesar da beleza, era um risco tão grande de incêndio que, uma vez acendidas as velas, era preciso que um dos estafetas ficasse vigiando o tempo todo. No ano anterior, o rapaz foi surpreendido cochilando e escapou por pouco de ser responsabilizado caso o local todo ardesse em chamas.

Ela adorava o hotel, com sua fachada monumental e dramática, de frente para o porto. Mais de uma vez desenhou o prédio, assim como a maior parte dos edifícios de Galle. Desenhar sempre foi um de seus passatempos favoritos, e seu sonho era virar arquiteta, mas no Ceilão não havia nenhum lugar para uma mulher estudar. Ela poderia ter ido para a Europa ou para os Estados Unidos, mas não queria deixar o pai sozinho. Por isso, encantada pela arquitetura e pelos edifícios, a decoração de interiores se tornou sua paixão. Louisa costumava passar muito tempo sentada à sua bela mesa de costura Singer de mogno, cosendo cortinas ou fazendo capas de almofadas até tarde da noite. Quando não era isso, ficava traçando desenhos complexos e aquarelas dos prédios de Galle para pendurar nas paredes. Estragando as vistas, como diria Irene, a mãe de Elliot.

A pretensão e o esnobismo suburbanos de Irene eram característicos de certos europeus. Louisa não ousaria admitir o alívio que sentiu quando soube que *ela* não viria para o Natal daquele ano. Os Reeve, Irene e Harold, um funcionário público, haviam sido convidados a passar as festas com amigos em Colombo. Então, iam ser mesmo só Elliot, Louisa e o pai.

Instantes depois, Gwen apareceu, usando um vestido de algodão, com uma saia pregueada na altura da canela e um enorme chapéu de palha. “Bom dia”, disse, beijando o rosto de Louisa e dobrando a pontinha do próprio chapéu. “Não é muito natalino, né? Preciso usar o tempo todo. Com uma pele como a minha, fico queimada rapidinho.”

Louisa olhou para a própria pele bronzeada. “Por sorte, esse problema eu não tenho. Passo tanto tempo na bicicleta que fica parecendo que dormi no sol.”

“Pelo menos está na moda hoje em dia.”

“Então”, disse Louisa, enquanto caminhavam pelas ruas de paralelepípedos, passando por bangalôs baixinhos com portas ricamente adornadas e telhados de telhas de barro trazendo sombra para as varandas. “Conte-me o que motiva você a sair da cama na sua fazenda de plantação de chá.”

“Bem, vivemos num lugar um tanto afastado, então não temos tantas oportunidades de socializar. Só uma ou outra ida a Colombo ou Nuwara Eliya para algum baile. Se bem que uma vez fomos a Nova York. Ficamos lá um mês.”

“Deve ter sido ótimo.”

“Foi uma viagem e tanto. Na época, estávamos tentando transformar o Chá Hooper numa marca grande.”

“E deu certo?”

“Bastante certo, embora eu mesma não me envolva muito com o negócio. Trabalho mais com queijo.”

“É mesmo?”

“Se um dia você for nos visitar, precisa experimentar. Deixando a modéstia de lado, é delicioso.” Ela sorriu, e seus olhos brilhantes refletiram a luz do sol.

Durante a caminhada, todas as casas que avistaram tinham persianas, abertas ou fechadas; havia arbustos de jasmim-manga nas ruelas, e os macacos grunhiam, balançando-se em seus galhos.

Louisa recordou-se da época em que ela e o marido se mudaram para a casa atual, pouco tempo depois de ele ser encarregado do negócio de lapidação e polimento de pedras preciosas do pai dela. Precisaram insistir um pouco até que o pai o aceitasse no cargo, mas, no final, apesar das reiteradas desconfianças de Jonathan, Elliot provou seu mérito. Era um cargo importante, com responsabilidade absoluta sobre todas as joias que passavam por suas mãos.

As duas continuavam a pôr a conversa em dia quando passaram por um grupo de monges budistas, além de alguns muçulmanos de branco, com turbantes na cabeça. Louisa fez uma discreta reverência com a cabeça para todos eles.

“Não temos muito tempo”, disse Gwen. “Preciso voltar antes do que eu previa.”

“Podemos só dar uma passadinha ali? Quero levá-la até a murada. Elliot e eu sempre vamos caminhar lá à tardinha, antes de escurecer.”

“Que romântico. Que sorte a sua. Aqui você tem tudo o que podia querer.”

Louisa sorriu, mas não disse nada.

“Acho muito bonito. Mágico, na verdade.”

O cheiro de peixe as atingiu antes que os vissem pendurados numa barra do lado de fora de uma loja, secando ao vento. Esse mesmo estabelecimento também vendia molho de atum, guardado em imensos barris de conserva. Como ainda era cedo, puderam ver o peixeiro, que acenou quando elas passaram. Ele carregava cestos grandes de pescada dos dois lados da bicicleta e era seguido por uma fila de gatos.

"O peixeiro faz entregas em qualquer lugar da fortaleza, depois joga a cabeça e a cauda para os gatos", disse ela. "Como você pode ver, estão todos bem gordinhos."

Elas passaram por um jasmim-manga enorme, de aroma suave, e em pouco tempo chegaram às antigas muralhas, erguidas com barro, cal e corais, de onde contemplaram o oceano faiscante, que se estendia a perder de vista.

"É tão bonito", disse Gwen. "E eu adoro esse cheiro."

Louisa deu risada. "De peixe?"

"É, de peixe, mas esse também é o cheiro maravilhoso do mar salgado. Moramos na beira do lago, mas de vez em quando eu penso em como seria viver perto do mar."

"Ele muda o tempo todo. Adoro isso. Às vezes fica prateado e tranquilo. Me sinto calma só de sentar e ficar olhando. Às vezes, como agora, fica salpicado de ouro."

Fazia muito tempo que Louisa não se sentia tão à vontade quanto ali, sentada na muralha. Ela ansiava por ter com quem desabafar, mas nunca achava a ocasião apropriada nem a confidente ideal. Gwen era a primeira pessoa em quem ela sentia que podia confiar, que não faria fofoca.

"Você perguntou se eu estou feliz", disse ela.

"Perguntei."

"Bem, a verdade é que estou quase lá. Dois meses atrás, eu sofri um aborto."

"Oh, meu Deus. Deve ter sido terrível para você."

"Mas não foi o primeiro." Ela engoliu em seco antes de falar. Para ela, os bebês natimortos e abortados eram gente, pessoas pequenas que mereciam seu luto. Crianças que teriam preenchido seus braços e seu coração. Não era fácil dizer isso, e ela não queria tocar no assunto, mas concluiu que não podia mais ficar calada. "Meu bebê nasceu morto faz um pouco mais de dois anos, e oito anos atrás eu tive outro aborto."

O semblante de Gwen ficou sombrio. "Eu lamento muito... Deve ter sido terrível."

Louisa balbuciou um agradecimento.

Gwen sacudiu a cabeça lentamente, como se estivesse pensando no que ia falar. "Eu também já perdi uma criança", disse, por fim. "Para mim ainda é difícil falar sobre isso. Acho que é por isso que não contei a você quando tomamos chá em Colombo. Eu simplesmente não conseguia falar do assunto."

Louisa mordeu o lábio, como quem tenta conter a vontade de falar.

"É uma longa história. Ficou praticamente só entre nós. O nome dela era Liyoni", prosseguiu Gwen. "Perdê-la me partiu o coração."

Louisa compreendia. "Mas pelo menos agora você tem sua pequena e adorável Alice." Na mesma hora em que dizia essas palavras, deu-se conta do quanto elas eram inadequadas. "Ai, nossa, que falta de jeito. Desculpe, eu não queria..."

Gwen fitou-a. "Não se preocupe. Mas nada pode substituir o que você perdeu, estou certa de que você sabe disso."

Louisa concordou. Tendo trocado confidências, alguma coisa mudou na relação delas, e Louisa passou a sentir uma poderosa afinidade com Gwen. "Obrigada por ter me contado", disse.

Com os olhos cheios de lágrimas, Gwen estendeu a mão e as duas ficaram sentadas juntas, no silêncio que se instalou entre elas.

Na manhã seguinte, ainda satisfeitos com o almoço de Natal tardio e prolongado com o pai, Louisa e Elliot saíram juntos para as muralhas e sentaram-se não muito longe do local onde ela estivera com Gwen na véspera. Algumas pessoas, sentadas nos muros de pedra, faziam um lanchinho, e Louisa avistou corvos à espreita, interessados nas migalhas de comida que caíam.

"Acho que eu exagerei no brandy com seu pai", disse Elliot, fechando os olhos.

"O ar fresco vai ajudar", comentou ela, um tanto decepcionada.

Como a temperatura estava caindo, os moradores começaram a sair de casa para a caminhada noturna.

Recuperando a calma, ela sorriu para ele. "A festa foi ótima, não foi? Fiquei tão feliz por você ter convidado Gwen e Laurence. Mas por que não insistiu para que aquele homem que vi com você no escritório ficasse? O *burgher*."

"Fiz isso, mas De Vos tinha outros compromissos."

"Achei que você ficou um pouco incomodado quando eu quase os interrompi."

"De jeito nenhum."

"Então o que ele estava fazendo lá?"

"Assunto de trabalho."

"Ah, Elliot! Nada de trabalho durante o Natal, você prometeu."

"Desculpe." Ele enganchou o braço no dela. "Não vamos falar disso. Vamos só desfrutar da noite. Estamos felizes, não estamos? Você está dando conta?"

Ela se apoiou de novo nele. "Estou."

À medida que o sol se punha, o céu se incendiava, num espantoso espetáculo de rosa e escarlate intensos. Eles ouviram então o som melodioso da chamada para a oração, que vinha da mesquita. No mesmo instante, todos os homens de branco se viraram e seguiram apressados naquela direção.

Ela amava aquele ambiente sereno e poeirento, embora às vezes ficasse tingido pela tristeza. O fato era que Galle estava visivelmente mais silenciosa. Nos tempos do pai de Louisa, quinhentos passageiros chegavam todos os dias em navios a vapor, mercadores de especiarias apinhavam as docas, e embarcações de guerra se reabasteciam. Agora, embora alguns europeus mais cosmopolitas vivessem ali — pelo menos em parte do ano — e o porto ainda fosse um entreposto de pedras preciosas, borracha e canela, boa parte do comércio de chá se transferira para Colombo.

Mesmo assim, Louisa gostava de cruzar com os comerciantes que ainda vinham da Malásia, da Índia e da China. Galle se mantinha de pé, e ela adorava ouvir o chamado repetitivo e melancólico para a oração muçulmana ao amanhecer, ao meio-dia, no meio da tarde, logo depois do pôr do sol e duas horas depois. Era um som que fazia parte de toda a sua vida, e mesmo que o número de muçulmanos tivesse diminuído — a maioria dos cingaleses era budista —, eles viviam em harmonia com os fiéis de outras religiões. Ela estava ciente, assim como todos, das repetidas revoltas contra os ingleses, mas isso vinha acontecendo com muito menos frequência agora que todos tinham direito a voto, e bem menos do que em Colombo. Sim, as coisas haviam mudado em Serendip — a ilha das pedras preciosas, antigo nome do Ceilão —, e para melhor.

4

Uma semana depois do Natal, no Réveillon, Elliot foi mergulhar em Flag Rock, no ponto mais ao sul do forte de Galle. Louisa achava arriscado aquele passatempo, mas Elliot era viciado em perigo. Ele vivia com uma intensidade feroz, fosse dirigindo em alta velocidade, fosse disputando corridas de barco. Por mais que tentasse, Louisa tinha dificuldade em acompanhar. Elliot, porém, não encarava as coisas da mesma forma que ela. Odiava o nervosismo que percebia na expressão da esposa e dizia que era uma preocupação desnecessária. Ela havia pedido que ele trouxesse uma surpresinha, do mesmo mercado onde havia encontrado a presilha de cabelo em forma de safira que lhe dera. Era falsa, claro, e ele podia pagar sem dificuldade por uma de verdade, mas para eles o prazer era encontrar presentes um para o outro nos diversos bazares e mercados. Com o passar dos anos, virou um hábito, ainda que ultimamente andassem ocupados demais.

Na semana anterior, Elliot viajara para Cinnamon Hills, uma fazenda de canela no interior, a pouco mais de trinta quilômetros de Galle. Ele detinha uma parcela da propriedade. A fazenda havia sido abandonada pelos antigos proprietários, dizia Elliot, e ele vinha dando uma ajuda, já que o local precisava de uma vasta reforma para se recolocar de pé. Um mês antes disso, ele estivera em Colombo, inspecionando seus negócios de venda de especiarias, algo que dava tanto trabalho quanto um emprego em tempo integral na empresa do sogro.

Ela se esforçava para não ficar pensando no aborto e manter o bom humor, mas nem sempre era fácil. Ficou pensando no encontro com Gwen Hooper. Aquela mulher tinha algo de frágil. Porém, mesmo tendo perdido uma filha, ela seguia em frente com otimismo. Mulheres têm que passar por cada coisa, pensou. Cada coisa, e ainda assim conseguem sorrir.

Depois de um café da manhã com frutas, coalhada de leite de búfala e *hoppers* — panquecas crocantes, às vezes com um ovo frito no meio —, Louisa reuniu os três springer spaniels e os levou para passear no parque, cruzando o portão principal do forte e passando por um canal. No caminho, encontrou o florista, que guiava uma bicicleta velha, e se lembrou da época em que ela e Elliot, logo depois de se casarem, iam ao parque antes do café da manhã e voltavam andando até a praia. Recordou como certa vez os dois se arriscaram a caminhar até os recifes durante a maré baixa, quando o mar estava raso. Sentindo-se como crianças explorando um mundo desconhecido, perderam o equilíbrio de tanto gargalhar e, apoiando-se um no outro, caíram. Voltaram ensopados e cheios de areia, esgueirando-se pela escadaria da casa para que os empregados não os vissem. Ao lado de Elliot, a vida era uma diversão constante.

O pai era muito mais sério e ponderado que o marido. Era como se houvesse quatro tipos de ingleses no Ceilão: os oficiais do exército, os fazendeiros, os funcionários públicos e os homens de negócios. O pai pertencia a esta última categoria. Talvez a perda da mulher o tivesse tornado mais soturno do que ele normalmente seria. Louisa se lamentava por não se lembrar de como ele era antes da morte da mãe.

Depois da caminhada, ela se deitou na cama, debaixo do ventilador, e repousou a mão na barriga. Se ao menos ela pudesse... Mas então conteve o pensamento. Elliot nunca demonstrava tristeza pela perda de Julia, mas ela sabia que ele sofria. Era um homem nascido para ser pai, sobretudo por ter perdido um irmão menor, muitos anos antes, de cólera. Era um menino de apenas cinco anos, dois a menos que Elliot, quando a irmã caçula, Margo, era apenas uma bebê. Por esse motivo, apesar de tudo, Louisa se compadecia de Irene Reeve, embora obviamente essa não fosse a única razão pela qual a mãe de Elliot vivesse insatisfeita. Louisa suspirou, inalando a fragrância de coco da fumaça que vinha da cozinha. Irene deveria chegar a Colombo a tempo de cear. Por isso, era hora de Louisa respirar fundo e se recompor um pouco.

Enquanto almoçavam arroz com curry, prato típico cingalês, os três se ocuparam de assuntos triviais. Por causa do trabalho, o pai de Elliot não pôde fazer a longa viagem junto com a mulher.

"É uma pena que Harold não tenha vindo", disse Louisa. "Estávamos na esperança de que ele viesse, não é, Elliot?"

Elliot assentiu. "Tudo bem. É bom que esteja aqui, mãe."

"É, sim, Irene", Louisa disse protocolarmente.

Irene fez um muxoxo irritado — jamais iria gostar, mesmo com o passar dos anos, de ouvir o primeiro nome na boca da nora. "Você sabe como ele é, Elliot. Se ocupasse um cargo mais alto na empresa, talvez tivesse mais liberdade para decidir, mas você conhece seu pai. Ele nem virou sócio do clube de Colombo."

"Tenho certeza de que papai faz o que pode."

Ela sorriu. "Você, Elliot querido, sempre enxerga o lado bom das pessoas, mas eu sei que seu pai podia ter ido muito mais longe. Mas as coisas são como são, e é nesse pé que estamos. Você tem muita sorte de ter casado com um homem como meu filho, Louisa."

A nora concordou, mas preferia ficar longe daquele assunto. Já tinha acontecido tantas vezes que ela podia antecipar o que seria dito em seguida. Enquanto não se tornasse o centro da discussão, tudo bem.

Elliot balbuciou alguma frase apaziguadora, exatamente como ela previa. Um empregado veio tirar a mesa, e a família mergulhou no silêncio. Outra empregada, uma jovem de cabelos e olhos negros chamada Camille, trouxe um manjar de abacaxi, mas Louisa recusou o pedaço que lhe foi oferecido.

Camille serviu os demais e saiu da sala.

"Sei que não é da minha conta", disse Irene, "mas você não acha que um manjar ia lhe dar mais sustância? Por que você não contrata um cozinheiro inglês, ou até mesmo francês? Tanta comida cingalesa não deve fazer bem, tenho certeza. Quer dizer, tirando o manjar."

"Na verdade, temos uma moça francesa, chamada Camille, trabalhando na cozinha. Foi ela que acabou de servir o manjar. Você não reparou? Apesar de francesa, ela costuma usar um sári. Talvez por isso você não tenha notado."

"Que exótico. Uma europeia trabalhando como uma mera empregada de cozinha."

"É uma história curiosa, até. Parece que Camille se apaixonou por um marinheiro e conseguiu um emprego na cozinha do navio onde ele trabalhava. Mas aí ele a abandonou aqui em Galle, sem um tostão."

"Então você apareceu e a contratou. Essa gentileza é a sua cara."

Louisa pôde notar, no olhar de reprovação de Irene, que ela não considerava aquilo gentileza nenhuma. "Ela está totalmente só, sem família. Achei que era minha obrigação, e além de tudo o menino que trabalhava na cozinha tinha ido embora."

Irene baixou a cabeça. "Entendi. Bem, se me permite, claro, acho que seria oportuno eu ficar por um pouco mais de tempo que havia planejado. Alguém precisa se certificar de que você está comendo direito."

Por dentro, Louisa grunhiu.

5

Louisa ficou deitada ao lado de Elliot, repassando tudo na cabeça, enquanto ele lia. Sempre que ela não estava bem, ele era incrivelmente solícito. Por um instante, ocorreu-lhe que talvez a preferisse frágil; que alguma coisa na fraqueza dela o fizesse sentir-se necessário. Ela se aninhou mais perto dele, acariciando sua barriga. Era incrível como a dúvida podia se insinuar com facilidade, até no mais sólido dos casamentos. Mas quando ele fechou o livro e a procurou, ela não tardou a esquecer as ideias efêmeras, e os dois fizeram amor com carinho, pela primeira vez desde o aborto.

Depois, ambos adormeceram.

O descanso de Louisa, porém, não durou muito, pois ela sentiu a pele formigando e as pernas pesadas. Por mais que tentasse, não conseguia relaxar, e em pouco tempo já estava se revirando de novo na cama. Esperou um pouco, mas, depois de uma hora de agitação, ela se levantou e acendeu uma vela, para não ter que ligar a luz e acordar Elliot. Ele odiava ser despertado repentinamente. Quando isso acontecia, ficava de mau humor pelo resto do dia.

Chegando ao banheiro, ela acendeu a luz. Fazia sete anos que a luz elétrica chegara a Galle e, embora isso tivesse transformado a vida de todos, Louisa sentia falta do romantismo das lamparinas a óleo e do brilho suave das velas. Às vezes passava a noite inteira em claro, e não raro ia se sentar um pouco na borda da banheira. Louisa olhou em volta, abriu a janela e se debruçou, fechando os olhos e sentindo o aroma perfumado da noite. Úmido. Doce. Salgado. Ficar sozinha à noite trazia uma sensação de atemporalidade, que acalmava no mesmo instante sua mente inquieta. Ela abriu os olhos para a lua cheia, que iluminava o jardim com o brilho de sua luz azulada.

Não seria maravilhoso se, depois daquela noite, ela estivesse grávida de novo?

Ela jogou água no rosto e, depois de mais meia hora, voltou para a cama, pensando em seus filhos. Dentro de sua cabeça, eles brincavam, saltitavam e gritavam como toda criança. Mas ela se deixou levar pelos pensamentos, e doeu muito saber que eles não estavam lá.

Até que Elliot acordou e a envolveu em seus braços.

"Amo você de verdade", ela sussurrou.

"Eu também", murmurou ele, sonolento.

Só então ela conseguiu cair no sono.

Nas semanas seguintes, a vida de Louisa transcorreu normalmente. Ela levou Tommy, Bouncer e Zip para longos passeios, concentrou-se nos bordados e saiu de casa para podar os arbustos. As noites lhe traziam um alívio a mais — quando o céu de repente ficava vermelho e roxo, e ela ouvia o chamado para as orações vindo da mesquita. Esse céu imenso e espetacular, pairando sobre um oceano lilás que se estendia até o Polo Sul, sempre a deixara muito impressionada. Mas, assim que as coisas se ajeitaram e ela voltou a se sentir bem de verdade, Elliot viajou de novo, dessa vez passando muito mais tempo que de costume na fazenda de canela tratando dos negócios.

Ela continuou a passear com os cães e a tomar conta da casa. Foi então que, em certa manhã no princípio de fevereiro, depois que Elliot já tinha voltado para casa, seu pai veio fazer-lhe companhia na varanda. Era uma manhã quente e poeirenta. Moscas voavam pelo ar carregado, obrigando Louisa a afastá-las do rosto o tempo todo. Mandaram trazer chá e, antes de pegar o *Ceylon Times*, seu pai soltou um resmungo e estendeu a mão para ela. Louisa apertou-a docemente. "Esta é minha menina", ele disse.

Ela assentiu e recolheu a mão. Ele enfiou o rosto no jornal, mas a filha se sentia protegida só de tê-lo por perto. Mais tarde, contemplando o jardim e ouvindo os pássaros, observando enquanto voavam de um galho para outro, Louisa sentiu um arrepio de contentamento. O dia mal tinha começado, mas o novo amanhecer e o perfume dos jasmins a tinham deixado de bom humor. A vida precisava seguir em frente. A terceira gravidez malsucedida havia sido um golpe, mas ela tinha um lar, um bom marido e um pai que ela amava. Quantos podiam dizer o mesmo? Além disso, em breve começaria a angariar fundos para o orfanato de Colombo. Talvez um almoço com cardápio francês fosse uma boa ideia, com a ajuda de Camille, claro. Louisa já organizara cafés da manhã, bazares e almoços requintados, tudo em benefício do orfanato. Elliot brincava que, toda vez que chegava em casa, tinha certa expectativa de encontrar um casal de crianças de pele morena nos braços dela.

Pouco tempo depois, Elliot chegou com a mãe, e os dois se juntaram a eles na varanda. Louisa precisava criar coragem para pedir a Irene que voltasse logo para Colombo. A sogra já estava abusando da hospitalidade, embora talvez essa não fosse mais a palavra adequada, e completara um mês de estadia. Louisa temia que Irene ainda estivesse por lá quando ela e Elliot organizassem a tradicional festa de aniversário de casamento no fim do mês.

"Mais um pouco de chá?", perguntou Louisa, tocando o sino para chamar Ashan, um mordomo baixinho e elegante, que apareceu depressa. Ele vestia o tradicional sarongue masculino amarrado na frente, e seu cabelo comprido estava trançado e preso com um pente de casco de tartaruga com detalhes em prata.

"Obrigada, Ashan", disse ela. "Sempre posso contar com você."

Ele abriu um largo sorriso. "Quero crer que sim, madame."

Ela voltou os olhos para o marido. Pela alegria no rosto, Elliot parecia ter algo para anunciar. Por um ou dois segundos, ele não disse nada. Só ficou sentado, sorrindo, com um olhar indecifrável.

"Bem, o que foi?", perguntou o pai de Louisa, ao perceber o mesmo que ela. "Desembuche."

Franzindo a testa, Louisa olhou para o marido com ar de indagação. "Elliot?"

Ele tirou do bolso um maço de Camel, riscou um fósforo e acendeu um cigarro. Fez uma pausa antes de falar. "Eu comprei o antigo prédio da Imprensa." Ele se reclinou na cadeira, comprimiu os lábios, satisfeito consigo mesmo, e balançou a cabeça.

"Oh, querido! Que maravilha!", exclamou Irene, cheia de orgulho materno.

Jonathan Hardcastle tirou os olhos do jornal, com uma cara nem um pouco contente. "Você *o quê*?"

"Tive uma ideia maravilhosa." Apesar da reação do sogro, Elliot ainda parecia satisfeito consigo mesmo.

"E que ideia é essa, querido?", disse Louisa, carinhosamente.

"Ela me veio do nada, algumas semanas antes do Natal. Faz anos e anos que aquele lugar está desocupado. Pensei que podíamos transformá-lo na maior loja do Ceilão, uma combinação de joalheria e empório de especiarias. Centralizar ali todos os nossos negócios. Falta só fazer o último pagamento."

"Onde você estava com a cabeça? Não somos joalheiros", protestou Jonathan. "Somos negociantes de pedras preciosas."

O semblante de Elliot não se alterou. Pelo brilho nos olhos dele, Louisa sabia que provavelmente nada iria dissuadi-lo. "Não é hora de expandirmos, Jonathan? De corrermos riscos?"

O pai dela sacudiu a cabeça. "Neste momento em que já estamos apertados? É claro que não."

"Por que não ouvir Elliot, pai?"

"Não. O comércio de pedras preciosas está em crise, por causa do aprimoramento da tecnologia das imitações. Você sabe muito bem que elas estão inundando o mercado de mais baixa renda."

"Mais uma razão para expandir o negócio em outra direção", argumentou Elliot.

"Não. É loucura. Eu tive que me concentrar nas joias de luxo, de alto quilate, e isso imobiliza grande parte do capital em estoque."

Ashan trouxe mais chá, e eles pararam de conversar até que se retirasse. Fazia muitos anos que ele trabalhava para a família, e tinha um perfil discreto. Mesmo assim, Louisa preferia manter em sigilo assuntos mais delicados.

"Pai, duvido que o senhor não arrume o dinheiro", disse Louisa. "É uma boa ideia, não?"

"Não é. De jeito nenhum. É um péssimo momento."

"Mas..."

Jonathan ergueu a mão. "Não estou nem um pouco de acordo, a verdade é essa. Agora preciso cuidar de algumas coisas. Espero não ter que ouvir mais a respeito dessa ideia estúpida." Ele dobrou o jornal, colocou-o debaixo do braço e saiu andando.

Subitamente desanimado, Elliot deu um suspiro.

Louisa sentiu-se dividida. Ela queria dar apoio a Elliot, mas também amava o pai.

"Bem", disse Elliot, sacudindo a cabeça. "Foi tudo às mil maravilhas!"

"Acho que vou me deitar um pouquinho", disse Irene, fungando e começando a sair. "Estou sentindo vir uma daquelas minhas dores de cabeça. Desentendimentos não combinam com minha frágil condição."

"Peço para levarem chá de hortelã para a senhora, mãe."

Depois que Irene saiu, Louisa fitou Elliot. Suspirou, à procura de um jeito de lhe demonstrar apoio. "Tenho certeza de que ele vai voltar atrás."

"Ele está enganado, mas você sabe que não vai mudar de ideia." Elliot tomou o que restava de chá. "Ele nunca gostou mesmo de mim."

"Não seja tão ranzinza. É claro que ele gosta de você. Talvez você devesse ter me contado antes, em vez de dar a notícia assim, de supetão", sugeriu Louisa.

Ele deu de ombros. "Talvez. Eu queria fazer uma surpresa. Achei que você fosse ficar do meu lado."

"Por favor, Elliot, eu fiquei, mas você conhece meu pai. Ele gosta de ser convencido das coisas."

"Você acha que ainda consegue convencê-lo?"

"Posso tentar. Só me prometa que não é mais um dos seus planos malucos."

"Agora você é minha tutora?"

Ela deu outro suspiro. "É claro que não, mas se você precisar da minha ajuda..."

"Já parou para pensar em como me sinto tendo que pedir esmola assim?"

"Elliot, eu não quis dizer..."

"Você está falando do cavalo de corrida, não está?"

Ela sorriu. "Bom, ele não corria *nada*."

Ele se pôs de pé, olhando-a fixamente. "Francamente, Louisa, você vai continuar me jogando isso na cara para sempre? Sei que para você eu sou um traste, mas agora é diferente."

"Sossegue. Pare com essa bobagem. Você não é um traste." Ela estendeu a mão para ele.

Ele a segurou e veio sentar-se ao lado dela.

"A propósito, acho de verdade que o empório pode ser uma boa ideia. Como foi que você conseguiu o financiamento?"

"O setor de especiarias tem dado muito lucro. Só isso já garantiu o sinal. E saiu por um preço ótimo."

"Você levou em conta o custo real da reforma?"

"É claro. Não deve ficar tão caro. O local está em bom estado. Temos que limpar e fazer uma nova decoração, e depois só uns ajustes — tudo factível."

"Levaria muito tempo?"

"Não se contratarmos as pessoas certas."

"Minha dúvida é se dá para financiarmos por conta própria, para provar ao papai que a ideia é boa."

Ele deu a impressão de vacilar antes de responder. "Lou, o problema é que meu dinheiro anda curto atualmente."

"Não entendi", disse ela. "Você acabou de dizer que está tudo bem."

"Sim, é claro. Está, sim. É só uma questão temporária de fluxo de caixa enquanto eu estou aguardando o pagamento de uma carga importante que está a caminho."

"E é só?"

"Só isso."

"Não é seu problema antigo de novo?"

Ele fez uma cara de mágoa e espanto. "É claro que não. Entrando o dinheiro, vai ficar tudo bem. Você sabe como são essas coisas."

Ela confiava em Elliot, claro que sim, mas antes de prosseguir fez uma pausa para pensar. Certas coisas eram difíceis de esquecer, e mesmo assim ela queria acreditar nele. Foi convencida por seu sorriso doce, que a deixava desarmada.

"Pode ser arriscado", disse ela, "mas, por outro lado, talvez meu pai esteja errado."

"Acho que está."

"Bem, vamos analisar e, se a coisa parar de pé, tenho certeza de que vamos achar um jeito de eu mesma terminar de pagar o prédio da Imprensa. Estou precisando de um projeto novo."

"Não quero que você se indisponha com Jonathan."

Ela sacudiu a cabeça. "Eu tenho as minhas ações, e não se esqueça de que somos um time. Depois que eu examinar o local, vou negociar algumas ações no mercado assim que puder, para pelo menos concluirmos a compra."

"Boa menina! Eu sabia que podia contar com você."

"E, já que estamos falando disso, vou ver se a sua conta tem o bastante para custear a reforma. Pelo menos até você equilibrar seu caixa."

"Magnífico."

"Depois disso, podemos aprovar a planta juntos. Eu vou adorar fazer o projeto." Era verdade. Talvez um trabalho fosse aquilo de que ela precisava. "Que tal paredes bem branquinhas, fazendo contraste com um balcão de ébano? Cores escuras e claras combinam tão bem, e o negro do ébano do Ceilão é tão uniforme! Vai ficar maravilhoso."

"Eu estava torcendo para você querer assumir isso."

"Foi por mim que você fez isso?"

"Bem, não exatamente. Mas pensei que um recomeço poderia ajudar."

"Quando papai se der conta de que o lugar vai ficar incrível e que os joalheiros vão se interessar em exibir suas peças, vai mudar de ideia, tenho certeza."

"Tenho muita sorte de ter você."

Ela sorriu e estendeu-lhe a mão. "Nós dois temos."

"Agora, olha só", disse ele. "Se você já estiver se sentindo melhor, preciso voltar para a fazenda de canela."

Suspirando fundo, ela tentou ignorar a dor lancinante que sentiu. “De novo? Nós não vamos cuidar do projeto do empório?”

“Dá para esperar. Tenho muita coisa para fazer por lá agora.”

“Tipo o quê?”

“Você nunca mostrou interesse por isso antes.”

“Pois estou mostrando agora.”

Ele não gostou muito de ser questionado com tanta veemência e aparentava estar pensando numa resposta. “Bem, já que perguntou, estou pensando num jeito de aumentar a produtividade. Desmatar mais a floresta. Coisas assim.”

“Talvez da próxima vez eu possa te acompanhar. Uma viagem, só nós dois.”

Ele não respondeu.

Fez-se o silêncio entre eles, como se tudo ficasse em suspenso.

6

Dois dias depois, quando Elliot voltou da fazenda, parecia em ótimo estado de espírito. Empolgado, até. Mais uma vez, Louisa sugeriu acompanhá-lo na visita seguinte, mas de início ele não demonstrou animação, alegando que a fazenda ainda estava muito rústica e que isso a desagradaria. Louisa insistiu, e, por fim, alguns dias depois, eles pegaram a estrada. Ele fez questão de que a viagem ocorresse naquele dia exato, sem explicar o motivo, mas pelo menos estavam indo juntos. Uma visita-relâmpago, de apenas um dia, já que a Hardcastle Joias recebera novas pedras e ele precisava voltar para fiscalizar os registros.

A estrada para Cinnamon Hills levou-os para longe do forte de Galle, passando pelas docas e pelos cais onde borracha e outros produtos eram estocados antes de serem colocados nos navios. Ali Louisa sabia que precisava prender o nariz: o cheiro da carga de látex era terrível. Eles passaram pelas águas tranquilas da baía de Galle, onde ficavam ancorados os cargueiros maiores, e pela ponta meridional do monte Rumassala, mais conhecida como Bebedouro, o reservatório onde antes os barcos se reabasteciam de água. Dali se avistavam dois recifes rochosos, que haviam causado o naufrágio de muitos navios na época das monções de sudoeste.

"A vista do topo do Rumassala é incrível, não?", disse ela. "Precisamos subir a pé até lá qualquer dia desses."

Eles passaram pelo diminuto cemitério, repouso final dos marinheiros e dos funcionários públicos ingleses. Depois disso, Louisa abriu a janela do carro, desfrutando do ar fresco.

"Sou apaixonada pela lenda de Rumassala."

O antigo poema épico de Ramayana, em sânscrito, contava a história do tempo em que Hanuman, o deus símio guerreiro dos indianos, precisava tratar os feridos de seu exército durante a batalha contra o demoníaco rei Ravana, do Ceilão. Mas ali não havia nenhuma erva medicinal. Por isso, Hanuman voltou para a Índia, trazendo de lá um pedaço do Himalaia onde cresciam as plantas de que precisava. Por acidente, porém, deixou-o cair em Rumassala. Louisa sabia que a população local acreditava ser essa a explicação da presença de plantas medicinais raras naquela área.

"Estava pensando em experimentar ervas medicinais", disse ela. "Para ver se me ajudam."

"O dr. Russell ia ficar horrorizado."

"Ele não precisa saber, e vale a pena tentar. As pessoas garantem que funciona, e quem decide sou eu, não é?"

Quando chegaram, uma hora e meia depois, ela observou a dura solidão da fazenda. Na metade da subida havia uma grande casa colonial antiga, conhecida em cingalês como *walauwa*, erguida em meio a um pequeno gramado mal aparado e um jardim repleto de árvores e orquídeas visitadas por borboletas. Um pouco mais distante dali havia a floresta profunda e escura, penetrada por raios de luz solar. Que lugar para se perder..., pensou ela. Nas sombras, onde ninguém consegue ver seus movimentos e onde tudo pode acontecer.

Enquanto percorriam a entrada principal, ela avistou outra edificação, uma casa mais moderna e imponente, na parte mais alta da propriedade. Quando por fim chegaram, Louisa desceu do carro e contemplou uma extraordinária vista para o mar. Depois se virou para a serra, onde colinas enevoadas e arroxeadas se fundiam com o céu.

"A luz muda o tempo todo aqui, do nascer até o pôr do sol. Você gostou?"

"É de tirar totalmente o fôlego."

"Vou ver se Leo McNairn está. É ele quem administra isto aqui."

Elliot subiu até o portão principal. Um empregado o recebeu

e disse que Leo havia viajado para Colombo. Ele então voltou para perto de Louisa, que ainda admirava o mar. "Ele saiu, mas isso não nos impede de dar uma voltinha. Vou mostrar a você a plantação de canela."

"Adoro esse cheiro", disse ela. "É só canela mesmo?"

"Citronela também, creio eu."

"Não admira que você goste tanto de vir para cá! Da próxima vez, eu adoraria passar alguns dias aqui."

"Olha, como eu disse, a casa do Leo é um tanto rústica. Não me importo muito com isso quando fico aqui."

"Eu também não me importo com lugares rústicos. Você sabe muito bem disso."

"Vamos dar uma olhada por aí?"

Louisa acompanhou Elliot, descendo por uma trilha sinuosa em meio a arbustos esparsos e orquídeas terrestres. Para além delas, árvores altas e escuras atraíam os incautos para as trevas. Ela podia sentir essa atração, fosse lá o que escondessem.

"Só fique de olho nas cobras", disse ele, interrompendo seus devaneios.

"Venenosas?"

"A krait preta e branca."

"Mas elas só são um problema à noite, não é?" Ela olhou em torno. "Adoraria ver onde produzem a canela."

"É tudo um pouco maçante."

"Mesmo assim."

"Bem, a colheita é feita nas árvores depois de uns três anos, mais ou menos. As podas são frequentes, para aumentar o rendimento, mas também servem para manter a forma de arbusto, o que facilita a coleta."

"E como é feita a coleta?"

"Dá um pouco de trabalho, mas é preciso retirar a casca e passá-la por um processamento cuidadoso."

Depois de alguns minutos de caminhada, ela ouviu um farfalhar atrás de si. Espiou na direção do barulho, mas, de início, não viu nada. Ao recomeçar a andar, podia jurar ter escutado passos, e virou-se para olhar de novo. Dessa vez, Louisa pensou ter visto de relance alguma coisa de cor acobreada. Deteve o passo e, por um instante, teve a impressão de que uma mulher ruiva a estava espionando de longe. Ela se voltou na direção de Elliot para chamá-lo, mas, quando olhou de novo para trás, a mulher havia sumido.

"O que foi?", perguntou Elliot. "Alguma coisa errada?"

"Tive a impressão de ter visto uma mulher me observando."

"Pode ser uma das nativas."

"É, não consegui ver direito. Mas a questão é que ela parecia ser ruiva."

"Por aqui é improvável. Podia ser uma echarpe. Talvez seja a mulher de um descascador de canela."

"É, você deve ter razão. Vamos subir para ver a vista de novo."

Enquanto subiam, ela notou um casal de papa-figos-de-cabeça-preta, belíssimos passarinhos pretos e amarelos, com um canto belo e fluido. Ela ia chamar a atenção de Elliot, mas ele parecia distraído, visivelmente surpreso de ter visto uma motocicleta Royal Enfield perto de seu carro. "Agora eu realmente preciso voltar para o escritório", disse, e ela notou uma tensão inesperada a vincar-lhe a testa.

Foi então que um homem alto e esbelto saiu andando da casa. A luz forte do sol, infiltrando-se entre as árvores, lançava sombras no rosto dele. Era muito bronzeado e vestia calças curtas e uma camisa de gola profunda. Louisa fitou seu rosto anguloso e atraente, a barba por fazer e o cabelo castanho-avermelhado, e teve a impressão de já tê-lo visto antes. Era estranho ver duas pessoas de cabelo ruivo em tão pouco tempo, e definitivamente não tinha sido ele que surgira entre as árvores. Como Elliot não disse nada, ela estendeu a mão.

"Olá, meu nome é Louisa Reeve. Elliot estava me mostrando o lugar."

O homem franziu levemente o rosto e coçou a cabeça. "Entendi."

"Pois então...", disse ela.

"Perdoe-me... Leo McNairn", disse ele. Louisa percebeu que o homem transpirava um pouco e aparentava estar com calor.

Houve um momento de silêncio enquanto ela o observava. Alguma coisa a perturbava naqueles olhos negros e intensos. Achou que ele fosse sorrir, mas o homem ficou encarando-a, sem falar. A sensação de estar sendo dissecada, sem poder desviar o olhar, deixou-a constrangida. Aquele momento já durava mais que o necessário, até que um raio de sol repentino ofuscou sua visão. Ela piscou rapidamente, antes de enfim desviar o olhar. Só então ele voltou a falar.

"Estava só derrubando algumas árvores velhas", disse ele. "Lá do outro lado."

"Bem", disse Elliot. "Estamos indo agora. Venha comigo, Louisa." Ele virou-se para Leo. "Bom vê-lo de novo. Minha esposa só queria conhecer o lugar. Seu funcionário disse que você estava em Colombo."

Leo apertou os olhos. "Isso."

"Mas você voltou mais cedo."

"Tive um problema com a moto." Franzindo de novo a testa, Leo desviou os olhos, e Louisa teve a impressão de que ele havia falado num tom levemente inadequado.

Elliot enlaçou-a e começou a ir embora. "Bom, tchau, tchau", disse, virando o pescoço.

O homem apenas acenou com a cabeça. Elliot a puxou para dentro do carro, e Louisa foi dominada por um incômodo estranho.

"Bem", disse ela, quando já estavam na metade da descida. "Está aí um homem que não é dos mais falantes. Fiquei meio sem graça. Ele é sempre assim?"

"Talvez esteja preocupado com alguma coisa."

"Por que ele não nos convidou a entrar? Achei isso muito esquisito."

"Ele é um homem de poucas palavras."

"Deu para notar, mas é uma pena que seja tão pouco simpático."

Depois de algum tempo, ela afastou as ideias sombrias. "Em todo caso, gostei de verdade deste lugar agridoce."

"Agridoce?"

"É. Você não acha?"

Ele franziu a testa.

"Sabe, este lugar tem um quê especial. Mas ao mesmo tempo é um pouco inquietante. Apesar disso, eu preferia não ter ido embora tão depressa. Tive a impressão de já conhecer Leo, ou pelo menos de tê-lo visto em algum lugar."

"Pode ser que o tenha visto em Colombo. Com aquele cabelo, ele chama a atenção."

7

Na manhã seguinte, enquanto Louisa se preparava para ir à quitanda, Irene entrou no hall de entrada. A nora acenou para ela, pegou a sacola de compras e se dirigiu à porta.

"Para onde está saindo?", perguntou Irene.

"Comprar umas coisas."

Ela fechou a cara. "Não acredito que você mesma faz as compras."

Louisa sorriu. "Só umas coisinhas. Eu gosto de sair."

"Nesse caso, eu ficaria feliz de acompanhá-la."

"É mesmo? Não precisa."

"Faço questão. Uma saidinha, só nos duas. O que me diz?"

Irene enfiou o chapéu e continuou insistindo que não era necessário que elas mesmas fizessem a feira — afinal de contas, não era para isso que existiam os empregados? —, sem abandonar o tom de superioridade que tanto irritava Louisa. Jonathan a ensinara a respeitar todas as pessoas, sem se importar com a cor da pele ou a religião. Mas Irene tinha verdadeira dificuldade em compreender o interesse de Louisa em interagir com os nativos. Para ela, os ingleses deviam ficar entre os seus: os funcionários públicos eram a elite da elite, claro, e gente como eles nunca deveriam se associar com a ralé.

"Gosto de sair sozinha e ver gente", disse Louisa. "Vou só buscar umas velas. Não vai levar muito tempo. Se a senhora quiser, podemos pegar um riquixá."

Irene deu de ombros. "Prefiro andar."

"Margo não está para chegar?", acrescentou Louisa. "A senhora vai querer estar em casa, suponho."

Margo, a filha de Irene, havia trabalhado como enfermeira na Inglaterra, e agora decidira voltar ao Ceilão, embora ninguém soubesse por quê.

"Sim, logo, logo. Mas, pelo amor de Deus, você consegue imaginá-la trabalhando num hospital daqui? Ela tinha um emprego ótimo em Londres. Jogá-lo fora não me parece coisa da Margo. Ela costuma ser tão sensata."

Louisa pensou consigo mesma que talvez Margo tivesse resolvido parar de bancar a sensata, agora que não precisava mais lidar com a personalidade difícil de Elliot.

Já na rua, Louisa olhou para o norte, na direção da floresta de planície, que se erguia até o cume de montanhas de cor lilás que sumia no horizonte. Ela nunca se cansava de ver aquela paisagem, nem de ouvir as ondas quebrando nas pedras, as gaivotas grasnando e as buzinas dos navios ressoando ao entrar ou sair do porto. Prestava atenção nos sinos das igrejas e percebia o gorjeio dos passarinhos nas árvores. Coisas simples do cotidiano como aquelas reforçavam a sensação de pertencer ao lugar. Do lado de fora das casas, uma profusão de flores coloridas enfeitava diversos tipos de vasos, e buganvílias roxas pendiam das paredes.

Elas sentiram o cheiro da canela, dos cravos e do café antes mesmo de chegarem à quitanda. Por sorte, naquele dia não havia peixes secando na entrada. Só de encostar de leve no cabelo, o fedor de peixe ficava pelo resto do dia.

Na escuridão interior, Janesha, uma cingalesa usando um sári turquesa, estava atrás do balcão. Seus cabelos negros estavam presos num coque e deles se desprendia um perfume de óleo de coco e sândalo. E, da mesma forma como ela se mantinha impecável, tudo na loja era conservado em perfeita ordem. Jarras de melaço e abacaxi, sacas de arroz e cestos de especiarias de um lado, e bananas maduras, mamões e mangas do outro. Louisa não conseguia entender por que as pessoas compravam frutas em conserva se havia tanta abundância das frescas.

Embora Louisa falasse um cingalês razoável, sabia que Janesha falava inglês. Por isso, depois de uma breve conversa sobre velas, perguntou à mulher como estava o filho.

"Ele tem me dado muito trabalho. Acho que já lhe falei a respeito do boletim escolar."

"Falou."

"Ele era um aluno cheio de potencial, mas depois dos treze anos perdeu o interesse."

"Lamento saber disso. E seu marido, o que diz?"

"Meu marido passa tempo demais pescando. O problema sobra sempre para mim. Mas e a senhora, como vai?"

Louisa sorriu. "Vou bem, obrigada."

A mulher parecia preocupada. "Essas coisas levam tempo."

"Dentro do possível, estou até bem. Mais que o possível, até."

"Pelo menos seu rosto está mais corado. Eu..."

"Que conversa fiada é essa de vocês duas?", interrompeu Irene, reduzindo Janesha ao silêncio de imediato. "O sotaque dela é tão forte que eu mal consigo compreender uma palavra."

"Irene, por favor, ela compreende você." Louisa virou-se para a mulher. "Desculpe, Janesha, acho que preciso ir."

A mulher assentiu.

Elas voltaram para casa pelo caminho mais longo, bem na hora em que o ar estava cheio de areia fina carregada pelo vento. Isso acontecia de vez em quando e, em dias de ventania, era comum ter que fechar os olhos. Protegendo-se, as duas foram adiante, com Irene fazendo cara feia o tempo todo.

Quando chegaram em casa, entraram pelo jardim dos fundos, passando por uma família de lagartos que fugiu para as pedras ao vê-las. Na cozinha, Louisa sorriu ao ver o cozinheiro xingando a caldeira. Deixou as compras na mesa para ele, antes de adentrar um pequeno corredor.

Ao passar pelo escritório de Elliot, Irene olhou para dentro, cautelosa, e, dando um passo atrás, acenou para Louisa. "Você sabe quem é aquele, ali dentro?"

Louisa deu alguns passos à frente para espiar o cômodo e viu o mesmo homem que avistara conversando com Elliot durante a festa de Natal. "É só um sujeito que está tratando de negócios com Elliot. Vamos voltar para o jardim."

Elas seguiram até o corredor principal e saíram de novo pela porta francesa da sala de estar, que dava para a parte sombreada do jardim. Louisa pediu a Ashan dois sucos de manga gelados e foi buscar suas tesouras de poda.

Irene pegou uma revista, uma *Vogue* americana antiga. Minutos depois, enquanto a folheava distraída, Elliot apareceu. "Jesus, que calor!", exclamou ele, afrouxando o colarinho com o dedo.

"Como andam as coisas, meu filho?", perguntou Irene, erguendo os olhos.

Elliot deu de ombros. "Basicamente ando ocupado com o serviço."

"Você tem trazido trabalho para casa, não?"

Ele franziu a testa. "Pelo jeito você viu De Vos, não?"

"Sempre achei que não se deve misturar trabalho com família. Todo homem precisa de descanso. É o que vivo dizendo ao seu pai."

Elliot parecia incomodado. "O que eu faço ou deixo de fazer não chega a ser problema seu, não é, mãe?"

Irene ficou espantada. "Só estou cuidando de você."

"Eu dispenso seus cuidados", disparou ele, abrindo outro botão na camisa.

"Elliot, o que é isso? Sua mãe estava apenas..."

Ele não a deixou terminar. "Pelo amor de Deus, não comece você também! Uma é pior que a outra."

Louisa pareceu abatida. "Elliot! Não precisa ser tão desagradável."

Seguiu-se um silêncio breve e constrangedor.

"Preciso ir a Colombo para encontrar um novo comprador de especiarias. Suponho que você me dará o alvará."

O tom de Elliot irritou a esposa. "Nesse caso, talvez você prefira levar Irene também. Margo pode chegar a qualquer momento, e Irene precisa estar em casa."

"Para falar a verdade, Louisa", disse Irene, "Margo não vai chegar tão cedo, e eu prefiro ficar para ajudá-la."

"Não, não posso mais segurar a senhora aqui. Harold vai sentir sua falta."

Elliot parecia aborrecido, mas teve que concordar. Louisa sabia que ele estava irritado por algum motivo — talvez a pressão do trabalho, simplesmente —, mas também sabia que, quando ele queria guardar um problema para si, não havia jeito. Era impossível arrancar algo de Elliot se ele estivesse de mau humor.

Na ausência de Elliot, Louisa ocupou o tempo livre folheando catálogos de sementes e bordando uma colcha nova. Era de retalhos, algo que ela nunca havia tentado fazer. Estava usando uma combinação de pedaços de seda com um pouco de tecido de sári que ela mesma havia cortado. Assim que começou a costurar, entrou em um mundo à parte, um lugar onde sua mente podia divagar livremente, enquanto se concentrava apenas na tarefa em andamento. Ela não se permitia nem sequer o luxo de ter esperança, porque sabia que poderia se frustrar. Com a mente desocupada, porém, começou a pensar no futuro. O que ela queria? Um filho, claro, nem era preciso dizer. Porém o que mais? Talvez alguma esperança menos arriscada que aquela?

Elliot passou dois dias inteiros em Colombo e, ao voltar, na noite do segundo dia, seu humor parecia muito melhor. Ele subiu correndo a escadaria até o ateliê de Louisa, que estava sentada à máquina de costura, com os três spaniels a seus pés. Entrou no quarto de costura com um enorme buquê nos braços.

"Que cena linda: uma mulher prendada", disse ele, vindo beijá-la na testa. "Desculpe por ter sido tão ranzinza outro dia, meu amor. Às vezes o calor me deixa assim. Em todo caso, são para você."

"Consciência pesada", disse ela, com um sorriso, e ele riu.

Ela terminou o ponto que estava cosendo e levantou-se para pegar as flores. Por mais que ele ponha a culpa no calor, pensou ela, eu sei que não é isso. De qualquer forma, se a irritação dele tinha passado, melhor assim. Às vezes Elliot podia ser complicado, mas muito tempo atrás ela já havia concluído que esse era o jeito dele.

"Você tinha razão a respeito de Margo, aliás", disse ele. "Ela chegou ontem, mas virá nos visitar muito em breve."

"Que bom." Louisa sorriu. Ela simpatizava com Margo e adorava o jeito tranquilo da cunhada, tão diferente da hostilidade latente de Irene. "Como ela estava?"

"Meio calada."

"Por que ela voltou desta vez?"

Ele ergueu as sobrancelhas e coçou a cabeça. "Não sei. Meu palpite é que pode ter a ver com alguma decepção amorosa. Ela não me contaria os detalhes, e tenho quase certeza de que não quer que nossa mãe saiba, mas sei que você saberá como arrancar essa informação."

"É mesmo?"

"As pessoas se abrem com você, não é? Agora, que tal se eu preparar para você um banho com um toque de lavanda e água de rosas? Vai ajudar você a dormir. Amanhã podemos começar a trabalhar no projeto do antigo prédio da Imprensa. O que acha?"

"Eu adoraria. De qualquer forma, já terminei isto aqui."

"Está encerrando cedo por hoje, meu amor."

Ela colocou as flores com cuidado em uma mesinha lateral.

"Vou pedir a um dos meninos que ponha na água", disse ele.

"Você também está vindo para a cama agora?"

"Não, depois de dirigir tanto preciso de uma ou duas doses. Parece que a estrada litorânea fica pior a cada dia."

"Não fique acordado até tarde, viu?"

"Só uns golinhos."

Após o banho, Louisa soltou o cabelo e, depois de fechar o mosquiteiro, ajeitou-se confortavelmente na cama, na esperança de cochilar com o aroma de jasmim que se infiltrava pela janela. Ela sempre dormia com as janelas abertas, o que não era problema, pois havia telas para protegê-los dos mosquitos. Mas a falta de sono continuava a incomodá-la, embora já estivesse melhor em muitos aspectos. Na escuridão total da noite, os filhos perdidos vinham assombrar sua mente. Ela quase conseguia ouvi-los, como se estivessem vivos, e se surpreendia ao responder a seus chamados, pensando em como sua vida teria sido diferente. Ela os via correndo juntos pelo jardim e brincando de pega-pega com os cachorros. Enxergava-os com o uniforme da escola no primeiro dia de aula, ao mesmo tempo envergonhados e orgulhosos. Ou passando correndo pelos coqueiros perto das muralhas, pulando de alegria. Ou dormindo em suas caminhas, com as pálpebras se mexendo por causa de um sonho.

À luz do dia, conseguia ser feliz, claro que sim, mas a noite escura trazia de volta aquilo que ela conseguia esquecer enquanto o sol brilhava. Preciso direcionar minha mente para as coisas boas, ela dizia constantemente a si mesma, porque quando se concentrava naquilo que era positivo, sempre se sentia melhor. E pelo menos Irene tinha ido embora de uma vez por todas. Talvez metade do problema de sua sogra fosse a solidão e a falta de ter com que se ocupar. Louisa achava isso estranho. No forte de Galle sempre havia algo para fazer, mas Irene não abria mão de seu orgulho por nada.

Louisa estava semiadormecida quando ouviu vozes murmurantes. Sem saber o que estava acontecendo, tateou à procura do interruptor e deu uma olhada no relógio. Uma e meia da manhã, e Elliot ainda não tinha vindo para a cama. Ela se levantou e pegou o penhoar pendurado atrás da porta, enfiou-se nele, saiu pé ante pé do quarto e parou no topo da escada para escutar. Do andar de baixo, o som das vozes chegava até ela. Estranho Elliot não ter avisado que amigos viriam naquela noite.

8

Na noite seguinte, Elliot saiu — segundo ele, para visitar Jeremy Pike —, mas à meia-noite ainda não havia chegado em casa. Prometera se ausentar por mais ou menos uma hora, então deveria ter voltado às oito. Também não cumpriu a promessa de começarem a trabalhar no projeto do prédio da Imprensa. Em vez disso, saiu para velejar o dia inteiro, também com Jeremy, entrando em casa rapidamente só para comer alguma coisa rápida no início da noite.

Louisa decidiu ficar acordada esperando, e por volta de meia-noite e meia ouviu um enorme estrondo no corredor. Ela levantou e foi ver. Ficou horrorizada ao dar com a chapeleira caída no chão e Elliot apoiado na parede, todo desalinhado: o cabelo bagunçado, a gravata desfeita.

"Chegou tarde", disse ela, mesmo sentindo o cheiro de uísque e ciente de que não conseguiria arrancar dele nada que fizesse sentido.

"E daí? Por que você não foi se deitar, então?" As palavras não saíam exatamente arrastadas, mas em seus olhos era possível enxergar algo inquietante. As íris esverdeadas estavam mais escuras, e o tom de sua voz era ameaçador.

"Eu fiquei esperando você", respondeu ela.

"Não me diga!"

Ela atravessou o corredor para pegar a chapeleira, mas deixou no chão os chapéus caídos. "Você disse que não ia demorar. Eu só queria que passássemos um tempo juntos."

Ele fechou os olhos e não respondeu.

“E você também ficou fora o dia inteiro.”

Ele deu de ombros.

“E então?”, disse ela, perdendo a paciência. “Onde raios você esteve esse tempo todo?”

“Ah, a esposa preocupada...”

“Elliot, não aja assim. Eu tenho o direito de saber.”

“O direito?”

“Sim. Vai me contar, então?”

Ele deu um longo suspiro. “Já que insiste, eu estava jogando um pouquinho de pôquer com os rapazes.”

Ela inspirou profundamente. “Pouquinho quanto?”

Ele riu. “Bem, na verdade, não tão pouquinho assim.”

“Pelo amor de Deus!”

Elliot passou por ela e entrou tropeçando na sala de estar. Vindo atrás dele, ela o viu encher um copo de uísque e se esparramar no sofá.

“Você não acha que já bebeu demais?”

Ele arrancou a gravata, deixando-a cair no chão. Em seguida, mal conseguindo equilibrar o copo na beirada do sofá, abriu os braços. “E então, não vai dar um beijo no marido que tanto a ama?”

Ela estreitou os olhos. “Não enquanto você estiver fedendo a bebida.”

“Tome uma também. Aí você nem vai notar.” Ele agitou o braço de um lado para o outro e deixou o copo de uísque cair no chão, estilhaçando-o.

“Pelo amor de Deus, Elliot, isso é demais!” Ela foi para a cozinha e voltou com uma vassoura, um pedaço de pano e uma pá.

“A esposinha prendada de sempre”, comentou ele.

Ele já tinha passado dos limites. Deixando de lado os utensílios, Louisa respirou fundo e o encarou. “Você chega tarde em casa, fedendo a bebida, e me diz que estava jogando. Depois de me dizer que tudo isso era passado.”

Ele deu de ombros e soltou um longo suspiro.

“Você jurou. Eu *acreditei* em você. Não posso salvá-lo eternamente.”

“Não preciso que você me salve.”

"E quanto você perdeu dessa vez?"

"Bastante. Mas eu tenho recursos, então pouco importa, e papai sempre virá ao meu socorro."

"Você acabou de dizer que não precisava ser salvo. Prometa que foi só desta vez, que você não vai mais fazer isso."

Ele se levantou com dificuldade e caminhou na direção dela, com o dedo em riste. "Minha madrezinha superiora. Você não pode me dizer o que fazer."

Ela recuou um passo. "Foi só dessa vez?"

Ele inclinou a cabeça e sorriu com sarcasmo. "Não exatamente. E agora eu vou para a cama." Ele fez menção de sair, mas virou-se de novo. "Não se preocupe, vou dormir no quarto de hóspedes."

Ela o observou saindo pela porta e entrando no corredor, ouviu seus passos na escada e só então sentou-se no sofá, enterrando o rosto nas mãos. De novo não. Por favor, *de novo não*. Os dois já tinham tido problemas demais — anos atrás, Elliot causara tanto sofrimento, e ela não suportava a ideia de que tudo pudesse começar de novo.

Louisa dormiu mal e despertou cedo, com o ruído dos galos cantando no forte e as ondas batendo nas pedras. Enfiou-se num penhoar e foi ver se Elliot ainda dormia, mas descobriu que ele já estava acordado. Mesmo quando dormia pouco, de manhã já parecia recuperado, enquanto a falta de sono a deixava lenta e morosa, pelo menos até tomar café. Ela sentiu como se estivesse de ressaca, mesmo sem ter bebido nada, mas se esforçou para tomar um banho e vestir calças e uma camisa branca folgada. Só então foi buscar um café e procurar Elliot.

Camille havia acabado de trazer uma travessa para a sala de estar, onde Louisa encontrou Elliot com um grande bloco de papel e vários lápis.

Ele ergueu os olhos e sorriu para ela.

"Pensei que poderíamos começar a fazer os planos", disse ele. "Depois que você tomar seu café, é claro. O que me diz?"

Ela não retribuiu o sorriso. "Não dá para varrer para baixo do tapete o que aconteceu."

"E se eu disser que estou sinceramente arrependido?"

Ela fitou o rosto dele. "Você até admitiu que não será a última vez. Estava falando sério?"

"Não. É claro que não. Eu fui um imbecil e estava bêbado. Querida, me desculpe, você sabe como eu fico quando bebo demais. Acredite em mim, por tudo que é mais sagrado, não vai acontecer de novo."

Ela suspirou lentamente — talvez tivesse sido apenas uma exceção.

"Louisa, foi uma noite só. Não transforme isso em mais do que foi."

"Você foi muito desagradável. Isso me magoou, Elliot — não quero voltar para aquela época terrível."

Ele se ergueu. "Eu sinto tanto, tanto. Vem cá."

Ela deu alguns passos na direção dele, e Elliot a envolveu nos braços. Então, sussurrou no ouvido dela: "Juro pela minha própria vida que isso não vai acontecer de novo. Estou sinceramente arrependido. De verdade. Vamos olhar para o futuro. Não temos esse projeto novo e maravilhoso para planejar?".

Sobre isso, ele estava certo. De fato, eles tinham um projeto novo e empolgante. Nem era a bebida que mais a incomodava, era a jogatina, principalmente agora que ele havia comprado o antigo prédio da Imprensa, e era ela quem precisaria entrar com o dinheiro para completar a aquisição.

Louisa tomou duas xícaras de café preto forte, com dois cubinhos de açúcar. Embora ainda se sentisse mal, decidiu dar uma olhada no que Elliot já tinha feito. Seria necessário confiar nele e deixar o passado para trás.

"Veja", disse ele. "Minha ideia é ter uma arena central no primeiro andar, envolvida por uma galeria. Dá para ver? Sei que sou um péssimo desenhista, mas dá para captar o conceito?"

Ela fez sinal afirmativo.

"E vai haver arcadas abertas, de um ambiente para outro, no térreo. Se conseguirmos convencer um número suficiente de joalheiros a trabalhar conosco, já é um bom começo, enquanto montamos nosso próprio negócio de lapidação."

"Você já pensou em alguém?"

"Sim. Mais tarde eu vou até lá conversar um pouco. E então, o que acha?"

Ela ainda se sentia insegura em relação ao marido, mas, se era para seguirem adiante com o projeto, de que adiantaria continuar remoendo o que já havia acontecido? Restava-lhe apenas a esperança de que suas desculpas fossem sinceras. Ela precisaria manter os olhos bem abertos.

"Bem", disse ela. "Acho que deveríamos fazer tudo em estilo art déco, uma coisa bem chique e despojada. E talvez ter um espaço de venda de quadros. Em Colombo há muitos artistas incríveis."

"Você mesma poderia expor e vender alguns dos seus desenhos."

"E poderia ser o lugar ideal para os donos dos seringais levarem as esposas em visitas à cidade. Poderíamos até servir chá."

"Sim, em vez de só irem a festas e recepções no New Oriental, dar a eles um gostinho da verdadeira cultura local."

Ela concordou. "Tenho certeza de que as esposas estariam dispostas a gastar, mas acho que não deveríamos vender apenas joias e obras de arte. Acho que cerâmica também, e talvez outros objetos artesanais."

"E então, por onde começamos a desenhar?"

"Deixe que eu cuido disso. Tenho certeza de que consigo bolar alguma coisa."

Elliot levantou-se. "E então, está mais feliz agora?"

Louisa concordou de novo, mas um arrepio percorreu seu corpo, e dentro dela havia uma parte pequena que ainda não conseguia acreditar, apesar das garantias dele, que aquilo não se repetiria. Ela se lembrou da última vez — as brigas e acusações — e sentiu um leve mal-estar.

"Quero perguntar uma coisa para você", ela disse, e ele se sentou de novo, abruptamente. "Anteontem à noite, ouvi ruídos na sala de estar, um pouco depois de ter ido para a cama. Não era uma partida de pôquer, era?"

Ele fechou a cara. "Por que você tem que ser sempre assim?"

"Assim como?"

"Você me trata como se eu fosse uma criança."

"Elliot, não estou fazendo isso. Admita que eu tenho motivo para preocupação."

Ele olhou para baixo por um instante, mexendo o maxilar. Em seguida levantou e se aproximou dela, com ar arrependido. "É claro. Você tem todo o direito de perguntar. E não, não era pôquer, eu juro." Ele se agachou na frente da esposa e estendeu-lhe mão. Ela retribuiu o gesto, e ele a segurou com força.

Depois que o marido foi embora, Louisa vestiu uma blusa e uma bermuda velhas e passou o dia no jardim. Trabalhar na terra sempre a deixava relaxada. Primeiro, pintou um dos bancos de verde-escuro. Era um banco antigo, de ferro fundido, que sua mãe adorava, e sua intenção ao pintá-lo era prolongar um pouco sua vida útil. Em seguida plantou sementes de capuchinha em vasos de terracota dos dois lados do banco, pensando novamente na mãe enquanto alisava a terra vermelha. Aparou uma touceira de bambu que havia crescido demais e podou as roseiras, erguendo os olhos ao ouvir latidos, mas logo se certificando de que não era nenhum de seus spaniels. Provavelmente algum vira-lata, pensou, e em seguida avistou um corvo procurando lesmas. Por fim, sentou-se no outro banco, esticando as pernas e desfrutando do sol em sua pele, enquanto fazia o possível para desviar a cabeça da briga terrível da véspera.

No dia seguinte, eles fizeram a pé o pequeno percurso até o prédio da Imprensa. O edifício antigo, na esquina da Pedlar Street, havia sido um armazém, antes de se tornar uma gráfica, e por fora parecia quase decrépito, apesar da beleza das claraboias. Nada que uma demão de tinta e um ou outro reparo não consertassem, pensou. Quando entraram, Elliot escancarou as venezianas, por causa da escuridão.

"Algumas precisam de conserto, mas no geral estão todas intactas", disse.

"Podemos pintá-las de creme, como as nossas. Não gosto de marrom-escuro. Precisamos iluminar tudo isto aqui."

"Precisamos colocar lustres."

"Sim." Ela olhou para cima. "Olhe só essa cúpula de vidro maravilhosa. Está coberta de folhas e sabe-se lá o que mais, mas se mandarmos limpar vai entrar bastante luz, e nos espaços laterais você pode colocar lustres."

Eles observaram a bagunça ao redor. Quando a Imprensa foi fechada, os donos deixaram o chão coberto de papel, e também abandonaram uma ou duas das prensas rotativas mais antigas.

Elliot coçou a cabeça. "Podemos dar uma polida em uma das rotativas e usá-la como decoração central. Mas a primeira coisa a fazer é ver o que existe atrás dessas portas."

Ele avançou e escancarou quatro imensas portas, uma por uma. Eles adentraram salões espaçosos e arejados. Apenas a área central contava com um segundo andar, onde ficaria a galeria. Os demais salões tinham um só andar e eram perfeitos para expor mercadorias. Em um deles havia outra porta. Louisa tentou rodar a maçaneta, mas ela não se mexeu.

"Deixe-me tentar", disse Elliot. "Talvez esteja apenas emperrada." Ele rodou a maçaneta e forçou o ombro contra a porta. Nada. "Bem, não importa. Em algum canto deve haver uma chave."

"Mas você não acha estranho? Nenhuma das portas está trancada, por que só esta?"

"Talvez tenha algum cadáver escondido lá dentro", disse ele, rindo.

Eles voltaram para a entrada principal, e Elliot acendeu um cigarro. "Então", disse ele, "o que você acha? Pintado de branco com lindos balcões de ébano, como você propôs, este lugar não seria um empório magnífico? Na parte de trás há várias outras saletas, que poderíamos deixar como espaços para oficinas até sentirmos necessidade de outro uso."

Sentindo-se mais alegre, ela sorriu para ele.

"Você gostou? Podemos ir em frente?"

"Achei perfeito. Vou pedir para o banco vender minhas ações, assim o dinheiro entra logo na sua conta. Graças a Deus, as coisas melhoraram desde o crash da Bolsa."

Eles saíram do prédio e fizeram a longa caminhada até a joalheria, passando pelo farol, onde a arrebentação espirrou neles gotículas de água.

"Adoro imaginar que as luzes do farol podem ser vistas até da Antártica", disse ela. "Acho tão maravilhoso."

"Duvido que dê para enxergar tão longe — é uma imensidão de água." Ele estremeceu.

"Algum problema?"

"Não sei. Às vezes um pouquinho só de água já é demais."

Ela concordou. "E nós somos tão pequeninos."

"Exatamente."

"Está ventando muito", disse ela. "Escuta, Elliot, que tal uma caminhada na praia do Farol? Lembra-se de quando fazíamos isso?"

"A maré está cheia. Outro dia, talvez."

"Adoro sentir a areia nos dedos dos pés. Vamos só ver o tamanho da faixa de areia."

Eles voltaram ao farol, até chegarem à estreita faixa de areia, coberta de conchas. Ela tirou os sapatos e saltitou quando sentiu a água bater nos tornozelos.

"Venha, Elliot. Venha comigo. Aposto que não me pega." E ela começou a correr.

Louisa sentiu o vento nos cabelos e a areia molhada entre os dedos dos pés. Era disso que ela precisava, de que gostava. Sim, eles tinham brigado, e sim, ele passara uma noite na jogatina, mas os dois se davam tão bem, não? Ela olhou para trás e viu que ele estava vindo, com os sapatos na mão.

Ele a alcançou, jogou os calçados para longe da água, pegou-a nos braços e fez de conta que ia jogá-la no mar.

"Me põe no chão agora!", gritou, mas logo começou a rir. Ele também riu, e ela se deu conta de que o riso era a solução para tudo.

Depois de tirarem a areia molhada dos pés e calçarem os sapatos, retomaram o caminho admirando as ondas e a espuma.

"Pensando bem", disse ela quando já estavam na rua do hospital, "enquanto você vai ao joalheiro, vou à feira de Court Square. Tive uma ideia de uma coisa para vender no empório. Nos vemos em casa."

"Muito bem. Até já."

Louisa adorava aquele mercado poeirento, com sua incrível variedade de mercadorias de cores brilhantes — um chocante caleidoscópio de sons e aromas, em que estavam à venda belíssimos bordados, joias e ornamentos fabricados pelos prateiros da cidade, assim como detalhados elefantes entalhados no ébano. Era um dia de muito movimento, com bodes aqui e ali mascando folhas de palmeira, vira-latas adormecidos, mulheres fazendo compras e camelôs apregoando seus produtos. Perto dali, um grupo de pessoas parecia hipnotizado pelo som adocicado de uma flauta. Depois de escutar um pouco, ela jogou algumas moedas para o músico. Em seguida inspecionou uma banca que vendia toalhas de mesa e rendas. Talvez pudesse encontrar ali alguma coisa adequada para o empório.

A mulher que cuidava da banca tinha um rosto castanho muito vincado. Parecia velha demais para ainda trabalhar naquilo. A família inteira era de rendeiros, e era comum vê-los sentados do lado de fora das casas, ocupados com o trabalho, mas agora a senhorinha apenas vendia os produtos. Durante vários minutos, Louisa examinou as delicadas peças com os dedos, mas por fim disse à mulher que voltaria outra hora — naquele dia, tinha em mente outra banca; a que vendia belas caixas decoradas com flores e animais entalhados. O jovem que cuidava dela era cingalês e a atendeu com muita simpatia. Mostrou-lhe uma caixa, mas ela pegou outra e procurou com os dedos um quadrado que deslizava, revelando um compartimento secreto. Pressionando outros pontos, foi descobrindo caixinhas cada vez menores. Essas caixas de mogno eram extremamente populares e vendiam muito. Usadas no passado para esconder pedras preciosas, permitiam guardar qualquer coisa pequena e de valor: uma chave, uma carta dobrada, talvez um cacho dos cabelos de uma criança. Ela suspirou. Não, isso não.

Louisa perguntou ao vendedor a quantidade que sua família era capaz de produzir. Depois, mais para agradá-lo, comprou uma caixa. Ia dá-la de presente a Elliot. Talvez ele pudesse guardar nela a chave da sala trancada. Seria uma lembrança simpática da primeira visita dos dois juntos ao prédio da Imprensa.

9

Dois dias depois, Margo chegou de ônibus de Colombo, uma viagem longa e desconfortável, que levava um dia inteiro, com todos os atrasos e as paradas de praxe. Na manhã seguinte, na ausência de Elliot, as duas foram andar de bicicleta em torno do forte.

Margo era uma mulher sensata e ativa. Tinha os mesmos cabelos negros e encaracolados de Elliot, os mesmos olhos verdes e um sorriso caloroso e conquistador. Era fácil imaginá-la casada e cheia de filhos, que saberia criar com destreza e serenidade. Mas não era casada nem tinha filhos. Era estranho como muitas vezes as pessoas não correspondiam às expectativas, pensou Louisa. Quando surgiu a oportunidade de trabalhar como enfermeira em Londres, Margo não pensou duas vezes; agora estava de volta, mas não revelava muito dos seus planos, o que, claro, deixava todos curiosos.

"E então", disse Louisa, enquanto pedalavam lado a lado, se afastando do baluarte do Sol e acompanhando a murada contígua ao porto. Elas viraram no sentido oposto, driblando um ou outro lagarto que atravessava a rua e os cães quase selvagens que dormitavam nas soleiras ou vagavam na entrada das lojas. "Você vai nos contar o que a trouxe para casa? Ou é segredo?"

"Já estava na hora."

Louisa assentiu, no momento em que passavam por uma macaca ninando um filhote numa viela. "E você veio para ficar?"

"Não decidi ainda."

"Entendi. E é só isso que você tem a dizer."

"Não é nenhum segredo. Eu só me envolvi com a pessoa errada e precisava de uma pausa para espairecer."

"Que tipo de pessoa errada?"

"Louisa!"

"Desculpe."

Houve um instante de silêncio, até que Margo freou a bicicleta e resolveu falar. "Bem, já que quer saber... ele é casado. Mas não conte para ninguém. Não me orgulho disso."

Louisa teve um lampejo de receio pela cunhada e estendeu o braço. "Você o ama?"

"Eu achava que sim."

"E agora?"

Margo sacudiu a cabeça. "Bem, ele não vai largar a esposa tão cedo, se é isso que você quis dizer. Embora, até certo ponto, eu fique feliz. O remorso era insuportável."

"Sinto muito. Você sabia que ele era casado desde o começo?"

"Eu fingi que não sabia..."

"Oh, Margo."

"Mas, para minha vergonha, posso dizer que sabia, sim. Ele não me enganou."

"Não quis ser enxerida."

O lábio superior de Margo tremeu. "A culpa é toda minha."

"E agora você não tem opção, a não ser deixar tudo para trás."

"Exatamente. Gostaria que as coisas fossem de outro jeito, mas não são. Eu sou a 'outra' e tive que encarar os fatos."

"Mas o casamento deles..."

"Bem, não é feliz, segundo ele. Em todo caso, chega de falar de mim. Vamos pedalar."

Louisa estendeu o braço de novo para tocar-lhe a mão. "Se um dia você quiser conversar, sabe que pode contar comigo."

Elas prosseguiram, passando por um esgoto a céu aberto onde um lagarto enorme parecia dormir.

"Não gosto muito deles", disse Margo, apontando.

"Você passou tempo demais em Londres! Sabe que eles não vão te fazer mal, se bem que..." Ela fez uma pausa dramática. "Eu até já ouvi uma história, provavelmente falsa, de um bebê que foi levado por um..."

Margo sorriu e ergueu a sobrancelha.

Quando elas chegaram à escadaria da biblioteca, Louisa parou a bicicleta, seguida por Margo.

"Vamos fazer uma pausa?", propôs Louisa. "Ler os jornais?"

Elas entraram no prédio escuro de piso de concreto polido que abrigava a biblioteca, no salão principal. Estantes altas, com portas de vidro, estavam encostadas às paredes, com fileiras e mais fileiras de livros com capa de couro nas prateleiras. Pequenas luminárias ajudavam o usuário a ver melhor depois de fazer sua escolha.

O lugar cheirava um pouco a mofo, e o bibliotecário, um senhor muçulmano de cabelos brancos, ficava sentado em um canto, cercado por pilhas elevadas de livros. Era um ex-professor que havia agarrado a oportunidade de passar a velhice em meio às palavras que tanto amava.

"Como vai, minha cara?", perguntou ele, saindo de seu canto e caminhando na direção de Louisa com um andar característico.

"Estou bem. Obrigada por perguntar, sr. Bashar."

"A senhora quer alguma coisa em especial?"

"Acho que eu só vou dar uma folheada nos jornais."

"Bom, os jornais mais recentes estão logo ali, em cima da mesa, os daqui e os de Colombo. Se a senhora quiser algum mais antigo, os mais velhos estão arquivados nas gavetas, por ordem de data."

Louisa se acomodou e começou a passar os olhos pelos jornais.

"Você está procurando algo específico?", perguntou Margo.

Louisa fez sinal negativo. "Na verdade, não. Mas eu fiquei fascinada pela fazenda de canela que visitamos outro dia, e queria saber um pouco mais sobre a produção na região. Você precisava ter visto, Margo. As paisagens são magníficas, e o ar é carregado de um aroma maravilhoso."

"Não admira que Elliot tenha investido nela e goste de trabalhar lá."

"E no entanto tinha alguma coisa errada ali."

Margo não captou a insinuação da cunhada. "Tenho certeza de que aqui vai ter muita coisa para ler sobre canela."

Elas passaram uma hora agradável no frescor do antigo edifício, folheando jornais e revistas. De repente, Louisa fez uma pausa. "Nossa! Por essa eu não esperava. É uma matéria sobre Cinnamon Hills. Exatamente onde estivemos. Elliot está lá agora, para dizer a verdade, mas deve voltar ainda hoje. Ele tem passado muito tempo fora ultimamente", ela acrescentou, um tanto triste.

"Talvez você deixe ele com a rédea solta demais."

Louisa deu de ombros e baixou de novo os olhos para a matéria, publicada um ano antes por um jornal local.

"Aqui está dizendo que Leo McNairn assumiu Cinnamon Hills quando o avô morreu, alguns anos antes. O lugar estava caindo aos pedaços, e Leo está dando um novo sopro de vida. Também diz que ele mora com uma prima. Eu vi Leo quando estivemos lá — mas não a vi, não sei bem por quê. Meu palpite é que ela seja do tipo reclusa. Tem uma foto de Leo, mas dela não. Veja." Ela levantou o jornal.

"Ooooh, ele não é nada mau, você não acha?"

Louisa deu um sorriso amarelo. "Sei lá."

"Oh, não me venha com essa. Sei que você tem devoção por Elliot, mas olhar outros homens não é proibido."

"Bem, se você gosta do tipo suado e desgrenhado..."

"É exatamente como eu gosto."

Louisa riu. "É mesmo?"

"Por que não? É mais másculo."

"Seu homem em Londres era..."

"Másculo?"

"Sim."

Margo deu uma piscadinha. "Muito. William era um paisagista que trabalhava a maior parte do tempo em Kent. Bom, se você já encontrou o que estava procurando, vamos embora. Já estou cansada de ficar presa aqui dentro."

Elliot havia voltado em tempo para o jantar, e depois os três tomaram café, ao fim de uma refeição que consistiu de cabrito assado fazendo as vezes de cordeiro, seguido de musse de manga. Os abajures foram acesos, e a noite estava tranquila.

"Francamente, Elliot", disse Margo, "você acha que está certo deixar Louisa sozinha tanto assim? Você está o tempo todo viajando ou velejando."

"Louisa está bem."

"Sim, mas..."

"Margo, por favor, você sabe que eu tenho assuntos para tratar. Não posso simplesmente ficar sentado em casa bancando a enfermeira."

"Ela ainda não voltou ao normal. Mulheres que sofreram... você sabe."

Ele ergueu a mão para silenciá-la. "Ninguém tem mais ciência da situação que eu. Louisa está bem. Ela é forte e independente. Às vezes até demais."

Louisa ergueu uma sobrancelha.

"Você ainda precisa passar mais tempo aqui", insistiu Margo.

Ele sacudiu a cabeça. "Louisa tem o pai, mamãe esteve aqui há pouco tempo, e agora você está aqui."

"Mamãe é de muito pouca serventia, no que diz respeito a Louisa. Talvez não seja desagradável de propósito, mas fico surpresa de você tê-la incentivado a ficar tanto tempo. De qualquer maneira, é de você que Louisa precisa."

Ele franziu a testa. "Ela se queixou?"

"Você sabe que ela nunca faria isso."

Louisa abriu a boca. "Pelo amor de Deus, *eu* estou aqui. Por favor, parem vocês dois com essa briguinha. Eu consigo cuidar de mim mesma, Margo. Não preciso de uma babá."

"Mas eu ainda acho...", prosseguiu Margo.

Louisa apoiou-se nos braços da cadeira e ergueu-se, sorrindo. Não era a primeira vez que via as trocas de farpas entre Elliot e Margo. "Bom, vou deixar vocês dois se acertarem. Vou dormir cedo. Não esqueçam que amanhã precisamos cuidar dos preparativos de última hora para nossa festa de aniversário."

10

Na manhã do aniversário de casamento, 26 de fevereiro, Elliot levou para ela o café na cama, com a mais perfeita das rosas vermelhas dentro de uma jarrinha de vidro. Ele tinha passado alguns dias fora, mas estava de volta e parecia feliz consigo mesmo.

"Você está me mimando", disse ela.

"Ajeite-se um pouquinho para eu pôr a bandeja no seu colo."

Ela se remexeu e sentou-se na cama.

"Você fica linda de manhã", disse ele, passando os dedos por seus cachos louros. "Sou um homem de sorte."

"Porque meu cabelo está todo desarrumado?"

Ele sorriu. "Não. Porque você é tão boa comigo. Espero ser assim para você."

Ela serviu café para os dois e, depois de beberem, ele tirou a bandeja da cama e a colocou no chão. "Tenho uma coisa melhor que café da manhã para você."

Quando Elliot tirou o roupão, ela viu que por baixo ele não estava usando nada. Ele se enfiou sob os lençóis ao lado dela, e beijou-a com força nos lábios. Ela gostava da sensação do corpo dele colado no seu, como naquele instante, e abraçou-o bem apertado.

"Amo você", disse ela, carinhosamente.

"Eu também. Você acha que está pronta?", ele sussurrou no ouvido dela.

Ela assentiu. "É claro. Mas não é a primeira vez desde..."

"Eu sei. É só para ter certeza." Para tranquilizá-la, ele passou de novo os dedos pelos cachos dela.

Louisa sentia falta dessa intimidade. Agora, estando ali com ele, sentia que o laço que os unia voltava a ficar mais forte. A vida sexual dos dois sempre havia sido saudável, embora, com o passar dos anos, ela tivesse passado a valorizar mais a amizade. Gostava do jeito dele de provocá-la e depois dar risada, até ela se tocar e entrar na brincadeira. E nos momentos em que ele revelava suas imperfeições... bem, era uma coisa normal em todo relacionamento. Ela também tinha seus defeitos. Talvez em alguns momentos fosse um pouco distante — um pouco absorta, talvez, em seu mundo interior. Sempre gostou de estar sozinha, e não havia coisa melhor para ela do que divagar na paz e no silêncio do lar. Quem sabe se conviver com ela não fosse tão fácil quanto imaginava?

Ele estava sendo carinhoso, tocando-a onde ela mais queria. Sentindo o prazer de se entregar, ela percebeu que estava reagindo mais ardentemente do que poderia imaginar. Depois, ficaram deitados juntinhos, pernas entrelaçadas sob os lençóis.

"Você está bem?", perguntou ele, segurando sua mão para beijar as pontas dos dedos.

Ela sorriu. "Você acha que podemos ter feito outro bebê?"

"Minha querida... Quem sabe. Em todo caso, vamos tentar de novo até conseguir. Espero que não demore muito tempo."

"E se acontecer de novo?"

"Não vamos criar muitas expectativas. O que quer que aconteça, vamos encarar juntos."

"Eu sei." Ela fez uma pausa, pensando no dia que viria pela frente. "De qualquer maneira, preciso levantar. O tempo voa, e coisa e tal. Muita coisa para fazer antes da festa de hoje à noite."

"Você não esqueceu que vou velejar com Jeremy Pike hoje, não é? Vamos dar uma volta no novo barco de corrida que ele mandou trazer da Inglaterra. Vou comandar com ele do lado. Vamos testar de novo o manejo do trapézio. Da última vez não deu muito certo."

"Bem, cuide-se. Está ventando um pouco."

"Tenho certeza de que não vai haver problema", disse ele. "Esse vento não vai durar."

"Não se preocupe com o dia, você ia mais atrapalhar que ajudar, e Margo vai me dar uma mão. Está tudo sob controle."

Louisa passou o dia verificando se estava tudo pronto para a noite. Ela e Margo deram uma ajeitada no jardim da entrada da casa e puseram vasos de flores de lótus, jasmins e ninfeias em cada cômodo. A governanta se oferecera para cuidar das flores, mas era uma coisa que a própria Louisa gostava de fazer. Ela também se certificou de que o ar do jardim estava perfumado com incenso — fragrâncias de canela e sândalo — e rezou para o vento não apagar as velas de citronela.

O dia inteiro, a cozinha parecia um formigueiro. O cozinheiro perdeu a paciência com um dos empregados. Camille, a francesa, preferiu não se intrometer. O único que sabia acalmar o cozinheiro era Ashan, com seu jeito sensato e tranquilo. Mas naquela hora até ele preferiu manter distância.

Quando chegou a hora, Louisa tomou um banho de banheira longo e cheio de espuma, e depois colocou um vestido prateado que ia até o chão, um colar de pérolas no pescoço e brincos que combinavam. Ouviu o chamado melodioso para a oração e começou a ficar preocupada quando deram seis horas e Elliot ainda não tinha chegado. A festa começava às sete e, como ele ainda precisaria se arrumar, teria pouco tempo para isso.

Alguém bateu à porta. Era Margo, que entrou. Estava usando um vestido vermelho de seda brilhante, na altura da canela, que destacava ainda mais seus olhos verdes e cabelos negros.

"Pensei em prender seu cabelo", disse ela.

"Obrigada. Toda vez que eu tento dar um jeito nele os grampos saem."

"Acho que vai ficar lindo se deixarmos um pouco ondulado na frente e preso atrás."

Enquanto Margo trabalhava, Louisa continuava inquieta. "Só estou meio preocupada por Elliot não ter voltado."

"Ele vai chegar em cima da hora. É sempre assim. E vai aparecer faltando cinco minutos, trocar de roupa num minuto e surgir como um galã de Hollywood."

Louisa deu um suspiro. Margo tinha razão, mas isso não a tranquilizava. Ele não era mesmo confiável, mas pelo menos naquele dia podia tentar ser pontual.

As duas foram para a cozinha, onde o cozinheiro serviu uma taça de champanhe. Às sete horas, estavam se sentindo mais alegrinhas.

"É melhor eu ficar no saguão agora", murmurou Louisa. "Mas queria tanto que Elliot chegasse logo. Isso é chato demais."

Os primeiros a chegar foram dois produtores de borracha, com as esposas. Louisa se distraiu conversando sobre o preço do látex, enquanto chegavam alguns outros casais. Assim se passou meia hora. Mas nenhum sinal de Elliot. Louisa havia contratado um quarteto de cordas, que estava afinando os instrumentos enquanto os convidados socializavam. Gwen e o marido não tinham vindo, mas Louisa não os esperava mesmo; a viagem da fazenda de chá era longa demais.

Alguns moradores da cidade apareceram. Derek Muller, advogado da comunidade *burgher*, com a mulher; o sr. Bashar, da biblioteca; e Edward Russell, o médico da família. O pai de Louisa também tinha chegado, claro, assim como alguns outros amigos.

Em pouco tempo, a casa estava cheia. Margo encontrou Louisa olhando para o relógio. "É hora de servir a comida, não acha?", disse Margo.

Louisa concordou. "Que belo aniversário de casamento está sendo este. Mas é hora, sim, por favor, avise Ashan. Vou só comunicar os convidados."

Ela pediu ao quarteto que parasse de tocar e soou uma sineta. Houve um burburinho no salão, e as pessoas que estavam do lado de fora entraram para ver.

"Queria agradecer a todos por terem vindo. Infelizmente, meu marido teve um compromisso inadiável. Mas, por favor, comam, bebam e divirtam-se." Ela mandou a música recomeçar, e rapidamente a casa se encheu com o som dos instrumentos e do bate-papo de salão.

Às nove horas houve uma batida forte na porta. Ashan foi abrir e

Louisa, de novo preocupada, estava na sala de estar quando viu o inspetor de polícia Roberts, com sua característica cabeleira crespa e seu rosto corado, aparecer no hall de entrada. Sua expressão grave, porém, indicava que trazia más notícias da Delegacia da Província do Sul. A boca de Louisa ficou seca, e ela se apoiou na porta da sala.

Margo deu um passo à frente. "O que aconteceu?", disse ela.

O policial voltou os olhos para Margo, mas logo depois virou-se para Louisa. "Sra. Reeve..."

Louisa deu alguns passos na direção dele.

"Podemos ir para um local mais reservado?", perguntou ele.

"Só me diga uma coisa. Está tudo bem com Elliot?"

Margo estendeu a mão. "Vamos para o quarto de costura, Louisa."

Os três subiram para o quarto. Pela cabeça de Louisa diversas hipóteses passavam voando. O coração estava disparado de ansiedade. Ela mal podia esperar que o homem abrisse a boca.

"Pode falar", disse Louisa, cada vez mais nervosa. "Por favor."

Ele pigarreou. "Sinto muito ter o dever de informá-la que seu marido, o sr. Elliot Reeve, sofreu um acidente fatal esta tarde."

Margo e Louisa apenas se entreolharam, incrédulas. Era como se um abismo se abrisse aos pés de Louisa.

"O que o senhor quer dizer?", perguntou Margo.

"Ele morreu, senhorita. Sinto muitíssimo. Minhas mais sinceras condolências."

Louisa sentiu um espasmo de raiva. Que raios ele estava dizendo? Ela escutava as palavras daquele homem, mas nada do que ele dizia fazia sentido. "O senhor pode repetir?"

"Lamento informar que seu marido faleceu esta tarde."

Não, não era possível. Embora fizesse calor, ela sentiu um calafrio. "Faleceu? Como? Como pode ter falecido?"

"Um acidente de barco?", perguntou Margo em voz baixa. "É o que o senhor quer dizer?"

Roberts fez que não com a cabeça.

"Mas ele foi velejar hoje com um amigo, Jeremy Pike, não foi, Louisa?"

Quando Louisa confirmou, o policial voltou a falar. "Segundo consta ele faleceu em um acidente de carro no caminho para Colombo."

Louisa balançou a cabeça. "Não! Isso é impossível! Hoje ele não ia a Colombo!"

"Lamento muito, senhora. O carro, um Vauxhall 1928, teve perda total."

"Mas nosso carro nem é esse! O nosso é um Triumph Dolomite novo em folha. O senhor tem certeza de que era meu marido?"

"A identificação do corpo foi positiva."

"Eu...", principiou Louisa, emudecendo logo em seguida.

"Se houver algo que eu possa fazer...", disse o policial.

"Preciso saber se é ele mesmo", disse Louisa, por fim, sentindo um calafrio mortal.

Devia ser um pesadelo. Certamente ela ia acordar a qualquer instante e descobrir que não era verdade. Porque não podia ser. Elliot não era do tipo que ia morrer jovem. Era tão cheio de vida. Não, aquilo parecia totalmente impossível. Margo e ela se entreolharam, como quem implora por um desfecho alternativo. *Não este. Por favor. Não este.*

"Quando poderei vê-lo?", indagou Louisa, tentando manter o controle. "Devem ter cometido algum equívoco."

"Esta noite eu não acho recomendável. Ficaria agradecido se a senhora pudesse reconhecer formalmente o corpo, embora isso possa ser feito amanhã. Ou talvez o sr. Hardcastle possa. O corpo... Ele... bem, foi um tanto desfigurado. É preciso maquiá-lo um pouco."

"Eu não o quero maquiado!" Subitamente, seu tom de voz se elevou. "Exijo ver *agora* o meu marido! Onde ele está?"

"No necrotério, senhora."

"Certo." Ela virou-se para Margo, com um esgar no rosto. "Por favor. Diga que isto não está acontecendo, Margo."

Margo suspirou profundamente, e Louisa virou-se ao ouvir o som do pai entrando no quarto. Ele franziu o cenho e fitou o policial.

"Infelizmente aconteceu uma fatalidade, senhor", disse o inspetor.

"É o Elliot, pai. Estão dizendo que..."

Jonathan foi direto até ela e tentou abraçá-la, mas Louisa deu um passo para trás, balançando a cabeça. Ela não podia permitir que ele a confortasse. Não agora. Precisava reunir forças para assimilar o golpe. Gaguejando, tentou explicar seus motivos, mas engasgou com as palavras emboladas. Só conseguiu balançar de novo a cabeça. Uma parte dela queria se afundar nos braços do pai, mas outra parte sabia que era preciso fazer isso sem ele. Caso contrário, talvez nunca mais conseguisse erguer-se com as próprias pernas.

Apesar de aparentar calma por fora, por dentro Louisa estava gritando, em desespero. Elliot, morto. *Elliot, morto.* E então começou a tremer. Agarrou-se a Margo, que estava pálida. "Você vem comigo, não vem, Margo? Preciso ver por mim mesma."

Margo engoliu em seco, visivelmente abalada. "Tem certeza? Não sei se consigo. Podíamos esperar até amanhã, como disse o inspetor."

Lágrimas afloraram nos olhos de Louisa, e ela as enxugou com raiva. Não ia acreditar naquilo até ver com seus próprios olhos. "Não. Temos que ir já."

"Vou pedir a Ashan que cuide dos convidados", disse o pai de Louisa. "Ele vai saber o que dizer. Mas eu também vou com você, querida."

"Não. Por favor, fique aqui. Diga a Ashan para não contar o que aconteceu, a menos que não haja outro jeito."

O pai a encarou. "Louisa..."

"De verdade, pai, prefiro que você fique aqui."

O inspetor as levou de carro para o necrotério. Ali, elas aguardaram numa antessala enquanto o cadáver era disposto numa pequena capela. Uma terrível expectativa tomou conta de Louisa, acompanhada do pavor trazido por esses eventos repentinos que transformam a vida para sempre. Ela teve medo, mesmo sabendo que o mais assustador já tinha acontecido. Nada, com certeza, seria capaz de assustá-la depois daquilo. Não haveria mais medo, a vida seguiria apenas seu curso linear, sem curvas, sem obstáculos, sem acidentes. Nada. Uma vida sem Elliot.

Um minuto antes de entrarem, o coração de Louisa batia tão acelerado que parecia a ponto de explodir em seu peito. Então, quando entraram, ela viu Elliot deitado numa maca com rodas e um lençol cobrindo seu corpo, à exceção do rosto. Ela ouviu Margo engasgar e ficou paralisada pelo baque que sentiu no estômago, como se uma pedra tivesse atingido suas costelas. Como suportaria ver o rosto sem vida do marido?

Passados alguns instantes, ela reuniu forças para dar alguns passos na direção dele. Observou seu rosto. Parecia desfeito, pálido e acinzentado. Ela recuperou o fôlego e forçou-se a tocar sua testa. O rosto estava intacto, mas, quando Louisa puxou um pouco o lençol, viu que o pescoço tinha sido muito ferido, com sangue coagulado em torno dos cortes. Louisa sentiu uma onda de calor e uma súbita sensação de enjoo. Fechou os olhos, tentando resistir. Quando a sensação passou, olhou de novo para ele, mas não tinha como assimilar a dor. Vê-lo daquele jeito, quando antes era tão vivo, tão belo, tão inteiro. Como alguém poderia suportar?

"Fale comigo, Elliot", sussurrou. "Pelo amor de Deus, me diga que isto é um pesadelo." Ela virou-se para o inspetor. "Como? Como pode ser possível?"

"Ele bateu numa árvore na beira da estrada. Só nos resta supor que estava dirigindo em alta velocidade."

"Elliot dirigia muitíssimo bem."

O inspetor se inquietou, remexendo-se de um lado para o outro.

"Eu... eu preciso me sentar", disse Louisa.

O homem puxou uma cadeira e colocou-a ao lado do corpo. Ela sentou-se e inclinou-se para a frente, repousando a cabeça na beirada da maca. Margo estava de pé ao seu lado, e Louisa pôde sentir o corpo da cunhada se retesar.

"Vou sair um pouco", disse Margo, com a voz embargada. "Sinto muito, eu não consigo... acho que preciso de um pouco de ar."

Louisa assentiu e ouviu Margo correr para a porta.

Quando o inspetor e Margo saíram da sala, Louisa fechou os olhos. Como aquilo podia estar acontecendo? Num momento, Elliot estava vivo — no outro, era aquilo. No silêncio artificial da sala, ela engoliu em seco e cobriu de novo com o lençol a visão terrível daquele pescoço. Agora Louisa entendia por que o inspetor queria que ela esperasse.

Ela olhou uma vez mais para o rosto de Elliot. Nunca esqueceria aquela imagem enquanto vivesse. Nem a forma como, apesar de os cabelos negros e cacheados terem a mesma aparência de sempre, ele parecia um impostor, e toda aquela sala parecia um cenário de filmagem. Nada parecia real. Nada. Ela desejou que ele abrisse os olhos, para que pudesse vê-lo vivo uma última vez, para que pudesse se despedir como deveria. Mas ele não abriria, claro. Nunca mais. Então ela se levantou, limpou da testa dele uma mancha de graxa e tocou de novo em seus cabelos.

"Oh, meu querido", disse ela. "Como eu vou continuar a viver sem você?"

E, enquanto o contemplava, ela teve uma sensação estranha, algo que nunca havia experimentado antes. Viu a si mesma de pé, na beirada de um poço, sabendo que seria inexoravelmente arrastada para suas profundezas. Era inútil resistir.

Louisa não conseguiu dormir, mesmo com a companhia de Margo. A noite inteira foi atormentada por imagens de Elliot. O contraste entre o marido vivo, tão cheio de energia, e aquele corpo sem vida era coisa demais para assimilar. Ela continuava na expectativa de que ele se levantasse de repente e dissesse que tudo não passava de uma brincadeira. *Peguei você, Lou, olha a sua cara. Ha, ha, ha!* Ela se sentia presa dentro de si e, mesmo com vontade de chorar, era como se um nó permanente na garganta a impedisse. As lágrimas não afloravam, nem nada mais; apenas uma sensação horrível de descrença vazia e de uma existência sem amor se abriam diante dela.

O inspetor prometera voltar às dez da manhã para informar todos os detalhes do que havia ocorrido. Até lá, Louisa teria que seguir sua rotina. Tomar banho. Vestir-se. Pentear-se. Tomar café. Margo, enquanto isso, debulhava-se em lágrimas e pedia desculpa por chorar o tempo todo. Salvo os soluços de Margo, a casa estava estranhamente em silêncio, como se os tijolos de alguma forma tivessem absorvido o impacto e mal conseguissem manter tudo de pé. Os empregados, discretos como sempre, não faziam ruído nenhum, andando em silêncio para lá e para cá, e até o cozinheiro, habituado a elevar a voz, falava o mínimo possível. No fim das contas, a notícia se espalhou rapidamente pela festa, na véspera — notícia ruim sempre viaja a galope —, mas Ashan e o pai de Louisa conseguiram mandar depressa os convidados para casa.

Assim que amanheceu, Margo ligou para Irene, em Colombo. A mãe teve um ataque de nervos. Nenhuma das jovens soube explicar por que tinham esperado o dia seguinte para dar a notícia. Foi como se as duas precisassem assimilar melhor o falecimento antes de falar com Irene. Não sabiam quando ela viria a Galle, isso se viesse, porque ficou em absoluto estado de choque.

Jonathan passou a noite na casa e assumiu por completo a função de consolar e ajudar com as questões práticas. Desde cedo, a campainha começou a tocar, porque as pessoas queriam saber notícias e prestar condolências. Embora Jonathan tivesse sugerido cuidar disso por ela, Louisa sentiu necessidade de fazê-lo pessoalmente. Mas pediu que ele ficasse ao lado dela. Cumpriu de forma mecânica essa obrigação, servindo chá, assentindo com educação diante das palavras de conforto das visitas, com o olhar perdido no horizonte, contemplando as nuvens que passavam diante do sol. O bibliotecário, sr. Bashar, apareceu, assim como Janesha, da quitanda, e visitantes menos bem-vindos, como a responsável pelos arranjos de flores na igreja, Elspeth Markham, que era ao mesmo tempo esnobe e fofoqueira. Louisa conseguiu encontrar as palavras para responder às perguntas das pessoas. *Como está suportando, querida?* Tudo bem, obrigada. *Se houver algo que eu possa fazer...* Eu aviso, é claro. *Qualquer ajuda que precisar, qualquer mesmo.* Ela só agradecia e perguntava como estavam, e se suas famílias estavam bem, escutando as respostas sem registrar as palavras. O tempo todo era como se ela não estivesse ali. Em espírito, estava ao lado de Elliot, onde quer que ele estivesse. Aquele corpo pálido e ensanguentado não era ele. Ela queria o verdadeiro Elliot, e não conseguia se dar conta de que nunca mais sentiria seu toque.

O fluxo incessante de visitas começou a desgastá-la. Por isso Louisa deixou o pai assumir de vez a tarefa e, desligada da realidade da morte de Elliot, levou para o jardim uma garrafa de gim e um pouco de tônica, mas sem gelo. Que diferença fazia se estivesse quente? Era álcool o que ela mais queria. Só com a ajuda do álcool conseguiria enfrentar aquele estado catatônico. Só com o álcool impediria que algo pior acontecesse. Chegou a pensar vagamente no funeral. Mas era como se fosse algo irreal e improvável, bem diferente das festas que gostava de organizar. Incapaz de chorar, acusou a si mesma de insensibilidade. Não era para ela estar gemendo e chorando, desmaiando, praguejando contra Deus, desabando de tanto soluçar? Não era para estar fazendo alguma coisa — qualquer coisa? Ela sentia fome, mas ao mesmo tempo era como se estivesse separada do próprio corpo; era uma fome que comida alguma seria capaz de saciar. Toda a sua atenção estava concentrada numa única questão: como a vida poderia continuar normalmente? Como as pessoas seguiam adiante com suas vidas cotidianas, reclamando de coisas banais, se a única coisa que importava era o simples fato de estar vivo?

Logo depois das dez, quando o inspetor chegou com o médico da cidade, Louisa sentiu um calor cada vez maior e inexplicável. As palmas das mãos transpiravam, enquanto ela tentava reprimir uma sensação crescente de pânico.

Margo conduziu os dois homens à sala de jantar, e Jonathan continuava a receber as condolências dos conhecidos na sala de estar. Margo tinha acabado de falar pelo telefone com a mãe mais uma vez. Elliot era o xodó de Irene, o queridinho, o lado bom de uma vida que se revelara um tanto decepcionante. Louisa olhou compadecida para Margo, e a cunhada respondeu com um sorriso amarelo.

As duas sentaram-se juntas, no sofá, de frente para o inspetor e o médico.

"Acho melhor os senhores nos contarem", disse Margo.

"Bem, como sabem, a estrada para Colombo é sinuosa. O sr. Reeve atravessou a ponte sobre a enseada do lago Rathgama, e logo depois um pescador viu o veículo passando em alta velocidade, derrapando e batendo numa árvore. Pode ser que ele tenha desviado de um elefante ou um carro de boi. A testemunha não tinha certeza, mas chamou socorro. Infelizmente, quando chegaram, era tarde demais. Sinto muitíssimo. Ainda não conseguimos determinar de quem era o carro, mas não havia passageiro com ele."

Louisa inclinou a cabeça por um instante, e ergueu de novo os olhos. "Mas por que ele estava dirigindo o carro de outra pessoa? O senhor sabe me responder?"

11

O enterro aconteceu poucos dias depois. No calor dos trópicos, não era possível esperar; os corpos se decompunham com grande rapidez. Em meio a uma espécie de transe, Louisa conseguiu organizar tudo, do pedido do serviço ao arranjo fúnebre de hibiscos vermelhos, e Margo ficou encarregada de dar a notícia aos amigos de Elliot nas fazendas e em Colombo. Irene chorou copiosamente, mas Harold manteve-se impávido, para dar apoio à mulher. Louisa o viu segurar Irene pelo ombro, murmurando algo no ouvido dela, tentando tornar aceitável algo que jamais seria. Seu olhar, o tempo todo, era de resignação. Não parava de limpar os óculos com um lenço, como se pudesse enxugar a dor que tão inutilmente tentava disfarçar. Tanto Margo como Louisa ficaram de olhos secos. Ao fim da cerimônia, de pé ao lado de Jonathan na entrada da igreja, elas cumprimentaram os amigos e aceitaram suas condolências.

Uma multidão compareceu ao enterro. Mortes súbitas e prematuras despertam comoção, pensou Louisa, não importa quem tenha falecido. Mas a verdade era que Elliot era querido; com um sorriso conquistador e bastante elegância, atraía naturalmente as pessoas. Louisa recordou as ocasiões em que o otimismo incorrigível de Elliot chegava a ser cansativo, e na mesma hora sentiu-se culpada por ter pensado isso, em especial num momento como aquele.

A única ausência sentida foi a do companheiro de vela de Elliot,

Jeremy Pike. Ela sempre achou que a amizade de Elliot fosse importante para ele, já que passavam tanto tempo juntos. Pelo menos Leo McNairn, da fazenda de canela, apareceu. Ele segurou as mãos de Louisa com suas mãos imensas e olhou dentro dos olhos dela. A compaixão em seu olhar era comovente.

"Sinto imensamente pela sua perda", foi tudo o que ele disse. Mesmo tentando manter uma expressão de serenidade digna, ela sentiu os olhos lacrimejarem. Aqui não, pensou consigo mesma. Não na frente de todos. Ele se afastou e, depois de agradecer a todos, se sentiu exausta.

De volta para casa, quando por fim a realidade do que havia acontecido veio como um soco no peito, ela telefonou para Gwen, na fazenda de chá. Precisava desabafar com alguém, mas não queria que fosse ninguém de Galle. Com a voz embargada, contou a Gwen, com mais detalhes, o que havia acontecido com Elliot. Embora as palavras saíssem com dificuldade, pronunciá-las parecia torná-las menos irreais.

"Se for ajudar", disse Gwen, "você é bem-vinda para passar um tempo aqui. Moramos num recanto muito tranquilo, e isso pode poupar você de ter que encontrar com as pessoas num momento em que está tão vulnerável."

"Muita gentileza sua. Posso refletir um pouco?"

"É claro. Eu sinto tanto!"

Louisa engoliu em seco e desligou. A dor crua da perda de Julia nunca havia desaparecido. Nunca iria. E agora, mais essa. Foi então que ela começou a chorar. Todos haviam sido muito gentis, mas ela estava tão decidida a não acreditar no que seus próprios olhos tinham visto que só então, ao se dar conta de que ele nunca mais voltaria para casa, se deixou levar. Foi para o quarto, fechou as cortinas e se encolheu na cama, abraçando o travesseiro e soluçando até sentir os olhos e o rosto inchados. Ela chorou pela própria perda, mas também por Elliot. Ter a vida interrompida tão jovem, ser privado da oportunidade de se tornar pai. Não era justo. E foi quando finalmente silenciou, tendo esgotado todas as suas emoções, que ela ouviu a voz dele. Podia vê-lo falando, rindo, fazendo amor. Vê-lo. Vivo. Nem um pouco morto.

O mundo que Louisa passara a habitar era assustador, assim como o fato de ela estar, de alguma forma inexplicável, ainda viva, e ele não. Por isso, tentou falar com ele. Mas ele já tinha ido embora, e sua ausência era algo tão imenso, tão aterrorizante, que ela não conseguia compreender. Como era possível algo existir e então deixar de existir? Só que, estranhamente, a ausência dele não era um vazio. Estava repleta de imagens e memórias, e das emoções associadas a elas, assim como dos sentimentos que provinham do fato de que não haveria mais memórias. Louisa falou com ele, em voz alta. *Onde você está, Elliot? Aonde você foi?* Mas não havia resposta. E, quando lhe perguntou por que mentiu ao dizer que ia velejar, quando na verdade estava indo para Colombo, ainda por cima dirigindo o carro de outra pessoa, fez-se silêncio dentro dela. E, nesse silêncio, ela imaginou coisas terríveis.

12

A transferência da receita com a venda das ações de Louisa — uma quantia considerável — para a conta pessoal de Elliot havia sido realizada vários dias antes da morte dele. Agora, apenas quinze dias depois do acidente, Louisa tinha um encontro marcado com o contador e o advogado que redigira o testamento de Elliot. Evidentemente, ela já conhecia o teor, mas era preciso encarar o inventário, que seria fundamental para retomar depressa as rédeas de sua nova vida.

O advogado era um cingalês inteligentíssimo chamado Silva, sobrinho do antigo advogado da família, que já se aposentara. Franzino e de jeito sério, ele era jovem, mas aparentava muita competência. Ela lhe dera permissão para ir ao banco em Colombo, no nome dela, para trazer extratos resumindo quanto ainda havia na sua conta e na de Elliot, para saber sua real situação. Normalmente, ela teria que comparecer em pessoa ao banco, mas, dadas as circunstâncias, o gerente, um velho amigo da família, havia concordado em liberar os papéis.

O contador, Bob Withington, era conhecido da família havia muitos anos. Os três se reuniram naquele que havia sido o escritório de Elliot. De início, pareceu uma boa ideia, mas, cercada pelos objetos de Elliot, Louisa preferiria ter aceitado a sugestão deles, de realizar o encontro em Colombo.

Depois da leitura do testamento, Margo mandou servir café, e os dois homens conversaram sobre amenidades. Basicamente, Elliot havia deixado tudo para Louisa, à exceção do saldo de uma conta-corrente separada, que caberia a Leo McNairn.

“É uma quantia mínima, mas a senhora imagina por que seu marido deixaria dinheiro para esse beneficiário em especial?”, perguntou o contador.

“Não faço ideia. Ele cuida de uma fazenda chamada Cinnamon Hills. Elliot tinha uma parte no negócio, então talvez quisesse comprar mais.”

“Isso havia escapado à minha atenção”, disse Silva. “A senhora sabe onde está a certidão de propriedade?”

“Ele não deixou sob seus cuidados?”

“Receio que não.”

“Bem, provavelmente está aqui, em algum lugar.” Ela apontou para um armário de mogno, com prateleiras. “Vou arrumar um tempo para procurar ali, assim que puder.”

“Agora, sra. Reeve... Louisa”, prosseguiu o contador. “A má notícia é que a conta principal do seu marido estava praticamente zerada.”

Ela franziu a testa. “Não pode ser. Há pouquíssimo tempo fiz uma transferência substancial para ele.”

“Sim, é o que vejo aqui no extrato.”

“Metade do dinheiro foi usada para pagar o sinal da compra do prédio da Imprensa. Então não me admira que não esteja tudo aí. A escritura chegará pelo correio em breve. Mas a outra metade ainda deveria estar na conta.”

Ele sacudiu a cabeça.

“Para onde foi o dinheiro, então?”

“Parece que seu marido sacou em espécie.”

“Então deve estar aqui, em algum lugar.” Ela fez um aceno genérico na direção da sala. “Mas não sei por que ele decidiu sacar tudo tão depressa.”

“Também há um contrato juridicamente vinculante, de um empréstimo que ele fez, mas não pagou”, disse o advogado.

“Não entendi.”

“Ele pegou dinheiro emprestado no banco e ainda não houve pagamento. Vai ter de sair do espólio.”

Mais uma vez, Louisa ficou surpresa, e precisou resistir ao impulso de sair correndo da sala. Ela não fazia ideia de que Elliot devia ainda mais dinheiro. Tudo o que ele havia admitido era que tinha algumas dívidas de jogo.

“Está tudo bem, sra. Reeve?”, perguntou Withington.

Não, ela pensou, não está. Um furacão passava por sua cabeça. Ao se lembrar da mão de Elliot acariciando seus cabelos, de seus lábios percorrendo sua pele, ela sentiu um arrepio.

Irene e Harold haviam voltado para Colombo, mas Margo ficou, para dar auxílio a Louisa, que pensava consigo mesma que, para a cunhada, lidar com ela era menos sofrido que lidar com a mãe. Louisa pensou em Harold, com seus cabelos cada vez mais esparsos e seu bigode marcante. Apesar do semblante abatido, ele continuava de algum modo sendo gentil. Devia ter sido um homem bonito, como Elliot, mas agora estava abatido, e Louisa sentia pena cada vez que o encontrava. Seu esforço constante para amenizar os comentários ásperos da esposa muitas vezes eram inúteis, mas ele tentava mesmo assim. Amava Irene, apesar de todos os defeitos dela, disso não havia dúvida. Louisa tinha certeza de que, se Margo e Elliot eram boas pessoas, isso se devia a ele. Mas a pobre Margo, que nos primeiros dias havia chorado muito, agora parecia ter se controlado e assumido uma postura mais prática. Louisa temia que ela estivesse represando sentimentos.

Margo, naquela hora, estava esperando no jardim enquanto Louisa atendia ao advogado e ao contador. Depois que eles foram embora, Louisa foi direto para perto dela.

“Céus!”, disse Margo. “Você está pálida!”

“Me arruma um brandy?”

Enquanto Margo entrava, Louisa se sentou. Seu olhar vazio contemplou as folhas que o vento carregava sobre sua cabeça, enquanto pensava no que tinha acabado de ser dito. Um aroma forte de jasmim vinha da cerca viva. As canas-da-índia reluziam vermelho e amarelo-ouro.

Margo voltou e entregou uma taça a Louisa, que bebericou, apreciando o calor reconfortante da bebida de cor âmbar a aquecê-la por dentro. Ela se sentia insegura. Queria se abrir com Margo, mas ao mesmo tempo tinha a sensação de estar traindo Elliot. Podia haver um motivo sensato para ele ter tirado o dinheiro, para ter feito um empréstimo, para não ter confiado os papéis da fazenda ao advogado, como se faz normalmente. Mas, quaisquer que fossem os motivos, ele havia escondido dela. No fim, ela decidiu contar a Margo o que havia acontecido.

"Talvez haja uma resposta simples, mas eu queria sua opinião numa coisa."

"O que você quiser."

"Parece que Elliot limpou a conta bancária antes de morrer. Preciso dar uma busca no escritório dele para achar o dinheiro."

"Nossa! Está bem. Vou ajudá-la a procurar."

"Não é só isso. Também preciso achar a certidão de propriedade da parte dele em Cinnamon Hills. Achei que estivesse com o advogado, mas ele não sabia nada a respeito. Então deve estar aqui também."

Assim que voltou ao escritório, Louisa abriu o cofre. Encontrou-o vazio, a não ser por algumas cédulas e parte de suas joias. Em seguida, olhou em torno. O escritório de Elliot não era organizado. A escrivaninha estava entulhada de papéis e cartas. Enquanto Margo examinava algumas pilhas, Louisa deu início à trabalhosa tarefa de fazer uma triagem nas pastas. Descobriu que duas gavetas continham cópias das transações com lapidação e polimento de pedras preciosas. Só a gaveta de cima continha coisas pessoais. Ela pensou que ia encontrar uma apólice de seguro de vida, mas, até então, não achara nenhuma. Encontrou, isto sim, cartas antigas de Irene, mas nem certidões de propriedade, nem dinheiro. Numa das prateleiras, havia várias caixas de papelão. As duas se dividiram na tarefa de revirar seu conteúdo, mas também não encontraram nada nelas, a não ser outros registros de lapidação e polimento.

Margo abriu todas as gavetas da escrivaninha, mas, novamente, não havia nada digno de nota. "Mas onde será que ele guardou essa certidão?", perguntou.

"Desculpe se isso soar inconveniente, mas você acha que poderia dar uma olhada no baú de gavetas do nosso quarto? Ainda não me sinto preparada para tocar nas coisas dele."

Depois que Margo saiu, Louisa sentiu-se tentada a arrumar a bagunça que tinham feito. Caso a cunhada não encontrasse nada, o único lugar que restava era o escritório dele na Hardcastle Joias. Porém, até onde ela sabia, Elliot nunca guardara nada pessoal ou doméstico ali. Mas onde teria ido parar o dinheiro? Ela estava a ponto de concluir que estava tudo no quarto quando Margo retornou, balançando a cabeça com ar pesaroso.

"Nossa, não foi fácil", disse ela.

"Não devia ter pedido isso a você."

"Tudo bem."

Louisa reclinou-se na cadeira de trabalho de Elliot.

"Vamos, Lou. Fique tranquila. Esse dinheiro deve estar em algum lugar, não se preocupe. Tenho certeza de que vamos achar, assim como a certidão."

Louisa levantou os olhos. "Queria que ele tivesse me contado o que está acontecendo e explicado onde estava cada coisa."

Fez-se um breve silêncio.

"O que foi?", perguntou Louisa, quando percebeu que Margo estava com a testa franzida e ar de desconforto.

"Sei que não é a hora ideal, desculpe, mas preciso voltar amanhã para Colombo. Meu pai ligou hoje cedo. Mamãe não anda muito bem, e ele não dá conta sozinho. Disse que precisa de mim."

"Eu entendo."

"Desculpe. Mas volto assim que mamãe estiver melhor."

Louisa fez que não com a cabeça. "Fique lá o tempo que precisar. Vou ficar bem. Neste exato instante, minha preocupação mais urgente é que preciso achar o dinheiro ou a certidão de propriedade. Sou a herdeira de tudo, claro, mas antes disso a quitação do empréstimo vai ter que sair do espólio de Elliot; em outras palavras, vai ter que sair do dinheiro, das aplicações, das propriedades ou bens que ele deixou."

"Empréstimo?"

"Infelizmente sim. Ele tem uma dívida importante no banco. Só Deus sabe o que meu pai vai dizer."

"E você não tinha a menor ideia disso?"

"Meu Deus, não! Nenhuma."

Nessa hora Ashan, com o rosto preocupado, entrou e sussurrou no ouvido de Louisa que o inspetor de polícia a esperava. Ela suspirou e o seguiu até a sala de estar.

13

Não havia outra coisa a fazer, então no dia seguinte — uma bela manhã de sol, horas depois de Margo ter ido embora, de manhãzinha, para Colombo — Louisa seguiu dirigindo em seu Triumph Dolomite do forte de Galle para Cinnamon Hills. Ela esperava conseguir lembrar o caminho por onde Elliot já a levara da outra vez.

Enquanto dirigia, repassava o que o inspetor lhe dissera. Ao que tudo indicava, o carro que Elliot estava dirigindo pertencia a seu parceiro de vela, Jeremy Pike, aquele que deveria estar velejando com ele no dia de sua morte. O inspetor não sabia explicar por que Elliot estava dirigindo aquele automóvel, mas era certo que pertencia a Pike. Isso tinha sido confirmado pela governanta de Pike, já que ele estava numa viagem de negócios. Isso não fazia sentido para Louisa. Se Elliot queria ir a Colombo, por que não dizer, simplesmente? E por que não pegar o próprio carro?

Enquanto seguia pela estrada, ela continuava a pensar.

Por sorte, naquele dia não havia carregamentos de borracha. Dessa forma, o ar estava carregado apenas de maresia. Avançando pela curva suave da baía de Galle, passando em frente às suas ilhotas desertas, ela contemplou os navios ancorados na ponta meridional do monte Rumassala. Depois de vários quilômetros de caminho pela costa, ela fez uma curva à esquerda, deixando a estrada, e começou a subida para a casa do topo, com sua maravilhosa vista. Era um caminho cheio de buracos, mais uma trilha do que uma estrada, e ela torceu para não ter nenhum problema com o carro.

Louisa baixou o vidro e, desfrutando do aroma de canela no ar e da fragrância suave das orquídeas e das azaleias, teve de reconhecer que aquele lugar tinha algo de sedutor. Ela escutou vozes, um grito — uma criança, talvez — e um adulto respondendo, mas seguiu em frente. Não era problema dela.

Um pouco mais adiante, uma sensação ruim de vazio tomou conta dela. Como encontraria uma razão para acordar de manhã, viver, respirar? E ainda assim ela continuava a viver, a respirar, automaticamente, sem que fizesse nada. Era para sermos eu e Elliot, pensou, não apenas eu. Naquele instante, o medo e a solidão haviam tomado o lugar da alegria dentro dela. Se uma pessoa jovem e sadia como Elliot podia morrer, qual seria a dimensão da fragilidade do mundo em que ela vivia? Como a própria vida podia ser tão frágil?

Por um instante, ela pensou em dar meia-volta, mas precisava descobrir se a certidão de propriedade de Elliot estava guardada ali, na fazenda. Tinha quase certeza de que estava — afinal de contas, não estava no escritório do trabalho; portanto, não restava mais nenhum local para procurar. Se ela conseguisse solucionar essa questão, talvez os outros problemas pareceriam menos ruins. Apesar de tudo isso, o motivo pelo qual Elliot não avisou que estava indo a Colombo, no dia de sua morte, ainda a intrigava. Por que esconder isso?

Chegando ao topo do caminho, ela encostou o carro e percebeu a motocicleta de Leo McNairn estacionada no mesmo local da vez anterior. Louisa hesitou por um instante, mas, quando saiu do carro, ele apareceu na entrada da casa, e ela se lembrou que no dia do enterro de Elliot o homem tinha se mostrado gentil.

“Sra. Reeve”, disse ele. Ela notou que seus cabelos ruivos tinham mechas mais claras. “Como a senhora está?”

Ela deu de ombros. “Bem, você sabe... mas, por favor, pode me chamar de Louisa.”

“Lamento muito o ocorrido com seu marido. Deve estar sendo terrível para a senhora. Tem algo que eu possa fazer?”

Novamente, ela vacilou por um instante. "Tem, sim. Preciso lhe fazer uma pergunta."

Ele sorriu, com simpatia autêntica no olhar. "À vontade. Mas entre. Aqui fora está quente demais para conversar."

Eles subiram uma escadaria que levava à sala de estar, que por sua vez dava para uma varanda, passando por uma porta metálica. O teto era sustentado por vigas de madeira escura, as paredes eram pintadas de cor ocre e o piso era de lajotas de terracota. Da varanda se via uma floresta de palmeiras. Do teto pendiam vasos de samambaia, e a vista para além delas era deslumbrante.

"É lindo", disse ela, olhando as águas claras da baía, morro abaixo, por cima da copa das árvores.

Ele fez sinal para que ela se sentasse.

Num dos cantos da varanda ficava uma chaise longue já muito usada, junto com várias cadeiras e uma mesinha repleta de livros. Leo pediu a um empregado que limpasse a mesa e trouxesse chá, e os dois se instalaram em duas cadeiras antigas de palha.

"Abafado demais quando não venta."

"Mas será que é sempre ruim assim? Quer dizer, aqui no alto..."

Ele concordou. "Tem razão. Tudo depende da hora do dia. Para quem trabalha, é bem melhor um pouco antes de anoitecer e logo depois que o sol nasce. É a hora mais agradável e, o que talvez seja mais importante, a mais produtiva."

Ela virou a cabeça brevemente para ouvir o ruído que vinha da mata virgem mais abaixo.

"Macacos", disse ele, ao perceber para onde ela olhava. "Mais para o norte ainda é selva."

Ela afofou uma almofada e indicou com a mão a vista para o mar. "Você deve adorar viver aqui."

"Adoro, mas no começo eu relutei em assumir este lugar."

"E por que isso?"

Ele enrugou o queixo e balançou ligeiramente a cabeça. "É uma enorme responsabilidade."

"Mas essa vista traz muita tranquilidade, não acha?"

Ela contemplou seu rosto bronzeado e atraente, com olhos que, apesar de negros, pareciam refletir alguma coisa do céu. Vestido displicentemente, com uma bermuda e uma camisa velha e puída, não era um homem preocupado com a aparência, ou muito falante. Enquanto permaneciam sentados, em silêncio por alguns instantes, ela notou sentimentos conflitantes em si mesma. Leo era daquelas pessoas impossíveis de ignorar, e ela se sentiu surpresa com o desejo forte de tirar o máximo proveito do consolo inesperado que a presença dele lhe despertava. Tinha sido a mesma coisa no enterro, quando as condolências dele quase a fizeram chorar.

O empregado chegou, e o tilintar das xícaras de chá rompeu o silêncio.

Leo a serviu e, reclinando-se, pousando as mãos nos braços da cadeira, olhou para ela. "E então? Conte-me. O que posso fazer pela senhora?"

Ela respirou fundo, pensando no quanto poderia contar, e percebeu que os olhos dele estavam atentamente fixos nela, enquanto esperava a resposta.

"A questão é...", principiou. "Bem, é um tanto complicado, mas eu me pergunto se a certidão de propriedade de Elliot está aqui. Por mais que tente, não consigo encontrar."

"Certidão de propriedade?"

"Sim. Sinto muitíssimo, mas acho que vou ter que vender."

Ele franziu a testa.

"Refiro-me à certidão de propriedade de Elliot sobre a fazenda. Ele é dono de uma parte daqui, não é?"

Leo fez que não com a cabeça. Surpreendida com a hesitação, ela viu que ele contemplou a varanda, em torno de si, e depois olhou para o chão, antes de erguer os olhos para ela. "Não compreendo, eu..."

Ela interrompeu. "Foi Elliot que me contou. Era por isso que ele vinha aqui sempre, não? Para reuniões de planejamento. Recolocar a fazenda de pé."

"Sinto muito mesmo, Louisa, mas Elliot nunca foi dono daqui."

Perplexa com a notícia totalmente inesperada, ela não compreendeu totalmente aquelas palavras. "O que você quer dizer?"

Ele parecia tão confuso quanto ela. Coçou o queixo e franziu a testa.

Sem saber como se comportar numa situação como aquela, Louisa procurou pelo menos esconder seu espanto, mas se sentia tão desorientada que o mundo parecia girar. Elliot lhe contara a respeito de sua parte na propriedade da fazenda. Tinha explicado tudo para ela. Quando suas mãos, pousadas nas coxas, começaram a tremer, ela se levantou e foi se debruçar na sacada, apertando com força as palmas das mãos contra a madeira.

Louisa engoliu em seco e tentou falar, mas as palavras não saíam. Apenas um som abafado, misto de gemido e pigarro. Era como se todas as partes de seu corpo houvessem se separado, e ela não tivesse a menor ideia de como remontar a si própria. Como Humpty Dumpty em *Alice através do espelho*, pensou ela. Pelo menos ele tinha todos os cavalos e todos os homens do rei. Ela virou-se para encarar Leo.

"Não pode ser verdade. Tem certeza?"

"Infelizmente, sim. Eu sou dono de toda a fazenda. Não tenho nenhum sócio na propriedade."

Ela permaneceu onde estava por alguns instantes. "Ele deixou um pouco de dinheiro para você em uma conta-corrente. Por que faria isso?"

Leo desviou o olhar antes de responder, e ela teve a nítida sensação de que ele queria dizer alguma coisa, mas mudou de ideia. O clima entre os dois estava alterado — tinha se tornado mais carregado, de certa maneira.

"Eu não sei", foi tudo o que ele disse.

Ela ergueu a sobrancelha. "Não estou entendendo mais nada. Então por que ele viria aqui com tanta frequência? Ou será que vinha mesmo aqui? Por que ele me diria que era dono de uma parte da fazenda?"

Leo fez sinal negativo com a cabeça.

No curto silêncio que se fez, ela ficou olhando para os próprios pés. "Bem, eu preciso ir. Não é muito dinheiro, mas vou providenciar que você receba."

As respostas dele não ajudaram Louisa a entender onde Elliot realmente estava quando dizia ir a Cinnamon Hills. Seu desejo era saber por que ele tinha mentido. A morte repentina do marido já havia sido um trauma. Mas descobrir que o homem que tanto amara, a quem confiaria a própria vida, vinha mentindo para ela... E não apenas ao dizer que ia velejar. Louisa sentiu uma onda de calor e uma sensação crescente de pânico. Se não podia mais acreditar no que tinham vivido juntos, se não podia acreditar que o passado tinha sido verdadeiro, *em que* então podia acreditar?

Ela o encarou. "Onde está sua prima?"

"Ela vive em um bangalô antigo a meio caminho morro abaixo. É uma artista." Ele se levantou. "Louisa, sinto muito."

Ela respirou fundo, mas não disse nada.

Ele deu um passo para trás. "Venha, vou levá-la até a porta, mas, por favor" — disse, virando-se para fitá-la — "não deixe de me dizer se houver algo que eu possa fazer."

Ela o seguiu e, no pé da escadaria, Leo estendeu a mão.

Depois de apertá-la, ela o encarou uma última vez, entrou no carro e começou a descida. Depois de alguns minutos, encostou o veículo e desceu. Queria ver a fazenda mais de perto. Andando com cautela, seguiu uma trilha sinuosa em meio aos pés de canela, que mais pareciam arbustos, chegando quase à metade do caminho morro abaixo. Uma fileira de formigas de ar ameaçador apareceu diante de seus pés. Um esquilo listrado subiu correndo uma das árvores. Assustada com um estrondo alto, ela olhou em volta. Não conseguiu identificar a origem do ruído, mas imaginou que fosse um dos elefantes usados de tempos em tempos para limpar a terra — arrancando árvores pela raiz e transportando os troncos. Ela se deteve por um instante. Uma revoada de borboletas passou sobre sua cabeça, e o cheiro das árvores e a magia sombreada daquele lugar melhoraram um pouco seu estado de espírito. Ali havia uma sensação de atemporalidade, de imaterialidade até; se não chegava a mitigar seu sofrimento, pelo menos propiciava uma estranha sensação de paz. Foi então que, em uma pequena clareira, ela topou com uma mulher ruiva, encostada no imenso tronco de uma árvore; estava de olhos fechados, com o rosto inchado, como se tivesse chorado.

Louisa desejou ter o dom da invisibilidade. Não sabia se devia fugir na ponta dos pés ou falar com ela. Era evidente que a mulher estava sofrendo — parecia nem ter penteado seus cabelos revoltos e estava malvestida. Louisa não conseguia sequer determinar se aquela era uma roupa para usar de dia, pois era uma espécie de vestido que poderia muito bem ser um roupão.

"Posso ajudar em alguma coisa?", disse Louisa, dando um passo à frente.

Os olhos da mulher se arregalaram. "Quem é você?"

"Louisa Reeve."

A mulher ficou olhando para baixo.

"Você deve ser a prima de Leo. Que lugar maravilhoso para viver. Você tem..."

Mas a mulher deu meia-volta e começou a abrir caminho em meio às árvores, afastando-se da clareira. Louisa voltou para o carro, enquanto um bando de periquitos verdes, de bico vermelho e colarinho rosa-avermelhado, esvoaçava de uma árvore para outra. Desgastada pelas sensações tão díspares, ela ficou a observá-los. E, mesmo se perguntando por que aquela mulher estava tão arrasada num local idílico como aquele, mais uma vez experimentou uma sensação agridoce. Por quê? O que havia naquele lugar que mexia tanto com ela? Ela ruminou o que Leo lhe dissera: Elliot não era dono de parte nenhuma da fazenda. *Não era.* Leo estaria dizendo a verdade? Se não estivesse, algum dia ela conseguiria descobrir?

14

Elliot era a pessoa que havia estruturado sua vida. Elliot era quem tinha dado sentido a ela. Louisa ainda imaginava o corpo dele adormecido ao seu lado. Quando abria os olhos de manhã e eles se fixavam no lado vazio da cama, era sempre um arrepio de espanto não encontrá-lo. Desde sua morte, havia momentos em que Louisa simplesmente se esquecia de respirar, surpreendendo-se repentinamente em busca de ar. Respire, ela ordenava a si mesma, respire. Mas não adiantava nada: depois de alguns minutos, sentia um novo aperto no peito e precisava buscar o ar, como se estivesse buscando a própria vida. Pode ser que ele tenha mentido a respeito da certidão de propriedade, mas será que não havia um bom motivo?

Nas horas em que sua mente rodopiava, ela desejava estar ao lado de alguém que tivesse passado por uma perda e dado a volta por cima. Embora fosse reconfortante ter o pai por perto, e ela sabia que ele a compreendia, Jonathan raramente se referia à morte da mãe de Louisa. O que ela precisava era de outra mulher que tivesse passado pela mesma sensação de pânico crescente, pelas mesmas noites insones, pela mesma sensação dolorosa de desconexão. Louisa não sabia ao certo o que diria — desejava apenas o alívio de poder desabafar. Gwen não tinha perdido o marido, mas perdera uma filha. Nenhuma das duas era melhor ou pior que a outra. Eram situações diferentes, mas Gwen parecia ser essa pessoa capaz de compreender como ela se sentia — a sensação de ter uma enorme pedra dentro do peito, uma pedra que não sairia dali, como se seu coração nunca mais fosse se abrir. Então, ela decidiu ligar para a amiga, para saber se o convite para visitar a fazenda de chá ainda estava de pé. Gwen garantiu que sim, e por isso, alguns dias depois, Louisa iniciou a longa viagem para as terras escarpadas da região do chá.

Nunca antes ela havia dirigido tanto sozinha e, embora Gwen tivesse explicado detalhadamente o caminho, a estrada ainda a deixava insegura. Porém, naquele momento, qualquer coisa era melhor do que ficar em casa. Depois de sair de Galle, ela dirigiu floresta tropical adentro, percebendo o quanto a mata estava sendo devastada. Passou, em seguida, ao longo do rio Gin Ganga, onde bandos de crianças seminuas brincavam nos pedregulhos em frente a uma enorme delegacia. Quando chegou à ponte, porém, hesitou. Estreita, era sustentada por pilares de concreto, mas nas beiradas havia apenas trilhos de aço de aspecto frágil.

Com as mãos tremendo, ela parou o carro e desceu. Contemplou o rio que corria embaixo e, lá no alto, o céu repleto de criaturas aladas. Ao ouvir os sons dos bichos no matagal, respirou fundo várias vezes. Os pássaros cantavam sobre sua cabeça. À exceção de inúmeros vira-latas que cochilavam às margens da estrada, tudo ali fervilhava de vida. Porém, quando ela pensou em voltar para o carro, teve um súbito ataque de pânico, e rezou para ter coragem de prosseguir sua jornada.

Enquanto tentava cruzar a ponte, segurou com força o volante. Mas tudo correu bem. Ela foi adiante, passando em frente a diversos seringais, até o ponto em que entrou numa estrada menor, logo depois de um templo. Ao olhar para fora, viu um grupo de monges vestidos de amarelo sentados em um degrau. Um deles pitava uma espécie de cachimbo. Mais adiante, pegou outra estrada, até que, depois de cruzar um segundo rio, começou uma subida em meio a uma região de mata densa. Embora Gwen tivesse alertado que a viagem era penosa e consumiria a maior parte do dia, Louisa foi obrigada a reconhecer um sentimento de empolgação, apesar do cansaço e da fome. Era tudo completamente novo, e ela constatou, para sua própria surpresa, que estava gostando daquilo. Depois de passar por outro templo, mais ou menos na metade do caminho, decidiu fazer uma parada e encostou o carro para comer os sanduíches que Camille havia preparado.

Enquanto comia, um grupo de macaquinhos de cara arroxeada a observava em silêncio, e ela não pôde deixar de rir ao se dar conta da aventura que estava vivendo. Se Elliot pudesse vê-la agora!

Quando terminou, voltou a dirigir, subindo as diversas montanhas que levavam a Hatton. Depois de fazer outro desvio, por fim chegou ao topo do morro que dominava a fazenda de chá dos Hooper. A vista era de tirar o fôlego. Uma fileira de tulipeiros margeava a estrada mais abaixo, e dali era possível ver que a casa da fazenda havia sido construída em forma de L. Ela parou o carro para descer e admirar o lago reluzente. Era um cenário verdadeiramente deslumbrante, que a fez sentir um leve arrepio de esperança. Seria aquele o lugar ideal para ela?

Ao chegar ao ponto mais baixo da estrada, Louisa estacionou. Assim que desceu do carro, Gwen saiu da casa correndo, com seus cachos esvoaçando para todos os lados.

"Louisa, fico tão feliz que você tenha vindo. A viagem não é terrível? Você deve estar exausta."

Louisa fez sinal negativo. "Fiquei até surpresa. Não errei o caminho em momento nenhum."

"Bom, largue a sua mala. Um dos rapazes vai carregá-la. Deixe-me levá-la até a varanda dos fundos. Vou mandar trazer algum refresco."

Elas entraram na casa e saíram pelo outro lado, passando por belas janelas francesas. Ofuscada pela luminosidade, Louisa reparou nos zumbidos e gorjeios que enchiam o ar.

"Este lugar é tão cheio de vida!"

"É sempre assim, principalmente de manhã, ou no final do dia, como agora."

As bebidas chegaram, e Louisa apreciou a sensação refrescante do copo em suas mãos.

"Você deve estar querendo descansar e talvez tomar um banho. Mas imaginei que pudéssemos bater um papo tranquilo por alguns minutos."

Louisa olhou para os jardins repletos de flores mais abaixo, descendo até o lago em três níveis, interligados por trilhas, degraus e banquinhos; e também para o lago propriamente dito, que tinha o azul-turquesa mais deslumbrante.

"E então?", disse Gwen. "Como você está lidando? Sinto tanto pelo que aconteceu! Você deve estar arrasada."

"Não é fácil. É bom papai estar por perto, mas minha cunhada voltou para a casa dos pais, em Colombo. Fora eles, ninguém sabe muito o que me dizer."

"Foi parecido comigo, quando Liyoni morreu. Todo mundo pisava em ovos ao meu redor, me dava até vontade de gritar."

"Como você aguentou?"

"De certa forma, é difícil recordar os primeiros dias. Minha sensação era de que o mundo tinha acabado, mas depois virou uma questão de viver um dia após o outro, ir tocando a vida sem pensar muito. Não faz tanto tempo assim, só que agora já está mais tranquilo."

"Meu medo é nunca mais me sentir normal."

"Bem, você não vai se sentir como antes. Essa experiência transforma a pessoa. É mais uma questão de descobrir quem você passou a ser e se acostumar com isso."

"Eu me pego chorando nas horas mais improváveis."

"Eu sei. Eu também."

"Até hoje?"

Gwen fez que sim. "E ainda sinto tanta raiva."

Louisa concordou. "Isso toma conta de mim quando eu menos espero, e é tão forte que chego a tremer, literalmente."

"Parecia que meu mundo tinha acabado, e tinha mesmo. Não me sentia viva; estava destroçada. De verdade. Destroçada."

"Obrigada por ser tão franca", disse Louisa. "Fico feliz por ter vindo."

"Espero que ajude. Na pior das hipóteses, ajuda a passar os dias. Se você conseguir ir levando, ir vivendo, cuidando de si, vai descobrir que seu coração é capaz de se apaziguar."

Elas ficaram em silêncio por alguns instantes.

"Infelizmente vamos ter uma visita hoje, para o jantar. Eu esperava que fôssemos só nós três, mas Savi Ravasinghe vem ver Laurence para tratar de um assunto da fazenda em nome da esposa, minha prima Fran. Ela é dona de parte da propriedade, sabe? Mas você vai gostar de Savi. Ele é artista e uma pessoa muito gentil. Tudo bem por você?"

"Sim, claro."

"Porque, se preferir, mando servir o jantar numa bandeja, no quarto."

"Não. Vai me fazer bem. Desde que Elliot morreu quase não tenho estado em companhia de ninguém."

"Bem, Savi é um homem adorável. Dá para conversar sobre qualquer assunto com ele. Venha, vou lhe mostrar seu quarto."

Elas entraram e subiram uma enorme escadaria, que terminava em um corredor. Gwen escancarou a porta do quarto, que tinha janelas com vista para os dois lados da casa. "Amo esse quarto, é tão arejado. Está bom para você? O banheiro fica na porta ao lado. O jantar é às oito."

Louisa olhou em torno de si. "Obrigada. É lindo demais."

Depois que Gwen saiu, Louisa foi para a janela que dava para os jardins e parte do lago e debruçou-se para inspirar o ar puro. Luminosos arbustos de chá cresciam mais acima do lago, em fileiras simétricas. Colhedoras de chá usavam sáris de cores vivas, uma mistura de rosa, verde, roxo e azul. A sensação de paz daquele lugar era tanta que Louisa se sentiu mais relaxada. Era um local mágico, e ela já tinha a impressão de que o peso em seu coração diminuíra — por alguns minutos, até conseguiu esquecer Elliot.

Não durou muito. Ao se deitar na cama, sentiu-se atormentada entre a dor da perda e o peso das mentiras dele. O pior era o receio de, em doze anos, nunca ter descoberto quem Elliot realmente era. E se o amor que era o pilar de seu casamento não tivesse sido o que ela imaginava?

Louisa escutou os sons dos pássaros e viu o céu escurecer. Era hora de se arrumar para o jantar e se esforçar para parecer bem disposta. Gwen compreendia seu estado, mas alguma coisa no íntimo de Louisa lhe dizia que deveria preservar o bom humor, apesar de tudo. Decidiu colocar um vestido azul-marinho apertado na cintura, com um cinto largo, e, depois de pentear seus cachos loiros, ela se sentiu um pouco melhor.

Ao adentrar o salão onde seria servido o aperitivo, antes do jantar, ela viu uma fileira de janelas altas que ocupavam todo um lado da parede. As persianas estavam semicerradas, o que lhe permitiu avistar a lua, que iluminava o jardim externo. O salão ficava de frente para o lago, que brilhava, prateado. As paredes eram pintadas de um azul-esverdeado suave, e o ambiente como um todo era agradável, com poltronas de aparência confortável e dois sofás de cor clara, repletos de almofadas bordadas com motivos de pássaros, elefantes e flores exóticas. Uma pele de leopardo estava estendida no encosto de um dos sofás.

"Venha se sentar perto de Savi", disse Gwen, ao se levantar para saudar Louisa.

Um elegante cingalês levantou-se ao mesmo tempo. Tinha cabelos meio compridos, um nariz ligeiramente adunco, olhos simpáticos, cor de caramelo, e sobrancelhas grossas. Ele estendeu a mão. "A senhora deve ser Louisa. Eu sou Savi Ravasinghe."

"É um prazer conhecê-lo", disse ela, apertando a mão dele.

"Quer se sentar?", perguntou ele.

"Isso, sente-se com Savi", disse Gwen. "Preciso verificar se a aia está com o bebê. Laurence vai descer num minutinho. A comida cingalesa lhe cai bem, Louisa?"

"Ah, sem problema. Obrigada."

"Pois bem", disse Savi ao se acomodarem. "Conte-me sobre você."

Ela respirou fundo. Conhecer gente nova era um pouco constrangedor. "Não sei o que você já sabe."

"Soube que a senhora perdeu o marido recentemente. Sinto muito. Falar disso a incomoda?"

"Para falar a verdade, até prefiro."

Ele sorriu. "Entendo. A senhora sabe que Gwen perdeu a filha pequena?"

"Sei. Acho que foi por isso que ela me convidou para vir."

"E ela é uma mulher com um coração enorme. Minha esposa tem a maior consideração do mundo por ela."

"Onde está sua esposa?"

"Ela tem negócios a tratar na Inglaterra. Passamos a maior parte do tempo lá, mas eu gosto de voltar para casa de vez em quando para passar um tempo aqui. Tenho um apartamento em Colombo, em Cinnamon Gardens. Fran, minha esposa, também costuma vir, mas desta vez não veio."

Naquela época, era incomum encontrar um casal inter-racial no Ceilão, mas Louisa sabia que no passado isso havia sido totalmente normal, nos tempos em que havia poucas mulheres inglesas residindo ali.

"Vocês enfrentaram muita dificuldade?", ela perguntou. "O senhor e sua esposa, quero dizer."

"Mais na Inglaterra, para ser franco." Ele sorriu. "Mas aqui a maioria das pessoas nos tolera."

"Melhor assim."

"Ouvi dizer que a senhora vive em Galle."

"É onde eu nasci, e nada no mundo me faria mudar, embora aqui seja incrível, claro. E há pouco tempo precisei ir a uma fazenda de canela. Impossível não me apaixonar pelo lugar."

"Eu conheci uma pessoa que foi morar numa fazenda de canela, não muito afastada de Galle. Ou pelo menos era o que diziam. Era uma artista plástica renomada em Colombo. De repente, simplesmente surtou e desapareceu. Estou tentando lembrar o nome dela."

"É mesmo?"

Ele franziu a testa. "É um nome incomum, mas eu simplesmente não consigo me lembrar."

Louisa parecia surpresa. "Ela era ruiva?"

"Sim! Por acaso a senhora a conhece?"

Ela fez sinal negativo. "Não a conheço, mas pode ser que eu a tenha visto uma vez, e mesmo assim por pouquíssimo tempo."

"O mundo é pequeno."

"O senhor sabe por que ela saiu de Colombo?"

"Acho que o verdadeiro motivo ninguém sabe. De vez em quando topo com algumas telas dela, aparentemente novas, à venda. Então ela ainda deve pintar."

"Mas ninguém nunca a vê?"

"Não. Ah, veja, Laurence chegou."

Louisa assentiu ao ver o marido de Gwen, um homem alto, se aproximando. Ele tinha as costas largas e cabelos castanho-claros curtos, salpicados de branco nas têmporas, e um largo sorriso no rosto. Ela se lembrou da última vez que o vira, na festa de Natal, quando tudo parecia destinado à felicidade. Como a vida mudava rapidamente. Como tudo podia se perder de uma hora para outra.

15

No dia seguinte, quando Louisa acordou, pouco depois do nascer do sol, saiu da cama de imediato e desfrutou da vista da janela, que dava para as águas calmas do lago. Uma névoa cor de pérola pairava sobre a água. O ar ainda estava fresco e puro. Vai ser um dia bom, ela disse a si mesma. Vai ser um dia bom. Hugh, o filho de Gwen, iria voltar da escola, em Nuwara Eliya, e haviam marcado um piquenique com todo mundo na beira do lago, à exceção do sr. Ravasinghe, que partiria ainda pela manhã. Antes de descer para o café da manhã, ela tomou um banho, pôs um vestido de musselina verde-claro, de mangas curtas, e prendeu o cabelo.

Vestindo uma bermuda, Laurence já estava de pé, diante da mesa do café da manhã, quando Louisa entrou na sala de jantar.

"Bom dia. Quer tomar café comigo na varanda?", perguntou ele.

Ela deu uma olhada na direção para onde ele apontava, do lado de fora das janelas francesas escancaradas.

"O café da manhã sempre parece mais gostoso ao ar livre", acrescentou. "Não acha?"

Ela sorriu e baixou os olhos para a mesa, onde uma bandeja estava coberta com uma tampa de prata.

"*Kedgeree*", disse ele. "Se quiser que façam alguma coisa para você, é só tocar a sineta. O cozinheiro sabe fazer um ótimo ovo poché. O chá e o café vão ser levados para lá, junto com as torradas. Vejo você lá fora."

Louisa viu uma tigela de coalhada de leite de búfala, protegida dos insetos por uma redinha, e cestos de frutas: mangas, maracujás, maçãs e bananas. Ela pegou uma tigela e a adoçou com mel.

Quando se sentaram à mesa de ferro forjado do lado de fora, a névoa já tinha se dissipado. O dia estava ficando radiante, com o sol brilhando sobre o lago e uma leve brisa para refrescar a pele. Ela viu uma nuvem de borboletas coloridas flutuando bem em cima dos lírios brancos que cresciam em vasos de terra na beirada da varanda.

"Espero que tenha dormido bem", disse Laurence, sorridente.

"Muito bem."

"É o nosso ar das montanhas."

Ela concordou e o encarou. "Imagino que seja. Estou feliz por estar aqui. Gwen foi muito gentil de me convidar."

"Minhas condolências por Elliot. Não tivemos oportunidade de falar a sós ontem à noite."

"Não."

Ele fez uma pausa antes de prosseguir, e ela percebeu um esgar do músculo da sua boca. "Talvez você saiba que minha primeira esposa morreu", disse, por fim.

"Savi Ravasinghe me contou. Fiquei triste de saber."

"Foi muito tempo atrás."

Louisa ficou pensando sobre o que teria acontecido, e cogitou perguntar a ele. Seria indelicado? Mas, com a morte de Elliot ainda ocupando totalmente seus pensamentos, decidiu que precisava perguntar.

"Importa-se de me contar o que aconteceu?"

Ele deu um suspiro. "Ela tirou a própria vida."

Louisa engasgou. "Oh, meu Deus. Sinto muito. Eu não deveria ter perguntado."

"Como eu disse, foi muito tempo atrás." Ele fez outra pausa. "Em todo caso, chega de ficar remoendo o passado. O que importa agora é o presente. E o piquenique vai ser muito agradável. Tenho certeza de que lhe vai fazer bem."

"Eu já me sinto melhor só de estar longe de casa."

"Ficar um pouco fora do próprio ambiente pode nos fazer sair do casulo, mesmo que só por algum tempo."

Algumas horas mais tarde, mais ou menos no horário em que Hugh deveria chegar em casa, Gwen e Louisa estavam na ampla sala de estar com Alice, a bebê. Gwen perguntou a Louisa se ela poderia tomar conta da criança enquanto ela finalizava alguns detalhes do piquenique. De início, a ideia deixou Louisa apreensiva, mas, quando Alice adormeceu em seus braços, ela ficou observando o movimento dos cílios e, com a ponta dos dedos, acariciou de leve as bochechinhas rosadas. Inclinou-se para cheirar os cabelos da menina. Uma sensação de paz invadiu seu corpo, e ela se sentiu grata para com Gwen. Segurar Alice nos braços aquietava a confusão em sua mente. Ir até lá tinha sido uma decisão acertada.

Momentos depois, um menino de cabelos revoltos entrou correndo na sala, acompanhado por Gwen.

"Diga oi à sra. Reeve, Hugh."

"Oi, Hugh", disse Louisa. "Me chame de Louisa. Chegando da escola?"

Ele fez sinal afirmativo.

"E quantos anos você tem?"

Ele deu um sorriso luminoso e respondeu com orgulho: "Dez".

"Que bela idade! E você está ansioso para o piquenique?"

"Claro que sim! Posso ver Alice?"

"É claro."

Ele se aproximou e ajoelhou-se a seus pés. "Ela é pequenina, não é?"

"Quer pegá-la no colo?"

Ele se levantou. "Não, mamãe disse que eu tenho que me arrumar agora." E sorriu para ela. "Você vai nadar comigo?"

"Oh, eu não trouxe maiô."

"Eu tenho um de reserva", disse Gwen.

Gwen e Louisa ficaram na sala de estar por mais meia hora. Quando Hugh reapareceu em disparada, Gwen colocou Alice no moisés e chamou o mordomo, para pedir que a levasse até o lago. Depois foi buscar Laurence no escritório, e desceram todos juntos. Dois empregados carregavam o cesto de piquenique e várias sacolas, junto com os tapetes. Também foram buscar três cadeiras na garagem de barcos, à beira do lago. Assim como Laurence, Gwen e Louisa se refestelaram nas cadeiras, observadas por um casal de macaquinhos de rabo comprido sentados ao pé de uma árvore vizinha.

Gwen estava usando um vestido azul de algodão com estampa xadrez e mangas folgadas que a cobriam até os pulsos. Abriu um enorme guarda-sol branco preso em sua cadeira, instalado para proteger sua pele delicada.

Hugh correu na direção de Gwen, que lhe deu uma toalha e um calção de banho. Ele foi até a garagem de barcos se trocar. Tudo isso Louisa observava com um sentimento de expectativa. Era um lugar tão encantador, e o céu estava tão azul, que era impossível se sentir triste. Ela ficou olhando para uma área onde cresciam arbustos de chá de um verde muito vivo e distinguiu as colhedoras de chá, ou "catadoras", como sabia que ultimamente vinham sendo chamadas. Parecia estar quente demais para um trabalho tão pesado, embora ali fosse muito mais fresco do que em Galle. Uma rajada de vento jogou uma mecha de cabelo nos olhos de Louisa, fazendo-os lacrimejar. Enquanto ela enxugava os olhos e recolocava a mecha atrás da orelha, Gwen se aproximou.

"Está tudo bem com você?"

"Foi só o vento."

"Que bom. Quando Hugh voltar, você quer usar o vestiário da garagem de barcos? Aqui estão meu maiô reserva e uma toalha. Esse maiô sempre ficou muito grande em mim, mas, como você é mais alta, acho que vai dar certinho." Ela entregou uma bolsa a Louisa.

"Obrigada."

Como o vento estava aumentando, Louisa se levantou, deixando o ar quente soprar seus cabelos. Pairando sobre o lago faiscante, um céu azul-cobalto se estendia até o horizonte. Ela fechou os olhos bem de frente para o intenso brilho amarelo do sol que se refletia nas ondas do lago, reconhecendo como era bom sentir-se livre por alguns instantes.

Hugh e Laurence já estavam no lago, gritando e brincando de jogar água um no outro, quando ela, já de roupas trocadas, se aproximou da margem.

Gwen também desceu até a beira do lago. "Preciso dar de mamar a Alice, mas fique com eles. Só tome cuidado com as sanguessugas na margem."

Louisa olhou para o chão e se arriscou aos poucos na água. "É fria", disse. "Que maravilha."

"Sempre acho refrescante", disse Gwen, antes de virar as costas para caminhar até a garagem de barcos.

Louisa entrou andando na água. Mesmo tendo avançado bastante, constatou, aliviada, que seus pés ainda tocavam o fundo pedregoso. Laurence e Hugh estavam bem mais distantes, nadando em direção a uma ilhota. Por não conhecer o lago, ela decidiu ficar no raso, e deslizando pela água teve uma agradável sensação de euforia. Só o fato de se sentir sem peso, movendo o corpo daquele jeito, parecia revivê-la de alguma forma; um prazer simples, mas vital. Era aquilo que significava tocar a vida em frente. Não apenas enfrentar um dia após o outro, como um sacrifício, mas vivenciar plenamente o significado de estar vivo. Ela sentia mais falta daquilo do que havia imaginado.

Depois de algum tempo, ela saiu da água e ficou de pé sob o sol, secando os cabelos com a toalha. Notou que Laurence e Hugh estavam retomando o fôlego na ilhota, enquanto Gwen havia voltado para a cadeira na sombra, segurando Alice, que agora dormia, nos braços.

Louisa se instalou ao lado dela. "Foi absolutamente maravilhoso."

"Eu venho sempre nadar aqui com Laurence", disse Gwen. "Nossa filha adorava a água."

"Você deve sentir tanta falta dela!"

"Sinto, mas era complicado. A doença dela era muito sofrida."

"Sinto muitíssimo."

"Em todo caso, agora é hora de falarmos de você. Como está se sentindo?"

Louisa fez uma careta. "Hoje, até bem, e isto tudo aqui ajuda muito, mas... bem, sabe como é, descobri algumas coisas sobre meu marido que eu desconhecia."

"Coisas? Quer falar a respeito?"

Louisa deu um suspiro. "Não sei o que pensar, simplesmente. Por favor, não conte a ninguém, mas o fato é que ele mentiu a respeito de ser proprietário de uma parte de uma fazenda de canela."

"E isso é tão grave assim?"

"Bem, minha impressão era que ele passava um tempo enorme lá.

E agora eu não sei onde realmente estava. Além disso, ele tinha dívidas que eu desconhecia. Embora negasse, receio que a jogatina tenha fugido do controle. É tão terrível ter de encarar o fato de que eu não sabia o que ele estava fazendo."

"Os homens parecem ter essa capacidade de separar a própria vida em compartimentos."

"Laurence não, espero?"

Gwen fez que não a cabeça. "Demorou muito tempo até eu descobrir a verdade sobre a morte da primeira mulher dele."

"Ele me disse que ela tirou a própria vida."

"E isso mostra o ponto a que as coisas chegaram. Assim que nos casamos, ele se recusava a tocar no assunto. Guardou para si durante tanto tempo que não sabia mais como colocar para fora." Ela fez uma pausa. "Não sei, mas talvez Elliot tenha arrumado alguma encrenca e mantido segredo para proteger você."

"Talvez. Mas mentir a respeito da propriedade, como isso poderia me proteger?"

"Não sei. É estranho."

"E por isso eu fico com a sensação incômoda de não conseguir as coisas direito. Quero viver o luto por ele e por aquilo que perdemos, mas isso torna tudo muito mais complicado. É como se a casa estivesse lotada de fantasmas."

"Entendo... Então, não sei ao certo se esta é a melhor forma de dizer isso, mas ele ainda amava você?"

"Eu achava que sim."

"E você o amava."

Louisa fez sinal afirmativo. "Muito, mesmo depois de doze anos. Não me entenda mal, ele tinha seus defeitos."

Gwen riu. "Todos nós temos!"

Elas ficaram em silêncio por alguns instantes, contemplando a água. Louisa ficou pensando no que Gwen acabara de dizer. Depois de algum tempo, ela parou de pensar a respeito e decidiu apenas desfrutar da beleza do lago, sentada sob o sol ao lado de uma mulher que estava se mostrando uma boa amiga e confidente.

"Se você quiser nadar, eu seguro a Alice", disse, por fim.

"Não se importa?"

"De modo algum. Passe-a para mim e vá se trocar."

Gwen levantou-se, e Louisa ocupou o lugar dela sob o guarda-sol e ajustou a touquinha de babado de Alice.

Louisa ficou observando Gwen, Laurence e Hugh nadando. Os três se debatiam dentro da água, molhando uns aos outros e rindo. Voltou os olhos para a bebê que dormia, e uma vez mais para a pequena família dentro da água. Como parecem felizes!, pensou. E, embora parecesse improvável, teve a esperança de, no dia em que superasse tudo aquilo, encontrar de novo a felicidade. O passado não seria possível alterar, mas tampouco ela podia deixar o que acontecera moldar todo o seu futuro, nem permitir que a morte de Elliot fosse a única coisa que a definiria. O segredo seria encontrar um jeito de evitar isso. Momentos depois, Alice acordou e a olhou bem nos olhos, sem nenhuma ponta de desagrado por não ter acordado no colo da mãe. Louisa ajudou a menininha a sentar-se, e as duas ficaram observando os demais, que brincavam na água.

"Vamos lá ver o que mamãe, papai e Hugh estão fazendo?", perguntou Louisa. Ela se levantou da cadeira e, enquanto carregava Alice lago adentro para ver mais de perto, cantarolava para si mesma.

16

Louisa ficou mais alguns dias na fazenda de chá, mas depois sentiu a necessidade de finalmente voltar para casa. Para perdoar a si mesma por estar viva mesmo que ele não estivesse, decidiu dar um rumo à própria vida. Afinal de contas, era o tipo de pessoa que precisava estar em constante atividade para se sentir animada, e ainda tinha que pensar no projeto do prédio da Imprensa. Ela sabia que o único jeito de sobreviver era lidar com um dia após o outro, até se acostumar. Viver uma hora, depois outra, até o dia terminar. E no dia seguinte fazer tudo de novo. No fim, a felicidade que havia redescoberto no lago, com Gwen, iria se tornar normal.

Ela estava descansando no jardim — com os pés para cima, as tesouras de jardinagem em cima da mesa, com Tommy e Bouncer disputando sua atenção enquanto ela acariciava gentilmente as orelhas macias de Zip, em seu colo — quando Camille a informou de que havia um homem querendo vê-la.

"Quem é?", perguntou ela.

"Não sei o nome dele, madame. Mas já o vi aqui antes."

Ela franziu a testa. "Você não perguntou?"

"Ele só disse que queria ver a senhora."

"Onde está Ashan?"

"Saiu. Ele me pediu que cuidasse da porta."

"Bem, acho que é melhor convidá-lo para entrar, mas eu não vou lá para dentro. Pode trazê-lo aqui fora e depois nos fazer a gentileza de trazer um refresco."

Ela se levantou para guardar as tesouras, tomando cuidado para não topar com alguma serpente escondida nas sombras do jardim. Mas estava acostumada com essa precaução, e sabia que as cobras só eram perigosas quando incomodadas. Naquele dia, ela não havia visto nenhuma.

Quando se sentou de novo, empertigou-se e, diante da aproximação do visitante, virou-se.

Era um homem baixinho e parrudo, com cabelos negros e pele morena. Nele, Louisa reconheceu instantaneamente o *burgher* que havia visto no escritório de Elliot durante a festa de Natal, assim como algumas semanas depois.

Ele se aproximou e fez uma ligeira mesura. "Pieter De Vos, a seu serviço, madame."

"O senhor quer se sentar?", perguntou ela, oferecendo-lhe a mão.

Os cães começaram a latir.

"Shhhh, meninos", disse ela, estendendo uma das mãos para tocar Tommy, que se levantou e começou a se afastar. Bouncer e Zip permaneceram ao seu lado. Ela esticou o braço e acariciou a cabeça de Bouncer, mas ele deu um rosnado de alerta, baixando as orelhas.

"Peço desculpas. Às vezes eles são zelosos demais."

"Nenhum problema. Também tenho meus cachorros", respondeu ele.

Era um homem sério, de fala baixa, a ponto de obrigar Louisa a se inclinar para ouvir direito.

Ele se sentou em uma cadeira a um ou dois metros da sua. Uma brisa soprou no jardim, e Louisa viu que as folhas das árvores tremeram e os passarinhos se remexeram nos galhos sob o lindo céu. Da terra, o calor subia em ondas.

"Perdoe minha intromissão num momento tão impróprio", disse ele. "Mas achei que devia me apresentar."

"Sim, já o vi com Elliot, mas nunca fomos de fato apresentados, não é?"

Ele fez sinal afirmativo. "Acho que já era tempo."

"Muita gentileza sua ter vindo."

"De forma nenhuma. A satisfação é toda minha."

Ela não disse mais nada até Camille sair.

"Suco de lima com hortelã?"

Ele assentiu e olhou-a com ar reconfortante. "Espero, sinceramente, que a senhora esteja conseguindo lidar com a situação. Deve ser muito duro."

Ela voltou a ficar em silêncio, mantendo as mãos sobre o colo e olhando em torno, para o jardim. Em geral, estava sempre bem cuidado, mas ultimamente ela andava negligente. O pé de jasmim precisava de uma poda.

"Pois bem", disse ele, sorrindo e inclinando a cabeça. "A esta altura a senhora deve saber que seu marido e eu tínhamos negócios em comum."

"Ele chegou a comentar."

"Queria apenas que a senhora soubesse que há algumas pontas soltas, que precisam ser amarradas."

"Que espécie de pontas soltas?"

"Não há necessidade de entrar em detalhes agora. Há tempo de sobra para fazer isso no momento oportuno." Ele fez uma pausa. "Seu marido era um grande homem. A senhora deve sentir muita falta dele."

"Sinto, sim."

Louisa enxugou na camisa as palmas das mãos úmidas e ficou olhando para ele, que bebericava o refresco.

"Bem", disse ele. "Foi um prazer conhecer devidamente a senhora. Queria apenas prestar meus respeitos. Mas, caso haja algo que eu possa fazer para ajudar, é só me falar. Qualquer coisa."

"Obrigada."

Ambos se levantaram.

"Voltaremos a nos falar, sra. Reeve."

"Certamente."

Tudo o que Louisa queria era sentar-se com Elliot e perguntar a ele exatamente o que andara fazendo, e por que não existia uma certidão de propriedade de Cinnamon Hills. Mais do que tudo, ansiava por guardar as lembranças que tinha dele em um lugar seguro, onde a dúvida não pudesse contaminá-las. Elliot era o único que poderia tornar isso possível. Com certeza ele diria que tudo não passava de um equívoco, nada com que se preocupar. Um mal-entendido.

Mas, por enquanto, ela não podia pensar a respeito. Seu pai estava para chegar de uma viagem de negócios. Embora quisesse muito desabafar, não suportava a ideia de ele ficar sabendo de seus receios.

Louisa acompanhou a mudança de cor do céu para um tom rosado e entrou para se preparar para o jantar. No banheiro, ficou se olhando no espelho. Por um instante, só de vislumbrar o ar perdido de seus olhos amendoados, sentiu vontade de chorar. Mas se recompôs e, em vez disso, tomou banho e se vestiu, passou um pouco de *eau de toilette* atrás das orelhas e sentou-se à penteadeira para colocar um colar de pérolas; eram verdadeiras, presente de aniversário de Elliot. Pelo menos ele disse que eram. Ela levou uma delas à boca e esfregou-a na ponta de um dos dentes da frente. Sim, eram ásperas ao toque, o que significava que eram autênticas. Ela sentiu vergonha por ter duvidado.

Quando ouviu a porta da frente sendo aberta, e logo em seguida o som da voz do pai, procurou se recompor para não deixar sua tristeza transparecer. Ela já havia resolvido sobre o que iam conversar. Era hora de decidir o que fazer com o prédio da Imprensa.

Ela desceu e foi saudar o pai no salão.

"Desculpe o atraso", disse ele, "mas eu me atrasei na lapidação."

"O senhor colocou alguém à frente disso?"

Ele fez sinal negativo. "Ainda não. Por enquanto, estou cuidando das coisas sozinho."

"Bem, vamos lá, então?"

Uma vez sentados um em cada ponta da mesa de jantar, ele a fitou. "Pois bem", disse, enquanto ela brincava com a comida. "Espero que esteja se sentindo melhor depois da viagem que fez. Acho que uma distração ajuda."

Ela mordeu o lábio enquanto pensava no que responder. "Foi o que o senhor fez? Por que nunca fala da minha mãe?"

"Não exatamente. O trabalho me mantinha muito ocupado. Eu

tinha que cuidar de uma filha pequena e tocar um negócio. Não ia ajudar nada se ficasse sentado me lamentando da vida."

"*Me lamentando da vida?* O senhor acha que é isso que estou fazendo?"

"Você e eu somos diferentes. Eu sou um homem prático, mas você se fecha em seus pensamentos. Só quis dizer que passar um tempo com Gwen Hooper deve ter sido bom. Falar daquilo que está consumindo você."

"Ajudou, é claro... Estou conseguindo me virar aos poucos."

"Algo mais aconteceu?"

Ela fez que sim com a cabeça. "Só queria tocar num assunto."

"Qual?"

"O prédio da Imprensa."

"Ah. Agora virou uma espécie de elefante branco, não é?"

"Como assim?"

"A ideia do empório. Suponho que você não vá adiante com isso, certo?"

Ela balançou a cabeça para afastar os pensamentos conflitantes que povoavam sua mente e respirou fundo antes de falar. "Acho que vou levar a coisa em frente. E é exatamente sobre isso que eu quero falar."

"É dinheiro? Você quer que eu financie o empreendimento?"

Ela sorriu. "Seria maravilhoso se o senhor pudesse. Mas talvez eu venda uma parte das ações que me restam, embora vá ficar apertada."

"Não posso permitir que você faça isso. Do que vai viver?"

"Eu me viro."

"Não. O que quer que você decida fazer com aquele lugar, sua renda provém das suas aplicações e do seguro de vida que Elliot lhe deixou."

Louisa baixou os olhos, em direção à mesa.

"O que foi, querida?"

Ela balançou a cabeça.

"Não me diga que não há um seguro de vida!"

Ela ergueu os olhos na direção dele e viu o ar impaciente em seu rosto. "Não consegui achar nenhuma apólice. Eu..." Sua voz vacilou.

“Quanta irresponsabilidade! Você conferiu com o advogado?”

Abatida, ela fez sinal afirmativo.

“Muito bem, se você está decidida a se aferrar ao prédio da Imprensa, vou providenciar os fundos para o financiamento de que você necessita, embora ache que o melhor seria vender.”

“Preciso de algo para me ocupar.”

“Compreendo perfeitamente.”

“Compreende?”

Ele assentiu. “Pelo menos é o que eu espero. Como disse, uma distração, ou pelo menos algo que a mantenha ocupada, ajuda.”

“E sem um projeto eu vou enlouquecer.”

“Bem, não podemos deixar isso acontecer. Então parece que temos um motivo para comemorar. Ao que tudo indica, vamos ser sócios em um negócio. Você tem champanhe em casa?”

“É claro.”

Ela sorriu para o pai, tomada de uma sensação renovada de empolgação. Talvez o prédio da Imprensa fosse sua salvação. Se continuasse direcionando sua mente na direção certa, isso lhe propiciaria a oportunidade de que precisava.

17

Margo chegou a Galle um dia depois. Na manhã seguinte, as duas conversavam enquanto tomavam um café da manhã composto por chá, torradas e frutas com coalhada de leite de búfala. Ainda era bem cedo e, embora a cantoria da alvorada tivesse terminado, havia passarinhos cantando no jardim. Louisa escancarou as portas da varanda para desfrutar do barulho.

"Nossa, estou faminta", disse Margo, bocejando e se espreguiçando. "Desculpe por não ter conversado ontem à noite. Cheguei cansada da viagem de ônibus e, tenho que admitir, exausta de ficar com mamãe."

"Como ela está agora?", perguntou Louisa, enquanto servia o chá.

Margo fez uma pausa antes de falar, e Louisa se deu conta do cansaço visível no semblante da cunhada, principalmente nas olheiras roxas sob seus olhos. Ela não gostava de vê-la com ar tão desgastado. Margo franziu a testa e fez uma careta.

"Nada bem. O problema é que não encontro maneira de consolá-la. Nada do que eu digo ou faço dá certo, embora tenha a impressão de que neste momento ninguém pode ajudá-la. Fiz o melhor que pude e não queria abandoná-la, mas se não fosse embora eu ia acabar tendo um ataque de nervos."

Louisa, que estava escutando o zumbido dos insetos no jardim, compreendia perfeitamente a necessidade de Margo de se afastar da mãe por algum tempo.

"Deve estar sendo terrivelmente difícil para ela", disse, entregando uma xícara a Margo. "Consigo compreender."

"Vou voltar quando achar que posso ser útil. Foi duro ter que ir embora, mas acho que agora ela vai estar melhor sozinha. Meu pai tem a sorte de ter o trabalho para distraí-lo. É o que o mantém longe de casa. Nossa, devo parecer tão insensível."

"De forma nenhuma. Todas nós sabemos que Irene às vezes é cansativa."

"Às vezes ela é terrivelmente complicada, mas eu estou preocupada *mesmo* com minha mãe! Pense nisso. Afinal de contas, ela já perdeu dois filhos."

Louisa concordou. "Sim, é claro. Nem dá para imaginar."

Fez-se um breve silêncio.

"Bom, pois então me conte", disse Margo. "Como você está?"

"Francamente? Não sei. Em alguns dias me sinto anestesiada. Como se estivesse longe, longe de tudo. Ou como se não fosse eu mesma. Mas, sabe, ficou ainda mais complicado. Descobri que no fim das contas parece que Elliot não é proprietário de Cinnamon Hills."

"Não me diga!"

Louisa fez que sim com a cabeça. "Bom, foi o que disse Leo."

"Dá para confiar nele?"

"Acho que sim. Ele me pareceu gentil, e por que mentiria?"

"Ele tiraria proveito de ter o controle total do negócio, não?"

"Suponho que sim. De qualquer modo, não faço ideia do que aconteceu com o dinheiro, nem de onde Elliot realmente estava quando dizia que ia à fazenda." Ela se deteve, sem saber como falar. "É doloroso pensar que eu não conhecia de verdade meu marido."

"Pobrezinha. Mas como isso é estranho."

"Não é? Em todo caso, ele comprou o antigo prédio da Imprensa pouco antes de você voltar de Londres. Nem teve a chance de lhe mostrar. Fizemos um projeto de reforma para transformá-lo num empório de venda de joias e artesanato."

"Tem certeza de que você dá conta disso? Vai exigir muita energia."

"Não sei." Ela deu um suspiro profundo. "O luto causa um cansaço terrível, mas eu preciso fazer alguma coisa!"

"Daria um foco a você, imagino."

"É assim que eu penso."

Ela percebeu que Margo estava quieta, e que no rosto da cunhada havia um sinal de alguma coisa.

"E quanto a você, Margo? Pergunto não só por causa de Elliot, mas também por causa do seu homem em Londres. William, não era isso?"

Margo respirou fundo antes de falar. "Quem dera fosse meu homem. Sinto demais a falta dele. Não é minha cara ser tão sentimental, é?"

"Não deixa de ser uma perda também."

"Sim, embora a perda de Elliot seja muito pior, é claro. Ainda não consigo acreditar."

"Eu sei. Todos os dias tenho a impressão de que ele vai entrar por aquela porta."

Elas tomaram o chá em silêncio, espantando as moscas que tentavam pousar em seus cabelos. Margo fechou os olhos e parecia estar meditando. Quando os abriu, deu um sorriso. "Acho que estamos precisando de um pouco de animação. A pergunta é: o que vamos fazer pelo resto do dia?"

Louisa suspirou. "Bem, tem trabalho a fazer no prédio da Imprensa."

"Isso pode esperar. Vamos fugir de Galle e ir para uma das praias da costa sul. Estou com vontade de nadar, longe de olhares curiosos."

Elas percorreram de carro a estrada litorânea, passando por jacintos selvagens, manguezais e coqueirais em frente à costa dourada, até que pararam em uma praia numa bifurcação logo antes da subida para a fazenda de Cinnamon Hills.

Ao estacionar o carro, Louisa não conseguia deixar de pensar em Leo. Uma parte dela tinha vontade de subir correndo a estrada, naquela mesma hora, para arrancar dele a verdade. Ele não poderia estar mentindo? Afinal de contas, Margo tinha razão, ele levaria vantagem escondendo a certidão de propriedade pertencente a Elliot. Mas ela ia ter que esperar. Depois que ela sacasse o dinheiro da conta-corrente pessoal de Elliot, isso lhe daria uma desculpa para ir até lá.

Ela olhou em torno, para a costa ladeada de palmeiras, para a faixa de areia coberta de conchas e, por fim, para os corais logo depois da arrebentação. Barquinhos de pesca pintados em cores brilhantes boiavam na água azul-escura, mas por sorte a praia propriamente dita estava deserta, o que lhes dava privacidade de sobra.

"Aposto que chego primeiro na água", disse Margo, tirando a roupa e revelando, por baixo, um maiô de banho.

"Vantagem injusta! Ainda tenho que me trocar."

"Ganhei!", gritou Margo enquanto corria pela areia prateada na beira da água. Depois que a cunhada mergulhou e começou a nadar, Louisa colocou o maiô e foi atrás dela, dando um pulinho ao sentir o toque gelado da água em sua pele. Era maravilhoso estar de novo na água, tão pouco tempo depois da tarde no lago. Talvez a solução fosse essa — um mergulho diário para desfazer a tensão nos ombros e no pescoço.

Ela começou a nadar atrás da cunhada, mas não conseguiu alcançá-la. Margo era excelente nadadora e, embora Louisa não nadasse mal, não havia comparação entre as duas. Depois de algum tempo, Louisa resolveu boiar, e inclinou a cabeça para ver as palmeiras, antes de olhar de novo para o mar.

O sol salpicava a água de dourado, e o céu irradiava um azul-claro uniforme. O silêncio era total, exceto pelo som do vaivém calmo das ondas e o guincho de uma ou outra gaivota. Se a vida pudesse ser sempre assim..., pensou ela, enquanto nadava de volta para a beira da água. Ela se sentou no raso, deixando a água molhar suas pernas, e esticou os braços para o céu. Obrigada por isso, sussurrou. *Obrigada.* Não se sentiu triste nem quando lembrou que certo dia, naquela mesma praia, ela e Elliot, apaixonados, ficaram assistindo às tartarugas se arrastando para pôr seus ovos. Louisa ficou na mesma posição por alguns minutos, e só aos poucos ela se deu conta de um ruído atrás dela. Sacudiu os cabelos e virou-se.

"Oh!", disse ao ver Leo usando um calção de banho. "Olá."

"Eu costumo nadar aqui", respondeu ele, afastando dos olhos uma mecha de cabelo. "Espero que não se importe."

Apesar do que havia pensado um pouco mais cedo, de subir correndo para lhe perguntar a verdade, ela conseguiu sorrir para ele. "Não. É claro que não."

Enquanto ele mergulhava na água, Louisa notou que seu corpo era bastante flexível. Pelo corpo tão bem definido, dava para adivinhar facilmente que ele trabalhava ao ar livre, e não em um escritório. Ela observou enquanto ele nadava com naturalidade por entre as ondas. Quando terminou, saiu para se secar.

"Vim para cá com minha cunhada", disse ela. "Dá para ver onde ela está, lá longe."

Ele protegeu os olhos com uma das mãos para olhar. "Ah, sim."

"Ela parece que não cansa nunca, mas espero que não queira ir ainda mais fundo."

"E você, como está?", perguntou ele. "Está conseguindo lidar?"

Ela fez que sim com a cabeça. "É maravilhoso aqui, não?"

Nenhum dos dois disse nada por um tempo prolongado demais, e Louisa sentiu-se um pouco constrangida com a presença dele, tão próximo dela, que vestia apenas um maiô úmido.

"Nadar é libertador", disse ele por fim, enquanto se sentava ao lado dela. "A vida na fazenda toma muito tempo. Fico envolvido demais."

"Talvez você precise socializar."

"Talvez."

"E sua prima? Você a encontra com frequência?"

"Zinnia? Sim, costumo encontrá-la."

"Eu não sabia o nome dela, mas acredito tê-la visto da última vez que estive lá."

Ele desviou o olhar, e Louisa teve a impressão de que ficou um pouco incomodado. Não sabia dizer exatamente por quê; pode ter sido apenas a contração do maxilar e a forma como evitou o olhar dela.

"Ela parecia zangada", acrescentou ela, tentando fazê-lo dizer algo mais.

Ele fez que sim com a cabeça e então se levantou, um pouco apressadamente, roçando o braço no dela. Louisa sentiu um forte arrepio, e foi impossível não notar que ele se conteve para não dizer alguma coisa.

Ela decidiu deixar de lado a indecisão e encarou-o para falar. "Em relação àquela certidão. Você tem certeza de que Elliot não tinha nada? Se ele tinha, deve haver algum registro em algum lugar."

Ele olhou-a fixamente. "Reconheço que isso deve ser difícil para você, mas, Louisa, eu juro. Ele não tinha mesmo nenhuma parte da fazenda."

Ela olhou nos olhos dele e balançou a cabeça.

"Acho que está na hora de ir."

"Está bem."

"Então... nos vemos por aí?"

"Está bem", repetiu ela, porque apesar de tudo não conseguia deixar de desejar que ele ficasse um pouco mais.

"Cuide-se." Ele virou as costas e começou a caminhar na direção da estrada.

Logo depois Louisa olhou para o mar, para ver se Margo já estava chegando, e levou um susto ao ver que ela estava em apuros. Estava tentando nadar de volta para a costa, mas acenava desesperadamente com o braço e parecia estar engolindo água.

"Leo! Socorro!", gritou Louisa, levantando-se e correndo para dentro da água. Ela ouviu o barulho dos passos dele na areia enquanto corria para alcançá-la.

"Tente chegar comigo até Margo, por favor! Eu não sei o que está acontecendo. Ela não é disso."

Louisa começou a nadar, mas Leo, mais veloz, alcançou Margo depressa, que estava engasgada e tossindo, em busca de ar. Ele a segurou pelas axilas e voltou nadando de costas, abraçando-a contra o próprio corpo com um dos braços, até chegarem ao raso. Em seguida, soltou-a, e Margo foi pulando desajeitadamente na direção de Louisa, que àquela altura também já tinha saído da água.

"Você foi longe demais", disse Louisa.

Margo respirou fundo e esfregou a perna. "Agora estou bem."

"Francamente, Margo! Você precisa tomar mais cuidado."

"Eu nunca tive cãibra antes." Ela virou-se para Leo. "Obrigada por ter sido meu cavaleiro da armadura reluzente."

Ele inclinou a cabeça. "Que bom que você está bem. Meu nome é Leo, aliás. Leo McNairn. Dono de Cinnamon Hills."

"Obrigada", disse Margo, sorrindo e voltando a massagear a batata da perna. "Nós lemos a seu respeito, não foi, Louisa?"

Ele sorriu. "É mesmo? E onde foi isso?"

Margo olhou Louisa de soslaio. "Na biblioteca, não foi?"

Louisa confirmou e sentiu-se envergonhada, como se tivesse sido apanhada sendo enxerida.

"Em todo caso, obrigada mais uma vez por seu resgate tão cavalheiresco", prosseguiu Margo.

Ele ajudou Margo a caminhar, e logo todos estavam sentados em segurança na areia. O olhar dele cruzou com o de Louisa. Incapaz de adivinhar no que Leo estava pensando, ela desviou os olhos e ficou contemplando os enormes coqueiros e, mais ao longe, as pequenas cabanas dos pescadores. Depois de algum tempo, virou-se de novo de frente para a água e, enquanto observava as aves marinhas — garças-reais, garças-gigantes, pilritos e martins-pescadores —, ficou pensando no que ele tinha dito. *Nenhuma parte da fazenda.*

Passado um instante ele perguntou a Margo: "Está se sentindo melhor?"

Margo fez sinal afirmativo.

No caminho de casa, Margo só falava de Leo e de como ele tinha sido cavalheiro, até fazer Louisa quase lamentar terem ido à praia. Mesmo assim, ela não podia negar seu contentamento por tê-lo visto de novo. Havia algo nele que a fazia sentir que as coisas podiam não ser tão ruins quanto pareciam. Que as trevas não durariam para sempre e que no fim das contas ela não cairia em um abismo.

"Acho que você gamou nele", disse ela para Margo, levantando a sobrancelha.

"Bem, e você me culparia por isso? Ele é o máximo. Gosto desse tipo magro e rústico. Pois então, do que vocês estavam falando enquanto eu estava ocupada me afogando?"

"Nada. Perguntei a ele de novo sobre a certidão de propriedade, mas ele repetiu que não existe papel nenhum."

18

Louisa foi até o prédio da Imprensa com Margo e desenhou algumas plantas iniciais. Ainda não havia encontrado a chave da sala trancada, e decidiu que em algum momento iria pedir a um chaveiro para abrir a fechadura à força.

Margo foi dar uma volta de bicicleta, enquanto Louisa inspecionava os projetos, agora abertos em cima de uma mesa na sala de estar do andar térreo da casa. A intenção era criar quatro ambientes, ou departamentos, separados. Além disso, haveria um balcão central em forma de círculo, onde seriam expostas e vendidas as joias de safira mais caras. Passagens em arco levariam a outros espaços. Um deles seria destinado a joias menos caras; outro, a artesanato em madeira feito à mão; e um terceiro, a produtos de seda. Poderia até haver mais duas lojas de joias, caso encontrasse outros joalheiros dispostos a participar. Ela havia decidido dar o nome de Safira ao empório, já que o Ceilão era particularmente conhecido pela qualidade e beleza de suas pedras dessa variedade. Mas teria que providenciar o quanto antes um seguro com ampla cobertura e garantir que todas as fechaduras e janelas fossem protegidas com grades.

Louisa estava em processo de desenhar a fachada do prédio, mas concluiu que precisava inspecioná-la de novo, constatando que no desenho havia algum detalhe incorreto. No momento em que tentava se concentrar, Ashan entrou na sala e disse que um cavalheiro viera vê-la.

“Bem, faça-o entrar”, disse ela, um tanto irritada, passando a palma da mão nos cabelos e sentindo-se incomodada com a intromissão, embora tenha se arrependido na mesma hora por ter sido rude com Ashan. A lealdade dele nunca fora posta em dúvida, e ela sempre fez o possível para tratá-lo com respeito. Surpresa ao ver Leo adentrar a sala, Louisa se levantou imediatamente e estendeu a mão.

Ele a apertou de leve.

“Infelizmente ainda não pude ir a Colombo para sacar o valor que Elliot deixou para você.”

“Não foi por isso que eu vim”, disse ele. Leo rodava nas mãos, sem parar, as abas de um chapéu de couro. Parecia tão desajeitado e pouco à vontade que ela concluiu que ele preferia estar em outro lugar.

“Você quer um pouco de chá?”

Com um ar abatido, ele sacudiu a cabeça. “Não.” Fez uma pausa. “Será que podemos conversar no jardim?”

“Claro. Vou só pegar meu chapéu.”

Ela escapuliu para o corredor para buscá-lo. Na volta, os dois saíram pela porta francesa. O jardim reluzia tranquilo ao sol. Uma brisa leve mexia as folhas. Os três cachorros os acompanharam e deitaram-se na sombra, com as línguas de fora. Ela encheu uma jarra de água numa bica do lado de fora e colocou-a no chão, na frente deles.

“Pois bem”, disse ela, enquanto caminhavam.

Ela viu que ele engoliu em seco, nervoso — parecia estar reunindo coragem. “É sobre minha prima, Zinnia.”

“Ah, é?”

“Temo que ela esteja doente, e não tem ninguém que cuide do filho dela, Conor.”

“Não sabia que ela tinha um filho.”

“Ele tem sete anos. Um amor de criança, que vive em seu mundo interior de fantasia. Zinnia dá aulas em casa para ele. Por isso, raramente vê outras crianças. Faço o que posso para ajudar.” Ele retomou o fôlego. “Ela tem uma amiga divorciada, entende, que leva a filha até lá de vez em quando, mas isso é tudo. Acho que sente que ela e Zinnia são um pouco discriminadas pela sociedade. Para ser franco, esse arranjo não é lá muito satisfatório. Conor é criado solto na maior parte do tempo, mas agora..."

Ela nunca o ouvira falar tanto de uma vez, o que a deixou surpresa. "Lamento saber disso, mas por que você está me contando?"

"Bem, essa é a parte complicada." Subitamente, ele se deteve, provocando um curto silêncio constrangedor.

Ela não disse nada. O que quer que fosse, pensou, era melhor que se revelasse em seu devido tempo.

Leo recomeçou a falar. "Mas, depois de encontrá-la na praia, eu concluí que precisava me abrir."

"Vamos nos sentar na sombra", disse Louisa. "Estou ficando com calor."

Eles foram até a parte sombreada do jardim e se sentaram juntos em um banco. O silêncio ali criava uma tensão, fazendo-a estranhar a aparição repentina de Leo.

"Pois então?"

"Eu acredito que a quantia que seu marido deixou para mim era, na verdade, destinada a Zinnia."

Apesar do calor daquele dia, ela sentiu um leve calafrio, e lançou-lhe um olhar sério e prolongado. Sentindo-se presa ao chão, esperava que ele falasse de novo.

"Não tem um jeito fácil de dizer isto..."

"Prossiga."

"Conor é filho de Elliot, Louisa."

Ela engasgou e piscou, incrédula. O jardim pareceu estremecer. Louisa sentia o coração batendo tão forte no peito que teve a impressão de poder ouvi-lo.

Leo balançou a cabeça, olhando para o chão. "Sei que não deve ser fácil ouvir isso."

O silêncio desconfortável foi aumentando, enquanto Louisa se recuperava do choque. O contraste com a visão do rosto de Elliot, ainda vivo em sua memória, e o olhar carinhoso e amoroso em seus olhos era demais para suportar.

"É por isso que Elliot costumava ir com tanta frequência à fazenda", disse Leo, por fim, erguendo os olhos para ela.

"Conor é filho de Elliot? É isso que você está me contando?" Dentro de si, sentia diversas emoções conflitantes e uma onda de calor tão forte que teve a impressão de que ia desmaiar.

"Sim."

Não podia ser verdade. Elliot jamais teria feito nada do gênero. Ouvindo a voz do marido dentro de sua cabeça, ela se recusava a acreditar. "Você não pode estar me dizendo isto."

"Sinto muito."

"Como você pode mentir assim para mim?", perguntou. "Por que você está fazendo isso?"

Ele olhou para ela. "Achei que era seu direito saber."

"*Não!* Primeiro você me diz que não existe uma certidão de propriedade, o que ainda acho difícil de acreditar, e agora me conta isto."

Fez-se mais um silêncio profundo. As palavras que ela queria pronunciar ficavam presas em sua garganta e não saíam. Ela tinha a sensação de que nunca mais conseguiria respirar.

"Louisa, eu..."

"Não." Ela levantou a mão. "Não diga mais nada."

Ela ficou de pé e se afastou, virando as costas para ele. "Você espera que eu acredite que Elliot ia à fazenda para vê-la? Ele não tinha participação nenhuma na propriedade, era tudo por causa *dela*?"

Ele não respondeu.

"Você não pensou em me contar isso antes?" Ela virou-se para encará-lo mais uma vez, tentando desesperadamente conter a sensação de sufocamento na garganta, que se fechava, e implorando em silêncio que ele dissesse que não era verdade.

Ele balançou a cabeça com pesar. "Eu não queria magoá-la, mas a verdade é que ele ia ver Conor, e Zinnia também, é claro."

Louisa sentia que as lágrimas afloravam em seus olhos, mas continuou a olhar fixamente para ele. O tempo parecia recuar a toda a velocidade, e ela via o olhar sorridente de Elliot ao lhe dar aquele último buquê de flores. Agora tinha a impressão de que era só uma forma de aliviar o remorso. Como se flores pudessem compensar aquilo. Ela prometeu a si mesma que não ia chorar na frente de Leo e ajeitou a postura, tentando se recompor. Mordeu o lábio até sentir o gosto de sangue, olhando o tempo todo para ele. "Por que me contar agora?"

Ele respirou fundo antes de falar. "Como eu disse, senti que não podia deixá-la no escuro. Não podia continuar fingindo que não sabia nada, e achei que você merecia saber a verdade."

Ela franziu a testa diante daquela explicação e deu um passo na direção dele. "Você vem até aqui e conta que meu marido tem um filho, um filho ilegítimo... um *bastardo*!"

Ele se levantou. "Veja, eu sei que é um baque..."

Ela recuou e a luz forte a fez piscar. "Pode acreditar que é mesmo!"

Ele baixou a cabeça por um instante, e depois ergueu os olhos.

Ela deu uma risada forçada e alta. "Isso tudo não faz nenhum sentido. Você perdeu a razão? Ficou completamente doido?"

"Eu gostaria que..."

"Pare por aí mesmo, Leo." Sua voz saiu fina e rouca. Ela engoliu em seco, horrorizada pela exibição da própria emoção em estado bruto. Queria xingá-lo, gritar, berrar que aquilo era um equívoco. Um completo equívoco. Elliot jamais a trairia.

"Não consigo imaginar o que deu em você para me contar isso", disse, numa voz contida. "Agora, por favor, vá embora."

"Sinto muito", disse ele. "De verdade. Se houver algo que eu possa fazer..."

"Vá embora! Simplesmente vá!"

Ele virou-se e pouco tempo depois desapareceu.

Ela se jogou de volta no banco, o olhar fixo no local onde Leo estivera havia pouco, os cães ganindo a seus pés. Estava em conflito com o que acabara de ouvir. Buscando o próprio fôlego, lutou contra a vontade de chorar. Pegou Zip e o abraçou, sentindo o cheiro do cachorro com uma sensação de vazio por dentro, como se tivesse levado um chute no estômago. De início, tentou negar o que ele havia contado. Não podia ser verdade. E no entanto Leo não teria razão para mentir, teria? Aquilo poderia ter alguma relação com a certidão de propriedade? Ela se inclinou para a frente e repousou a cabeça nas mãos. Depois, sentou-se de novo ereta e cerrou os punhos. A vontade de se revoltar aumentou. A dor e a raiva eram fortes demais para suportar. Como ele podia ter mentido aqueles anos todos? O casamento deles durara doze anos, mas ele tinha um filho de sete. *Não*. Ela absorveu o sentido daquela palavra até ecoar tão alto dentro de si que a fez tapar os ouvidos. *Filho. Filho.* Não. Não podia ser verdade. Como era possível que ela nunca tivesse suspeitado disso? Fora enganada por tanto tempo? O amor entre os dois nunca tinha sido verdadeiro? Eram perguntas que se entrechocavam em sua mente, mas não havia respostas. Nunca haveria.

Quando Margo voltou, Louisa estava soluçando. Continuava sentada no banco e, embora tivesse consciência do terrível calor que sentia, era como se houvesse perdido a capacidade de se erguer e sair caminhando. Tommy e Bouncer tinham se afastado, em busca da sombra, não sem se lamuriarem, também apreensivos, diante do sofrimento da dona. Zip ficara em seu colo, mas agora estava se mexendo.

Margo esgueirou-se até o banco, ao lado dela, e passou um braço pelo corpo trêmulo de Louisa. Esperou que os soluços parassem antes de falar. Quando Louisa se acalmou um pouco, Margo pegou sua mão e delicadamente afastou Zip.

"Querida, é melhor entrarmos agora. Você vai ter uma insolação. Vou levá-la para a sala de estar de cima e mandar levar um suco de manga. Depois você me conta tudo."

Por dias a fio Louisa sentiu-se desamparada, como se saber da criança tivesse atingido em cheio seu coração, roubando-lhe a alma. Tudo — sua vida, seu casamento, suas esperanças para o futuro — tinha desabado. Profundamente abalada, ela cravou as unhas na parte carnuda da palma da mão, para se livrar do enjoo que sentia. Queria pensar em outra coisa, mas Zinnia e o filho ocupavam seu pensamento o tempo todo. Ela deitou-se na cama, cobrindo a cabeça com o travesseiro, como se quisesse se proteger da verdade. Margo veio sentar-se a seu lado, mas não fez nenhuma pergunta. Louisa ficou grata por isso. Não estava pronta para dizer em voz alta aquelas palavras terríveis. Às vezes via a inquietação nos olhos de Margo, mas não tinha forças para aliviar a preocupação da cunhada.

Então, certa tarde, ela decidiu compartilhar o que Leo havia contado. Viu o choque da notícia estampado no rosto da jovem, que levou rapidamente a mão à boca, viu seus lábios começarem a tremer e os olhos ficarem arregalados de incredulidade. Então Louisa começou a chorar. Engasgou, fazendo um barulho feio, deixando escapar sua dor. Margo também chorou, e as duas se abraçaram.

Por fim, Margo soltou a amiga. "Deus do céu! Não consigo acreditar. Tem certeza de que é verdade?"

Louisa suspirou, estremecendo. "Por que Leo mentiria?"

"Só não consigo acreditar que Elliot faria isso."

"Eu sei. Isso passa o tempo todo pela minha cabeça."

Margo se encolheu, e Louisa a envolveu em seus braços.

Elas ficaram vários minutos assim, mas depois de algum tempo Margo enxugou o rosto úmido. "Desculpe. É a surpresa. Não me conformo. Simplesmente não consigo acreditar que meu irmão faria uma coisa dessas."

"É a mesma impressão que eu tenho."

"O que você vai fazer em relação ao dinheiro que Elliot deixou para Leo? Deve ser para essa mulher e o filho, não?"

Louisa fez que sim com a cabeça. "Preciso ir ao banco sacar o dinheiro e pedir que alguém o leve a Cinnamon Hills para entregar. Não é muito, mas ele pode dá-lo a Zinnia. O que mais posso fazer?"

Margo balançou a cabeça. "Gostaria que Elliot estivesse aqui. Ele ia esclarecer tudo isso."

"Você acha mesmo?"

Margo deu de ombros. "Não sei."

Elas ficaram sentadas em silêncio por alguns minutos.

"E agora?", disse Margo por fim. "Seu rosto está bem inchado. Que tal tomar um banho e se vestir? Faz dias que não come nada, e seu pai já ligou duas vezes. Não soube o que dizer para ele. Você acha que consegue digerir algumas torradas?"

Louisa fez sinal afirmativo e sentiu um rasgo de energia. "Já que não vou desaparecer, tenho de encarar o mundo, mais cedo ou mais tarde."

"Ninguém precisa ficar sabendo."

"Tenho certeza de que existe gente que sabe. Não vejo como ele poderia ter mantido isso em completo segredo por tanto tempo. Você acha que as pessoas tinham pena de mim esse tempo todo, enquanto eu ficava me felicitando por ter um casamento maravilhoso?"

"Ninguém nunca nem deu sinal disso. Acho que ninguém daqui sabe."

"Estou me sentindo uma completa idiota."

"No seu lugar, eu estaria revoltadíssima. Na verdade, eu *estou* revoltadíssima com meu irmão!"

"Nesse tempo todo em que eu estava perdendo os bebês dele, ele já tinha um filho. Isso dói, Margo. Dói para valer."

19

Louisa tentou se convencer de que tudo não passava de invenção. Não sabia que vantagem Leo teria em mentir daquele jeito, mas ela simplesmente não conseguia aceitar que Elliot tivesse sido infiel por tanto tempo. O amor deles fora recíproco. Como isso poderia ser verdade, então? Encharcada de suor, ela pedalava pelas ruas de Galle, sabendo que, se fosse menos simpática do que de costume, as pessoas atribuiriam isso ao luto prolongado pela morte de Elliot. Qualquer outra coisa seria uma mentira, que ela não podia permitir que a destruísse. Mesmo assim, embora ainda se recusasse a acreditar totalmente em Leo, a dúvida a assolava e atormentava, em especial à noite. Quando isso acontecia, ela descia da cama e lia um livro ou reexaminava o projeto do empório. Depois, ficava olhando para o vazio, na solidão da noite silenciosa que parecia bater no vidro da janela. Na maior parte do tempo, apenas tocava a vida, mergulhando na análise de amostras das mercadorias que o empório ia vender, tentando afastar todo o resto para o fundo da cabeça. Mas como rezava para que um dia sua vida voltasse ao normal!

Certa manhã, depois de uma noite um pouco melhor, ela foi até o antigo prédio da Imprensa com Margo. Ela finalmente tinha marcado hora com o chaveiro. Margo tentou tocar no assunto da criança, mas Louisa não deu trela. Se não ficasse pensando nisso, todo o problema com Leo desapareceria. Era sua maneira de lidar com a situação. Margo decidiu não insistir.

No caminho, a intenção delas era passar em um joalheiro que poderia se interessar em vender seus produtos no empório. Era outro dia de mormaço, embora as monções ainda não tivessem começado, e o mar estava um pouco mais agitado que de costume. Acostumada às mudanças do mar provocadas pelo tempo, Louisa ficou em silêncio, a contemplá-lo. Elas chamaram dois riquixás de madeira para ganhar tempo, e quando chegaram ao joalheiro Louisa acenou para um vendedor ambulante conhecido seu, que passou por elas carregando cestos enormes de coco na bicicleta. Exceto pelas grades nas janelas e pelas imensas portas de madeira pintadas de dourado, o estabelecimento do joalheiro parecia uma casa qualquer. Por dentro, porém, era bem diferente.

As duas passaram pelo saguão de entrada, sustentado por sólidas vigas, e puxaram uma corda grossa para tocar um sino. Um jovem apareceu, sob uma arcada imponente, e conduziu-as, passando por uma segunda sala, arejada e com pé-direito alto. Ali, duas antigas arcas holandesas eram mantidas trancadas, e vários armários antigos, de portas de vidro, abrigavam outros tesouros. Louisa acenou com a cabeça para o empregado e pediu para ver o proprietário, um parente distante da famosa família de joalheiros Macan Markar. Elas esperaram por alguns minutos, enquanto admiravam os espelhos decorados na parede. Então, um velho que mancava ligeiramente veio descendo por uma escadaria larga.

"Sra. Reeve", disse ele. "É um enorme prazer. Tomariam chá de hortelã comigo no jardim suspenso?"

Louisa olhou para Margo, que fez sinal afirmativo, e as duas seguiram o homem escada acima, para um jardim no terraço, sombreado por parreiras que cresciam num pergolado de arame.

"Que bonito", disse Louisa, olhando a copa dos coqueiros nas ruas em volta do jardim e, mais adiante, a vista do azul profundo do mar.

Ele apontou para as cadeiras onde as mulheres podiam se sentar, e elas se acomodaram. O jardim era gramado, o que era incomum para um terraço, e as bordas eram salpicadas de flores vermelhas e brilhantes. Vasos decorados continham ainda mais flores, dando ao conjunto um efeito espantosamente reluzente e arejado. Mais abaixo, elas viram mulheres pendurando roupas no topo das casas de telhas vermelhas. Dali também se viam bem a Igreja Holandesa Reformada e o monte Rumassala.

Depois que o chá foi servido, Louisa explicou sua ideia para o empório e perguntou se ele estaria interessado em participar.

Ele ouviu com atenção. Fez-se um silêncio momentâneo, em que ele claramente estava ponderando a proposta. Por fim, deu um suspiro profundo antes de falar. "Eu não creio que disponho dos meios para abrir uma segunda loja aqui. As coisas andam, digamos assim, um pouco complicadas. Mas eu tenho um primo, que também é joalheiro, entendem, que trabalha em Colombo. Sei que ele está procurando expandir sua coleção de safiras. Por que não me deixa sondá-lo em seu nome?"

"Obrigada", disse ela, erguendo-se de seu assento. "Seria de grande valia. Mas agora precisamos ir. Marcamos um horário com um chaveiro daqui a dez minutos."

Ele desceu junto com elas.

Quando chegaram ao térreo, o empregado estava fazendo outro homem entrar pelos fundos. Louisa se surpreendeu ao identificar o sr. De Vos, que a olhava com um enorme sorriso no rosto. Enquanto o dono da joalheria chamava de lado o assistente para trocar com ele algumas palavras apressadas, De Vos falou com Louisa.

"Sra. Reeve. Que prazer vê-la. Ainda hoje de manhã pensei em ligar para a senhora um pouco mais tarde. Será que podemos conversar rapidamente do lado de fora?"

"É claro."

Eles saíram pela porta da frente, e ela sorriu para ele. "Então?"

"Bem, é um pouquinho complicado. Como a senhora sabe, seu marido e eu unimos forças em uma oportunidade de negócio."

"Certo."

"Bem, o problema é o seguinte, ele me deu um cheque pós-datado para cobrir a parte dele da transação — mas, infelizmente, quando fui ao banco trocá-lo, ele voltou."

"Entendo."

"Sei que seu marido era um homem honrado. Por isso, me perguntei se, ou melhor, quando a senhora terá condições de honrar essa dívida."

Ela se empertigou antes de responder. "O senhor tem um contrato da transação?"

Ele sorriu mais uma vez. "Certamente."

"E quanto meu marido lhe devia?"

Ele rabiscou uma quantia num pedaço de papel e entregou a ela.

Louisa tentou esconder o susto quando viu quanto era. "Deixe-me ver o contrato e então faremos o acerto."

"Obrigado", disse ele, fazendo uma ligeira mesura antes de se virar e entrar de novo na joalheria.

Enquanto ia embora, Louisa sentiu o coração bater forte dentro do peito. Ainda mais dívidas!

"Pois bem", disse Margo depois que saíram. "Qual era o assunto?"

Louisa engoliu em seco. "Aparentemente Elliot devia dinheiro em algum negócio. Estou sem saber o que pensar."

"Devia àquele homem?"

"Sinceramente, Margo, é uma pequena fortuna, daria para você comprar uma ou duas casas... Oh, meu Deus, você acha que ele também pode ter pedido o dinheiro emprestado para dar de sinal no prédio da Imprensa? Ele me disse que tinha gastado os lucros da venda de especiarias."

Margo fez sinal negativo com a cabeça. "Ele não faria isso, não é? Você falou com seu pai?"

"Ainda não. Acho que consigo lidar com isso sem ele."

"Se eu fosse você, contaria logo. Não dá para aguentar tudo sozinha."

Enquanto caminhavam, algumas nuvens baixas surgiram rapidamente no horizonte, dando por alguns instantes a impressão de que ia chover. Quando chegaram à Imprensa, Louisa tirou do bolso o molho de chaves e abriu o portão principal. Dentro, cheirava um pouco a mofo. Ela inspirou. "Preciso mandar limpar a claraboia, para deixar a luz entrar, mas por enquanto vamos abrir algumas janelas. Pelo menos vai arejar um pouco."

"Quem vai cuidar da obra?"

"Talvez Himal, mas preciso primeiro terminar as plantas."

Depois de abertas as persianas e em seguida as janelas, ela mostrou a Margo o caminho para o piso térreo do prédio. Depois, subiram uma escada de metal que levava à galeria que circundava o saguão principal. Ali, perceberam uma lagartixa escalando a parede e parando.

"Agora que ela entrou, só podemos sair depois dela, ou depois que se esconder de nós."

"Você acredita nessa superstição?"

Louisa riu. "Eu só acho divertido. Gosta daqui de cima?"

"Muito", respondeu Margo.

Louisa deu um sorriso. "Minha ideia é talvez expor alguns quadros aqui. Quando a luz entrar, eles vão ficar lindos, e as pessoas podem andar em volta, admirando, e ao mesmo tempo olhar para as bancas lá embaixo."

"Você já pensou em tudo, não é?"

"Eu vinha pensando — até que soube dessa nova dívida que Elliot deixou para mim." Ela balançou a cabeça. "Não param de aparecer surpresas desagradáveis, não é?"

"Vai dar tudo certo."

"Será? Não sei como. Sempre que eu penso em Zinnia e no filho, me dá enjoo."

Enquanto elas conversavam, uma pessoa entrou pelo andar de baixo. Espiando pelo balaústre da galeria, ela viu um homem baixinho e parrudo examinando o local e carregando uma sacola.

"Ah, é o chaveiro."

Louisa desceu, deixando Margo na galeria.

"Sr. Hassid", disse ela, estendendo a mão. "Muito obrigada por ter vindo. A porta fica por aqui."

Ela o conduziu à porta trancada por uma das salas laterais. "Deixo o senhor fazendo o serviço?"

Ele assentiu, e ela voltou para o salão. "Margo", chamou. "Desça e venha olhar estas prensas rotativas antigas. Pensei em limpar uma delas e deixá-la em exposição bem no centro."

Margo desceu a escada e passou a mão em uma das máquinas, que estava parcialmente presa à viga do teto por correntes. "Vai ocupar um pouco de espaço. Que tal a menor?"

"Você tem razão."

Nesse instante, ouviu-se um baque forte. "Acho que ele conseguiu abrir."

As duas foram até a sala anteriormente trancada.

O homem ergueu os olhos. "É uma pena, mas tive que tirar toda a fechadura. Posso instalar uma nova se a senhora quiser, só que não trouxe a certa comigo."

"Não é preciso. Ainda não sei o que vou fazer com esta sala. Agora, quanto lhe devo?"

Depois que o homem foi embora, as duas entraram na sala. Uma escrivaninha e uma cadeira giratória eram o que havia de mobília. "Aqui devia ser o escritório. Vamos ver o que tem nas gavetas."

Ela abriu a gaveta de cima. Vazia. Depois, a segunda gaveta, que continha apenas algumas folhas de papel amarelado. E, quando abriu a terceira gaveta, também a encontrou vazia.

"Não tem nada aqui dentro", disse Louisa.

"Então me pergunto: por que raios esta sala estava trancada?"

20

Depois de limpar um pouco o prédio da Imprensa, Louisa decidiu tomar um banho e trocar de roupa para o jantar, enquanto Margo estava em Flag Rock nadando e mergulhando.

O banheiro de Louisa tinha ladrilhos azuis e brancos, com uma janela que dava para o jardim, que ela decidiu deixar aberta. Pegou uma toalha branca limpa no armário, abriu a torneira, acendeu algumas velas perfumadas e ficou ouvindo o coro das aves nos galhos, enquanto a água quente deslizava pelo seu corpo e ela tirava o pó e a poeira. Espichou o pescoço para olhar para fora e viu uma revoada de periquitos ir de uma árvore para outra, mas depois voltou para dentro da banheira. Não havia nenhum outro som além do das aves, e aquela paz acalmava Louisa.

Depois de alguns instantes, porém, pensamentos totalmente irreprimíveis sobre Elliot invadiram sua cabeça. Momentos assim eram comuns nos últimos tempos. Ela podia estar ocupada costurando, ou podando o jardim, quando de repente era obrigada a lutar contra um pânico crescente ao ouvir a voz dele com muita clareza, como se o marido estivesse ao lado dela. Ela não havia contado ao pai o que Leo afirmava a respeito de Zinnia e Conor. Isso tornaria tudo ainda mais real. Mas, embora ela fizesse o possível para não ficar remoendo, como podia deixar de se perguntar se Leo estava contando a verdade? E, se fosse verdade, como Elliot conseguira manter a criança em segredo por tanto tempo? Essa ideia lhe apavorava. Lutando para encontrar o ar, ela sentia um calor que queimava seus olhos. Apertou-os com os nós dos dedos para impedir que as lágrimas aflorassem.

Depois que saiu do banho e se enxugou, enfiou-se num vestido de cintura justa cuja barra descia quase até os tornozelos. Tinha pequenas ombreiras e uma estampa de flores. Era outro modelo cortado pelo costureiro de Colombo. Ela domou os cachos, prendendo-os na altura da nuca e adotando o visual de cabelo bem puxado para trás, que estava na moda. Apesar do bronzeado, sua pele ainda mantinha uma aparência natural, que ela realçou com um leve toque de ruge rosa-claro. Em geral não ligava para isso, mas alguma coisa lhe dizia que aquela noite seria importante, embora apenas Margo e o pai viessem para o jantar.

Um pouco mais tarde, no momento em que estava descendo as escadas, foi surpreendida por batidas na porta da frente. Já era muito tarde para uma visita não anunciada. Por isso, ela não imaginava quem pudesse ser. Ao abrir a porta, levou um susto ao ver esperando na entrada Jeremy Pike, o homem com quem Elliot costumava velejar e cujo carro ele tinha batido.

"Achei que já era a hora. Eu lhe devo uma explicação", disse ele.

"Pode entrar."

Já no saguão, ele ficou olhando de um lado para outro, com as mãos entrelaçadas atrás das costas. "Difícil acreditar que Elliot se foi, não é?"

"Muito. Mas o que eu posso fazer por você?"

"Eu queria explicar o que aconteceu no dia em que ele morreu."

Louisa tomou fôlego. "Você quer se sentar?"

"Não, vai ser coisa rápida. Veja, nós tínhamos planejado sair para velejar naquele dia, mas liguei para adiar quando eu vi que o vento estava piorando. Para ser franco, Elliot me pareceu aliviado, e então perguntou se podia pegar meu carro emprestado."

"Por quê?"

"Não sei. Mas concordei, é claro — ele era um bom amigo. Embora eu tenha perguntado, isto sim, por que não podia usar o próprio carro."

"Ele não respondeu nada?"

"Disse apenas que tinha um encontro particular com alguém, num lugar no caminho para Colombo, algum tipo de negócio em que estava metido, creio eu."

"E é tudo o que você sabe?"

"É."

"Bem, obrigada por me contar."

"Já não era sem tempo. Sinto muitíssimo não ter podido comparecer ao funeral. Tive que ir às pressas para Bombaim. Só agora retornei."

"Mas a polícia falou com você?"

"Hoje, mais cedo, entreguei a eles uma declaração confirmando o que minha governanta havia contado a eles durante minha ausência."

"E quanto ao carro? Preciso ressarci-lo."

"Não precisa se preocupar. O seguro vai cobrir tudo." Ele fez uma pausa. "Mas agora preciso ir. Por favor, queira aceitar meus mais profundos pêsames."

Depois que ele foi embora, Louisa se dirigiu à sala de estar e constatou que o pai já estava ali, ouvindo Margo, que tocava um pouco de Liszt ao piano. Ela sentou-se e reclinou-se na cadeira, para escutar e pensar em Jeremy Pike.

Embora Margo tocasse razoavelmente bem e aquela fosse uma maneira agradável de passar o começo da noite, a cabeça de Louisa estava voltada para o acidente de Elliot e o motivo daquela viagem. Seu pai fechou os olhos enquanto bebericava seu drinque. Ashan entrou e esperou em silêncio enquanto Margo terminava a peça. Então perguntou às duas o que queriam beber, e, depois que saiu para preparar os coquetéis, Jonathan falou. "Então", disse. "Quais são seus planos, Margo?"

Margo deu um suspiro. "O fato é que não decidi. Acho que em algum momento vou voltar para a Inglaterra, tentar retomar meu antigo emprego."

"Você não aceitaria pensar na hipótese de ser enfermeira aqui mesmo? Este país está desesperado atrás de pessoal médico bem treinado."

"Eu pensaria na ideia, claro, e amo de verdade este lugar, mas fiz boas amizades na Inglaterra."

"Você pode fazer novas aqui, ou estreitar os laços com seus antigos amigos também. Pense nisso."

"Talvez."

Sorridente, Ashan serviu às duas seus Gin Rickeys: uma mistura borbulhante de gim, lima e soda. "Espero que esteja de seu agrado", disse ele. "Eu mesmo fiz os coquetéis."

"Obrigada", disse Louisa.

Jonathan se aproximou de Louisa e apertou sua mão com carinho. "Eu não disse ainda o quanto você está bonita esta noite, Louisa. Dá gosto de ver."

"Eu sei que você ficou preocupado comigo, mas estou indo bem. E a presença de Margo aqui tem me ajudado tanto."

Margo saiu do piano. "Estou contente por estar aqui, embora tenha certeza de que mamãe está louca para que eu volte o mais rápido possível."

"Nesse meio-tempo, se você puder impedir que minha filha entregue os pontos, sua companhia continuará a ser muito apreciada, não é, Louisa?"

"Papai, na verdade eu precisava conversar com você", disse Louisa, depois que Ashan saiu da sala. Ela se inclinou na direção dele, mas nessa hora Camille apareceu para avisar que o jantar estava servido, e todos se levantaram.

Durante o jantar inteiro Margo falou muito de Irene e Harold, sobre como estavam sofrendo com a morte do filho. A ocasião para falar de Elliot com Jonathan parecia perdida. Amanhã eu conto a ele, pensou Louisa, embora não fosse uma ideia que a agradasse muito. No começo do casamento, seu pai não confiava muito em Elliot. Tinha sido ela que o convencera do contrário. Agora, ela pensava, talvez ele sempre tivesse razão.

21

“Pois bem, antes de ir à oficina de lapidação e polimento, você tem alguma pergunta?”, disse o pai de Louisa enquanto calçava as botas. “Seria bom se vocês entendessem um pouco do negócio. Sei que nunca foi de grande interesse para você, mas agora... bem, agora que Elliot se foi, seria um bom momento para aprender.”

“Eu já conheço um pouco.”

Ele ergueu as sobrancelhas. “Bem, você diz que conhece.”

“Conheço! Eu sei que a exploração de pedras preciosas aqui vem na maior parte de depósitos secundários.”

“Que dão safiras, rubis, olho-de-gato, granada.”

“Turmalina, topázio, quartzo”, acrescentou ela.

“Então você estava *mesmo* prestando atenção. Sempre achei que a conversa sobre pedras a entediasse.”

Ela riu. “Claro que eu adoro um belo anel de safira, mas você sabe que sempre me interessei mais por edifícios.”

“Temos as condições geológicas perfeitas...”

“Eu sei”, disse ela, interrompendo-o. “Já chega. Pronto, pai?”

Eles saíram de casa e caminharam pelas vielas sinuosas, passando por bancas repletas de frutas e legumes e pela peixaria. Na esquina de uma passagem estreita, uma senhora desdentada varria a entrada de casa com uma vassoura, enquanto um menino regava um enorme vaso de flores de cana-da-índia. Jonathan cumprimentou a mulher com um aceno de cabeça, e os dois entraram na viela, em direção à oficina de lapidação. Enquanto caminhavam, Louisa pensava no negócio de pedras preciosas como um todo. Depois que as pedras eram extraídas, tinham de ser negociadas, e só então eram lapidadas e polidas. Era nesse momento que a Hardcastle Joias as vendia. Elliot tinha orgulho do trabalho que fazia na oficina de lapidação, mas nunca se envolvera no design e na fabricação das joias propriamente ditas.

Assim que entraram no sombrio saguão, Ravinath, o supervisor, veio recebê-los. Era um cingalês de meia-idade, parrudo, com as costas um pouco curvadas pelos anos sentado à mesa de lapidação.

"E então, tudo está indo bem hoje?", perguntou Jonathan. "Vim apenas mostrar algumas correntinhas para a Louisa."

"Pois não", disse o homem, e os fez acompanhá-lo até o escritório.

Jonathan instalou-se atrás da escrivaninha, enquanto Louisa puxava uma cadeira.

Depois que o homem fez uma mesura e se retirou, Jonathan abriu os registros de lapidação.

"Elliot fiscalizava tudo isso de perto, claro, mas agora preciso fazer por conta própria."

Louisa contemplou a sala como um todo. Fotos emolduradas de diversas pedras preciosas adornavam as paredes, assim como um retrato de Elliot sorrindo para a câmera, ao lado dos lapidadores. Ao mesmo tempo que sentiu uma onda de dor invadir seu corpo, ela teve a impressão de sentir o cheiro dele.

"Pai, na verdade, será que não podemos fazer isto outra hora? Preciso de um pouco de ar."

Louisa saiu da sala, e o pai foi atrás, alguns minutos depois. Quando chegaram ao lado de fora, ela ficou imóvel, respirando fundo a maresia, tentando se acalmar. Depois virou-se para o pai e estendeu a mão. Ele a segurou, enquanto as gaivotas voavam em círculos acima dos dois. "Eu sinto tanto, Louisa."

Ela o encarou e viu a dor estampada nos olhos enrugados pelo sol.

A boca de Louisa ficou seca, mas ela sabia que precisava contar tudo ao pai. Engoliu em seco antes de começar, sem desviar os olhos. "Sabe o que é, pai, tem algumas coisas sobre Elliot que eu não contei a você."

"Bem, não vamos falar aqui na rua. Vamos para casa, tomar um café bem forte. Só que antes, não sei você, mas eu quero dar uma parada para um pedaço de bolo." Louisa topou. Sabia que o pai adorava *bondahalua*, um bolo açucarado feito com coco e açúcar mascavo. Mas estava tão enjoada que não dava muita vontade de comer.

Voltando para casa, ela tirou o chapéu. Olhando-se no espelho do salão, notou como estava pálida. Ouviu um ruído vindo do escritório de Elliot e foi até lá, enquanto Jonathan foi direto para a sala de estar pedir café para os dois. De novo aqueles malditos macacos, pensou ela, incomodada com o desleixo dos empregados, que deviam ter deixado uma janela aberta.

Quando ela virou a chave do escritório, levou um susto. Havia papéis espalhados por toda parte, uma cadeira estava virada, e as gavetas do armário de documentos tinham sido deixadas abertas. O conteúdo delas atulhava o chão. As caixas de papelão nas prateleiras também tinham sido esvaziadas. Ela notou que um dos vidros da janela estava quebrado, o que significava que o invasor havia destrancado a janela e entrado por lá. O chão e a escrivaninha também estavam cobertos de pétalas de jasmim trazidas pelo vento. Muitas vezes ela advertira que era preciso colocar grades nas janelas dos fundos, no andar térreo, mas nunca nenhuma providência fora tomada. Os objetos de valor eram mantidos na segurança de um cofre na parede. Por isso, ninguém achou que houvesse grande risco. Ela usou a combinação, e o cofre abriu. Parecia estar tudo em ordem. Tudo que se guardava ali era um pouco de dinheiro, para as despesas da casa e, em geral, as joias mais caras de Louisa. Ela conferiu tudo meticulosamente. Não estava faltando nada. Então, o que o invasor estaria procurando?

Ela chamou o pai, e ele sacudiu a cabeça quando viu o que tinha acontecido.

"Quem poderia ter feito isso?", perguntou ela. "Reviraram tudo."

Ele a olhou, bem sério. "Acho que é melhor termos uma conversa, não?"

Eles se sentaram no sofá e, com voz hesitante, Louisa contou-lhe sobre a dívida recente de Elliot com De Vos, e que Leo lhe dissera que não havia um certificado de propriedade de Cinnamon Hills. Ela explicou sobre a dívida considerável de Elliot com o banco, já honrada por ela, e também que todo o dinheiro depositado na conta dele tinha sido sacado.

"O sr. De Vos me disse que está de posse de um contrato segundo o qual Elliot lhe deve dinheiro."

"Eu daria uma checada nisso. Não quero sair pagando a qualquer um que disser que tem crédito a receber."

Por fim, não sem algum choro e muita dificuldade para encontrar as palavras, ela contou o que Leo lhe revelara a respeito de Zinnia e a criança.

Quando tudo acabou, ele se levantou e começou a andar de um lado para o outro. "Só faltava essa. Um filho que ele mantinha em segredo? Isso já é difícil de entender, que dirá perdoar."

"Ainda não sei se consigo acreditar em Leo", disse ela, erguendo os olhos para ele e sentindo-se mal consigo mesma por deixar escorrer uma lágrima pelo rosto.

Ele a fitou. "Se eu pudesse pôr as mãos nele agora! Com você, ele tinha tudo que um homem podia querer. O que mais ele buscava?"

"Filhos, pai. É isso que ele buscava." Ela quase sufocou ao pronunciar aquelas doloridas palavras.

"Minha querida", disse ele.

Quando ele se sentou de novo ao lado dela, envolvendo-a em seus braços, Louisa não pôde conter os soluços no peito do pai. Uma cortina de cachos loiros escondia seu rosto.

22

Jonathan decidiu passar a noite na casa. No dia seguinte, na hora do café da manhã, preparou-se para avisar a polícia sobre a invasão de domicílio.

"Precisamos fazer essa notificação", disse ele. "Deixe que eu faço isso."

Louisa ficou pensando se aquilo teria alguma relação com Elliot, e sentiu uma pontada no coração. Ela abriu e fechou os olhos várias vezes, para impedir que as lágrimas aflorassem. Apesar da presença do pai, uma sensação de vulnerabilidade tomou conta dela, como na noite anterior. Mesmo agora, à luz do dia, ela continuava a se sentir oca por dentro. "Mas e se isso tiver algo a ver com Elliot?", disse ela, com uma voz fraca.

Ele suspirou. "Vou pedir que eles mantenham discrição. Mas preciso avisar a polícia, não tem jeito."

"Como alguém podia saber que não estávamos em casa e que tudo ia estar tranquilo?"

Ele fez sinal negativo com a cabeça. "Meu palpite é que alguém está nos vigiando."

"O senhor acha que eles estavam procurando por dinheiro quando reviraram o escritório dele?"

"Dinheiro e objetos de valor."

"O que o senhor acha que Elliot fez com o dinheiro?"

Ele deu de ombros. "Talvez usasse para sustentar a tal mulher e o filho dela."

"É o que eu acho."

"Aliás, desculpe tocar nesse assunto agora, mas estou para lhe dizer faz tempo: você precisa fazer alguma coisa com esse comércio de especiarias em Colombo. Se for coisa demais para você, posso assumir ou vender."

"Não, vou até o banco em Colombo e aproveito para ir até o escritório dele. Acho que continuo querendo supervisionar."

O telefone tocou, e eles ouviram passos e a voz de Margo. Poucos minutos depois, ela entrou na sala. "Bem", disse ela. "Precisam de mim em casa. Sabia que ia acontecer mais cedo ou mais tarde, e é melhor voltar. Só espero que desta vez eu seja mais útil para mamãe. Em todo caso, lá vou eu de novo pegar aquele ônibus horroroso."

"Eu mesma logo, logo vou precisar ir a Colombo", disse Louisa. "Posso levar você. Só acho que hoje não consigo."

Margo estreitou os olhos. "Você está pálida mesmo. Bem que eu queria ficar."

"Não. Sua mãe precisa de você. Nada mais justo que você ir. Vou ficar bem."

"Não vejo como."

"Vou me manter ocupada", disse Louisa, embora no íntimo concordasse com a cunhada.

Um pouco mais tarde, Louisa levou um bloco de rascunho e lápis para o prédio da Imprensa. O casarão do século XVIII era típico da arquitetura colonial de Galle. Mas ela ainda precisava desenhar a fachada e pensar em como queria que o espaço ficasse depois da reforma. No fundo, não estava com vontade de desenhar; só queria ficar deitada e esquecer tudo com um bom copo de gim. Mesmo assim, tirou do estojo um lápis 2B e começou a esboçar as imensas janelas em arcada, com moldura de madeira, e a varanda que ficava em frente. Depois, desenhou os janelões do salão da galeria e, por fim, o lindo telhado vermelho à moda antiga. Enquanto trabalhava, só conseguia pensar na vergonha e na humilhação de ter que contar ao pai a respeito de Zinnia e do menino. Mesmo agora, enquanto tentava se concentrar no desenho, não conseguia deixar de pensar nisso.

O que ela iria fazer?

Não podia passar o resto da vida conjecturando se era verdade. Ficar o tempo todo se perguntando se Elliot tinha amado outra pessoa; alguém capaz de lhe dar um filho, o que ela não conseguira. Embora a simples ideia lhe provocasse náuseas, talvez a única solução fosse mesmo falar de novo com Leo.

Ela atravessou o prédio e, passando pelos amplos portões dos fundos, chegou a um jardim de inverno. Pareceu um lugar perfeito para servir chá e café. Sentou-se a um canto e desenhou as colunas que sustentavam um balcão no andar de cima, onde imaginou os balaústres decorados com arranjos de flores. Até ali, ela não tinha pensando muito nos espaços externos, mas aquele era um local idílico para sentar-se e refletir, cercado por enormes coqueiros. Embora o pátio propriamente dito estivesse lotado de buganvílias e ervas daninhas crescendo soltas, dar um jeito em tudo não levaria muito tempo.

Depois que terminou, ela guardou seu material de desenho e voltou para casa a pé. Ficou sentada no jardim, contemplando as flores enquanto bebericava um chá de gengibre. Um lagarto verde, com listras brancas e uma crista de um vermelho-vivo, a observava, aboletada em um tronco. Isso a fez sorrir, mas seu pensamento continuava assombrado por Zinnia e seu filho. Por isso, ela concluiu que não tinha outra escolha: teria que retornar a Cinnamon Hills.

Dois dias mais tarde, depois que Margo acabou mesmo pegando o ônibus para voltar para casa, Louisa criou coragem. Já era maio, e o tempo estava ficando mais chuvoso. Ainda fazia calor, um pouco abaixo dos trinta graus, e ia ficar assim o verão inteiro, de junho até setembro, quando as monções trariam suas fortes chuvas. Louisa não se incomodava com a chuva; ansiava pelo refresco que trazia, provocando enxurradas pelas ruas de Galle e deixando o mar agitado. Por enquanto, porém, a chuvinha fina só elevava a umidade do ar. Ela entrou no carro tirando o suor da testa com a mão. Ia ser uma viagem calorenta, embora ela não tivesse certeza se estava transpirando por causa do tempo ou por causa do que estava se preparando para fazer. Vestiu-se com esmero, escolhendo calças leves e uma blusa simples de algodão, e prendeu o cabelo na base da nuca. Estava quente demais para deixá-lo solto. Na última hora, foi buscar seu par de brincos favorito, de safira. Tinham pertencido à mãe dela, e havia neles algo que a fazia sentir-se melhor.

23

Rapidamente Louisa chegou à mesma praia onde tinha nadado com Margo. Gostava de catar junto com Elliot as maiores conchas, mas desde que ele morrera ela não havia mais feito isso. Descalça, caminhou lentamente pela beira da água, sentindo entre os dedos dos pés a areia aquecida pelo sol, contemplando o mar azul prateado e refletindo sem parar.

Ela colheu algumas conchas mais bonitas e voltou para o carro, onde sentou-se para tirar a areia dos pés antes de ligar o motor. De volta ao caminho, saiu da estrada principal e iniciou a já conhecida subida para Cinnamon Hills. Com o coração acelerado, porém, não sabia como abordaria Leo. A única coisa que sabia era que precisava ouvir a verdade.

Em pouco tempo chegou à casa no topo, com sua vista deslumbrante. Bateu à porta, mas o rapaz que atendeu informou que o patrão tinha ido levar um médico na casa da prima, e que não tardaria a voltar. Louisa ficou pensando: seria uma oportunidade de bater em retirada e voltar direto para casa? Ela chegou a dar alguns passos na direção do carro, mas então estacou. Se não fizesse aquilo, jamais se livraria da dúvida. Uma dúvida sem fim. Ela precisava ver Leo.

Louisa caminhou um pouco pela fazenda, mas deu de cara com uma teia de aranha gigante, de um lado a outro da trilha entre os arbustos de canela. Tentou tirar os fios grudentos do cabelo e, com medo de se perder, voltou para a casa, onde sentou-se num banquinho sob a sombra da varanda do andar de cima. Esperou no calor úmido, enquanto escutava o coro de guinchos e trinados dos bichos da floresta. Aliviada quando viu que o empregado trazia uma limonada, tomou-a rapidamente e afastou as moscas que esvoaçavam em torno da beira do copo.

Depois de mais ou menos meia hora, ela avistou Leo, que subia pela trilha. Ao vê-la, ele se deteve, e então caminhou na direção do banco. O encontro anterior ainda pairava sobre os dois, e por um momento ambos ficaram em silêncio.

Por fim, ele inclinou a cabeça. "Louisa?"

"Leo."

Ela ficou a fitá-lo. Ele usava uma bermuda surrada e uma camisa turquesa, de mangas curtas, que contrastava com seu forte bronzeado e com os arranhões vermelhos nos braços. Louisa esperou que ele abrisse a boca primeiro, mas, como isso não aconteceu, ela entendeu que precisaria assumir a palavra. "Eu queria falar com você."

"Vamos entrar. Ontem fui todo mordido, arrancando as ervas daninhas."

"Oh!"

"Um trabalho do cão. É por isso que estou todo arranhado assim."

Ela se levantou.

"Você primeiro", disse ele, segurando a porta aberta.

Eles entraram e subiram as escadas. Ela ficou imóvel, olhando em torno de si e sentindo-se tensa. Até ali, os dois tinham sido educados e cautelosos um com o outro, e havia um clima de constrangimento.

"Vou pedir a Kamu que nos traga uma cerveja." Ele chamou o rapaz e virou-se para ela, como quem se lembra subitamente de algo. "Desculpe. Cerveja está bem para você?"

Ela assentiu, e questionou de novo se fora uma boa ideia ter vindo. Enquanto esperava a cerveja, sentiu o perfume de canela que Leo exalava. Ele também sentou-se, e soprou o ar. "Kamu lhe explicou onde estava?"

Ela engoliu o nó na garganta que a impedia de falar "Ele disse que você levou um médico para ver sua prima."

Ele fez sinal afirmativo com a cabeça. "Nem o médico ela quis ver."

O rapaz trouxe as duas cervejas.

Por fim, ela criou coragem para falar. "Eu queria lhe perguntar..."

"Pois não?"

"... se tudo aquilo que você me contou é verdade."

Ele fez uma cara de desgosto. "Receio que sim. Lamento profundamente."

Ela o encarou fixamente, enquanto ele desviava os olhos para as copas das árvores.

Fez-se outro silêncio, longo e constrangido. Ela não queria saber, nem perguntar, mas sentia que precisava.

"Quantos anos o menino tem, mesmo?"

"Sete."

"Onde ele está agora?"

Ele ergueu os olhos para ela e os desviou novamente. "Por aí, em algum lugar."

"Fazendo o quê?"

Ele fez sinal negativo com a cabeça. "Ela não o deixa frequentar a escola, por causa do estigma de ser ilegítimo. As pessoas por aqui sabem que não há marido."

"Internato?"

"Caro demais."

"Babá?"

"Nessa fase ele precisa de educação, e não de uma cuidadora."

"Ah, entendi."

"Zinnia dá aulas para ele, mas ela já não está tão bem, e se não aceitar ajuda médica... bem..." Ele abriu os braços.

Ela baixou os olhos para o chão de lajotas de terracota. Ergueu-os de novo na direção dele e sentiu-se mal. "Você se encontrava com Elliot, quando ele vinha?"

Ele apertou os olhos, como se achasse penosa toda aquela conversa. "As coisas ficavam só entre eles", disse, agora olhando para ela com um olhar de tanta compaixão que Louisa teve que inspirar fundo e expirar lentamente.

"E Conor sabia que Elliot era seu pai?"

Leo fez que sim com a cabeça.

"Pode ser que você não saiba: eu e Elliot perdemos um bebê no parto. Uma menina. Dei a ela o nome de Julia."

Os olhos dele ficaram ainda mais compadecidos diante dela, mas Louisa virou a cabeça quando as lembranças vieram à sua mente.

"Não, eu não sabia", disse ele, baixinho.

Ela não sabia o sexo dos dois bebês que abortou, mas pensava neles como meninos, com Julia ensanduichada no meio; um mais velho e um mais jovem que a irmã. A filha que nunca chegou a respirar tinha cabelos negros, como Elliot.

"Ela estaria para fazer três anos, se estivesse viva", disse ela.

Louisa não disse que ela ia ter cabelos encaracolados; e que também teria os olhos verdes e vivazes de Elliot. E que ia pedir o tempo todo para empurrar o balanço do jardim com mais e mais força. Mais forte, mamãe. *Mais forte!* Dando gritinhos e mais gritinhos com empolgação sem limites. Era mais difícil imaginar os meninos, mas ela achava que podiam ter a mesma cor clara de sua pele. Ela deixou as imagens irem embora e virou-se de novo para Leo.

"Sinto muitíssimo", disse ele.

"Também tive dois abortos espontâneos. Então você pode imaginar que ficar sabendo desse filho é particularmente arrasador."

"É um assunto sobre o qual realmente eu nunca mentiria."

Ela balançou a cabeça. "Acho que eu sabia o tempo todo. Só não queria acreditar."

"Perdão. Talvez eu não devesse ter lhe contado."

Ela balançou de novo a cabeça. Não podia dizer que sentia como se tivessem arrancado o coração de seu peito, e que estava precisando de toda energia disponível em seu corpo para não sucumbir. "Não consigo entender como Elliot conseguiu manter por tanto tempo esse segredo."

Os dois calaram, e fez-se um silêncio prolongado, por fim quebrado por Leo.

"Estou preocupado com Conor. Zinnia está doente e não consegue cuidar dele. Nem eu. Pelo menos não bem o bastante. Por causa da seca no norte, aumentou a demanda pela canela que eu produzo. Não consigo ter tempo livre."

"Você já pensou em arranjar alguém para abrigá-lo, ou mandá-lo para um albergue infantil? Temporariamente, quero dizer, enquanto Zinnia estiver doente."

"Deus do céu, não. Eu não teria coragem — você já viu como são esses lugares? E obviamente Zinnia não ia dar o consentimento dela!"

"Não, claro que não. Foi uma ideia ruim."

"Se eu dispusesse dos meios, iria enviá-lo para o internato de Colombo, mas não é possível. Atualmente, estou precisando achar um jeito de ampliar a distribuição da canela para melhorar a situação do meu negócio."

"Estava pensando..." Ela hesitou por um instante, e respirou bem fundo. "Seria possível ir ver sua prima?"

"Tem certeza?"

"Atualmente eu não tenho certeza de mais nada. Que problema ela tem?"

"Acho que está sofrendo dos nervos. Duvido que queira ver você. Metade do tempo ela não me deixa entrar, mesmo eu tentando arrumar a casa quando consigo entrar. Ela está vivendo numa certa bagunça."

"Desde que Elliot morreu, você quer dizer?"

Ele fez que sim com a cabeça.

Ela puxou o ar. "Ela o amava?"

"Acho que sim."

"Podemos ir até lá?"

Ele franziu a testa, analisando o rosto dela. Louisa respirou fundo de novo, mas não disse nada.

"Não vai deprimir você? Dentro da casa tem retratos pintados por ela."

"De Elliot?"

"Sim."

Ela o fitou com um ar cada vez mais determinado. "Acho que preciso ver com meus próprios olhos."

"Pois bem."

Ele a conduziu até a saída e o caminho abaixo, pela vegetação rasteira, onde cantava um tordo. Mais ou menos na metade da descida, o caminho fazia uma curva na direção de uma pequena casa, um bangalô antigo, quase escondido entre as árvores. Eles passaram por uma fileira de vasos de plantas aromáticas sem poda. Então, ele tomou a frente e abriu a porta. Virou-se para ela e sussurrou: "Ainda dá tempo de desistir".

"Eu quero ver."

Ele a levou para uma sala de estar, e ela soltou um suspiro de susto ao ver as telas penduradas na parede. Havia retratos de uma mulher ruiva, de pele dourada; de um menino em diferentes idades; e de Elliot. Muitos, muitos retratos de Elliot, sozinho em alguns, com o filho em outros. Louisa sentiu as pernas tremerem e estendeu o braço para Leo. Ele a amparou e depois a segurou pelo braço.

"Quem é?", perguntou uma voz.

"Sou eu, Leo", respondeu ele.

"A voz dela soa frágil", sussurrou Louisa.

"Ela está. Mais do que você imagina."

De repente, tudo aquilo se tornou coisa demais para suportar. Louisa deu meia-volta e saiu correndo para fora, seguida por Leo. Ela ficou de pé, estreitando o próprio corpo com os braços, tremendo, arrasada pela traição. Nunca vou perdoá-lo, pensou. *Nunca.*

"Venha", disse Leo. "Vou levá-la de volta ao carro."

Bem nessa hora, um menino apareceu subindo na direção da casa, chutando as folhas no chão. Ele parou, olhou para ela, e Louisa notou na mesma hora os cabelos negros encaracolados de Elliot, e seus olhos verdes e brilhantes. Não havia como negar que era o filho dele. Ela viu o sorriso de Elliot, seu jeito de olhar por trás dos cílios; ela viu o encanto de Elliot. E a imagem em sua mente era uma foto de Elliot menino, que Irene lhe mostrara uma vez. O tempo todo, ele tinha sido pai daquele menino. Ela ouviu a voz dele, imaginou-o a brincar com Conor, a niná-lo de noite. Doeu mais do que seria possível explicar. Ela ouviu os ruídos da fazenda, o canto dos pássaros, o farfalhar das inúmeras criaturas para lá e para cá, e a brisa soprando nas árvores. Ao fundo, conseguia até ouvir o mar. Tudo parecia se sublimar naquele momento único, e ela teve a impressão de que nunca seria capaz de se recuperar.

Ainda anestesiada, ela balançou a cabeça e abriu e fechou os olhos, para segurar as lágrimas. Por um instante, ninguém abriu a boca. Foi Leo quem rompeu o silêncio.

"Diga oi, Conor."

O menino só olhou para os próprios pés.

Ela virou o corpo. "Não consigo... não consigo fazer isso."

Leo mandou o menino entrar e pediu ao empregado que levasse algo para ele comer. Então levou Louisa de volta até o carro. Eles ficaram parados, debaixo do sol forte. Louisa não conseguia sequer falar.

"Acho que é melhor você voltar para minha casa. Não está parecendo em condições de dirigir."

"Preciso ir embora..."

"Vamos, Louisa. O que você precisa é de uma bebida e de sentar-se um pouco."

Tudo que ela queria era poder afogar a dor e o sofrimento em soluços, mas seus olhos estavam secos. As pinturas iam e voltavam em sua mente. Louisa deu um passo para trás.

"Não. Eu preciso ir para casa. Preciso estar em casa."

Ela entrou no carro e dirigiu caminho abaixo até a estrada principal. Quando chegou à curva da praia, decidiu virar. Estacionou e, pegando as conchas que tinha catado mais cedo, caminhou até a beira da água. Uma vez lá, jogou as conchas no mar com a máxima força possível; então sentou-se na areia com as mãos na cabeça.

24

A traição de Elliot tinha deixado cicatrizes profundas em Louisa, minando sua autoestima. A simples ideia de depositar sua confiança em alguém além do pai a enchia de apreensão. Ela começou a pensar nas ausências de Elliot. Haviam sido muitas, mas ela simplesmente aceitava suas desculpas, assim como tolerava seu mau humor ocasional. Estava sendo corroída pela sensação de vergonha por, em algum momento do caminho, ter se contentado com menos do que merecia e ter optado por não enxergar.

Ela sentia que seu mundo estava balançando, o que a amedrontava. Por isso, durante uma semana inteira, trabalhou o maior número de horas possível para terminar de desenhar as plantas do empório. Certa manhã, em que o pai apareceu para tomar café e a névoa da manhã dissipou-se, revelando um dia ensolarado, ela tentou dizer que estava ocupada demais para parar. Mas ele pegou na mão dela e insistiu para que o acompanhasse até a sala de estar.

"E então?", perguntou ele enquanto Ashan servia o café. "Você vai mesmo seguir adiante com o empório?"

"Sim, tenho um joalheiro em potencial interessado. E na semana que vem vou a Colombo para encontrá-lo, assim como alguns artistas. Eu quero que também haja uma galeria de obras de arte para vender. Quando estive na fazenda de chá dos Hooper, encontrei um dos artistas que estou cogitando expor — Savi Ravasinghe. Também vou vender algumas daquelas caixinhas com aberturas secretas e elefantes talhados em ébano. Em Colombo, também tem uma desenhista em seda que quero encontrar. Já analisei algumas amostras. Não sei se vamos estocar tecido ou não, mas é uma ideia. E...”

Ele interrompeu. “Querida, retome o fôlego.”

De repente, ela sentiu-se desanimada e ficou olhando para o chão.

“O que aconteceu? Não vai me contar? Não há motivo para trabalhar tanto assim.”

“Eu preciso.”

“Mas tem alguma coisa que não me contou, não é?”

“Eu fui até a fazenda de canela”, disse ela, em tom monocórdio, sem tirar os olhos do chão.

“Ah.”

“É tudo verdade.” Ela engoliu em seco, sem conseguir olhar para o pai. Pronunciar aquilo em voz alta só tornava tudo ainda mais real. Ela viu de novo os cabelos negros encaracolados, os olhos verdes, o jeito tranquilo. “Vi o menino. Não há como negar quem era o pai dele.”

Ele estendeu-lhe a mão. Ela a segurou, apertou uma vez e largou.

“Não é tão ruim quando estou ocupada.” Ela precisava continuar fingindo que tudo estava normal — pois de que outra forma poderia aguentar?

“Você tem conseguido dormir?”

A verdade era que, quando ela dormia, sonhava que tudo tinha voltado ao normal. Elliot estava vivo. Não havia dívida, e muito menos um filho.

“Só depois de tomar um gim bem forte”, respondeu ela. “Então eu durmo. Agitada.”

Ele deu um suspiro. “Isso não é bom.”

“É pior quando estou sem fazer nada. Simplesmente não sei o que fazer com a raiva. Saio pedalando feito uma louca. Nado. Tenho mergulhado perto de Flag Rock. Mas isso ocupa minha cabeça o tempo todo. Fica me corroendo. Quero saber tudo a respeito de Elliot, e ao mesmo tempo não quero.”

“Meu amor, você precisa desacelerar. Pôr para fora essa dor.”

"Como? Eu quero gritar com Elliot, xingá-lo, mas não consigo. Quero magoá-lo. Magoá-lo de verdade. Por isso fica ainda pior."

Mas isso não chegava a expressar a real violência de seu sentimento, ou as coisas terríveis que tinha vontade de fazer com ele.

"Ele se foi e não há nada que eu possa fazer para mostrar o que me fez. Sinto que ele me arrancou de mim mesma. Você entende?"

"Talvez você devesse procurar um médico."

Ela já tinha pensado na ideia. Podia ser que estivesse enlouquecendo um pouco, por passar o tempo todo lutando contra os ecos do passado, com a sensação de poder tocá-los se estendesse a mão, e ainda assim incapaz de encontrar uma saída.

"Não quero saber de comprimidos."

"Quer que eu vá para Colombo com você?"

"Não. Vou encontrar Margo por lá. Ela vai me acompanhar nos meus compromissos."

No caminho para a capital, Louisa passava sempre por alguns templos e altares budistas. Grupos de monges, vestidos com hábitos ocre e açafrão, andavam para lá e para cá. Ouviam-se tambores e cânticos nos vilarejos próximos, onde aconteciam casamentos ou outros tipos de cerimônias. Ela prendeu a respiração no local onde Elliot tinha saído da estrada, mas não pôde conter uma sensação de raiva. Talvez eu veja um dançarino do diabo, pensou ela, que conhecia os homens selvagens da selva do Ceilão, famosos pela adoração aos demônios que, segundo acreditavam, viviam nas árvores. Talvez seja disso que eu precise. Um demônio. Elliot certa vez a levara para assistir a um desses rituais, onde ela pôde ver as horrendas máscaras que eram usadas. Louisa ficou com medo, mas sentiu a eletricidade no ar. E havia naquilo alguma coisa que combinava com a rispidez de seu sentimento agora.

Em compensação, as ruas apinhadas de Colombo tinham cheiro de coco, canela e peixe seco, além dos aromas adocicados das diversas barraquinhas de bolo e chá que margeavam as calçadas. Louisa estacionou perto do chamativo edifício de tijolos vermelho e branco que outrora abrigava a loja de departamentos Cargills. Tomou cuidado para não atingir um carro de boi azul berrante, que rangia e ziguezagueava na sua frente. Moscas e mosquitos voavam em enxames enquanto ela caminhava pelo bazar chinês em Chatham Street, passando por pequenas bancas de tecidos abarrotadas de seda, duas ou três lojas de ervas e diversas vendinhas que comercializavam produtos em laca.

Tudo isso brilhava, em meio ao calor inclemente e à poeira.

Mais adiante, já em meio a um ar cheirando a estrume, frutas e especiarias, funcionários públicos e missionárias inglesas se misturavam com os trabalhadores cingaleses e tâmeis. Acima deles voavam corvos, pousando onde dava enquanto espreitavam qualquer migalha de comida. Ela teve que desviar de vários riquixás que bloqueavam o caminho até finalmente chegar à casa de chá que procurava e encontrar Margo sentada à janela. A jovem acenou para ela, com um enorme sorriso, e Louisa teve que se segurar. Era para ser um dia de trabalho, e ela simplesmente não podia ceder às próprias emoções. Empurrou a porta, ouviu o sino tocar e aproximou-se de Margo.

"Pedi chá para nós duas", disse a cunhada.

"Muito gentil." Louisa sentou-se e colocou a bolsa numa cadeira vazia. "E então, como anda você?"

"Estou bem. Se bem que mamãe não está. Ela quer passar de novo um tempo com você, mas estou tentando fazê-la desistir."

"Por que ela quer ficar lá em casa?"

"Acho que ela quer estar onde Elliot estava."

Louisa sacudiu a cabeça. Ela não queria contar a Margo o quanto vinha se sentindo mal ultimamente, mas Irene seria de fato a gota d'água. "Para ser sincera, seria uma péssima ideia. Do jeito como ando me sentindo, eu seria capaz de matar Elliot." Ela estremeceu. "Se ele já não estivesse morto."

"É verdade, então? A história do filho?"

Ela inspirou fundo antes de responder. "Eu o vi, Margo. Ele é Elliot cuspido e escarrado."

"Oh, minha querida. Sinto tanto."

Louisa suspirou e resolveu mudar de assunto. Em certas horas, falar não ajudava em nada. “Não vamos falar nisso. Estou mais preocupada com você.”

“Comigo? Eu me sinto uma completa imbecil por ter me envolvido com um homem casado e fingir que estava tudo bem. Ele disse que seu casamento estava acabado, e eu fiz de conta que acreditei, porque queria acreditar.”

Louisa pensou em Elliot e quase se fechou em silêncio. Mas fez força para falar, pelo bem de Margo. “Nós duas acreditamos naquilo em que quisemos acreditar. Talvez você se apaixonar por William fosse inevitável.”

“Foi o que eu disse a mim mesma, mas o fato é que tem uma hora em que passa a ser por opção. Eu poderia ter terminado tudo.”

“É assim que Elliot se sentia, você acha?”

“Que era por opção, ou que ele poderia ter largado você?”

“As duas coisas, creio eu.”

“Como saber? A única certeza que eu sabia é que o casamento de William não tinha acabado, assim como o seu. Sinto-me terrivelmente culpada.”

“Mas pelo menos você pôs fim nisso. Elliot não.”

“É.”

“Você ainda sente falta do William?”

“Sinto falta de ter alguém em minha vida. A questão é que com ele eu me sentia especial. Nunca tinha me sentido especial.”

Louisa deu um tapinha na mão dela. “Para mim, você é especial.”

Margo deu um breve sorriso. “Lá em casa tudo girava em torno de Elliot. Era ele que recebia toda a atenção. Nada do que fazia podia estar errado. A menor das conquistas era comemorada com bolo e com mimos. Nas competições da escola, se ele chegasse em terceiro na corrida de cem metros, parecia que tinha vencido todas as provas do dia. Já eu, por mais que fizesse, minha mãe mal reparava em mim. De qualquer forma, tudo isso já pertence ao passado... agora, que tal uma bomba de creme? Estou te achando magra demais.”

“Oh, querida, você está falando igual à sua mãe!”

As duas riram, desanuviando o clima.

Louisa vestiu a carapuça de mulher de negócios quando foram

visitar o joalheiro, primo daquele com quem ela tinha conversado em Galle. Descobriram que ele estava disposto a expandir seu negócio, e que gostaria de vender sua gama de safiras no empório, além de abastecer o estoque da exposição principal. Louisa ficou satisfeita. Em seguida, passando por uma viela cercada de edifícios altos, encontraram a placa da desenhista em seda. Uma mulher as levou ao andar de cima, onde ficava seu ateliê, um cômodo imenso onde a luz entrava por janelas que iam do teto até o chão.

Ela fazia sobretudo echarpes e cafetãs. Toda a seda era tingida a mão ou estampada em batique, em padrões deslumbrantes e cores infinitas. Uma fileira de peças estava pendurada, como se fossem bandeirinhas decorativas, formando uma reta que ia de ponta a ponta da sala.

"Ainda estão secando", disse ela, ao ver as duas examinando e tocando cuidadosamente uma ou duas. "Depois vão ser passadas e embaladas em tecido."

"Bem, como eu disse na minha carta, estou à procura de artistas e artesãos interessados em usar meu empório como mostruário de seus produtos. Temos espaços para alugar, e eu posso oferecer o local de graça nos três primeiros meses. Você venderia e nós ficaríamos com uma porcentagem. Com esse dinheiro, fazemos a manutenção do local e cuidamos da publicidade. O que lhe parece?"

"Interessante."

"Posso contratar uma equipe confiável, a menos que você já tenha alguém em mente."

"Tenho uma amiga que mora em Galle. Os filhos acabaram de entrar na escola, então talvez ela se interesse."

"Bem, seja como for, eu adoraria contar com sua belíssima seda."

A mulher sorriu, e as duas negociaram preços por alguns momentos. Quando chegaram a um acordo, apertaram as mãos.

A parada seguinte seria no escritório onde Elliot cuidava da comercialização de especiarias. Até onde Louisa sabia, o negócio andava com as próprias pernas. Seria mais uma visita de cortesia do que qualquer outra coisa. Nihil, o gerente, um senhor de meia-idade, estava esperando por ela. Quando chegou, deu os pêsames pela morte de Elliot.

"Ficamos todos tão chocados" disse ele, "quando seu pai nos informou do que tinha acontecido. Ele me disse para tocar o negócio como sempre, e que um dia a senhora viria nos ver. E agora, olhe a senhora aqui."

"Obrigada pela sua preocupação", disse ela, sorrindo e conseguindo manter a conversa mais leve. "Muita gentileza."

"Posso perguntar à senhora se tem algum plano?"

Ela assentiu. Ali, pelo menos, não havia memórias para assombrá-la. "O único plano que eu tenho é seguir em frente."

Nihil fez cara de alívio. "Cheguei a pensar que a senhora fosse vender tudo."

"Não no futuro próximo, mas na verdade eu gostaria de inspecionar a contabilidade."

"É claro. Eu mesmo vou buscar."

Ele se dirigiu até um enorme armário e trouxe dois livros fiscais pretos.

"Seu marido fez uma transferência de capital, para cobrir uma aquisição, até onde sei."

"Posso ver?"

"Sim. Olhe aqui."

Ela passou os olhos pelos números e concluiu para si mesma que a quantia sacada por Elliot na conta-corrente dava para cobrir o sinal do prédio da Imprensa. Não bastava para explicar o que tinha acontecido com a metade do dinheiro que ela havia transferido para a conta dele, e que deveria ter sobrado depois que ela pagou a dívida restante do prédio.

"Mas não estamos no vermelho, estamos?"

"De jeito nenhum. Na verdade, tenho a impressão de que estamos chegando ao ponto em que expandir seria uma boa ideia."

Louisa podia ver que não era uma empresa grande, mas que funcionava bem, e prometeu retornar a Colombo uma vez por mês para conferir se as coisas continuavam andando sem problemas, e para ajudar até onde possível na ampliação do estoque.

Depois disso, as duas foram até Cinnamon Gardens, que tinha esse nome por causa da plantação de canela que anteriormente existira no local. Ali, iam encontrar Savi Ravasinghe. As ruas eram margeadas por árvores e imensas mansões coloniais. Ele vivia no andar de cima de um casarão dividido em dois apartamentos. Era cercado por um amplo jardim, que chamava a atenção por suas árvores muito altas e arbustos de azaleias. Louisa estava incomodada com o calor, e passou a palma da mão pela testa.

"Está quente, né?", ela perguntou a Margo.

"Um mormaço forte hoje."

"Na verdade, não vejo a hora de chegarem as chuvas." Louisa não revelou sua impressão de que a chuva, com a intensidade com que caía, poderia de alguma forma lavar a sensação de dúvida e dor que a consumia sem parar. Na infância, ela adorava se esgueirar à noite no jardim, só de pijama, e erguer os braços para "pegar" a chuva. Em geral, era encontrada pela aia e arrastada de volta para dentro. Mas adorava a sensação de liberdade selvagem de sair debaixo do temporal.

Savi foi recebê-las à porta, vestido da mesma maneira elegante e exótica da vez anterior.

"Encantado por revê-la", disse ele, estendendo a mão para Louisa.

Depois de cumprimentá-lo, ela apresentou Margo, e as duas o acompanharam escada acima, até um espaço amplo e aberto. A luz do sol entrava por enormes janelas de um dos lados. O piso, em ladrilhos, era decorado com tapetes deslumbrantes — persas, segundo ele —, e as paredes imaculadamente brancas eram decoradas com quadros.

"Não são todos seus?", perguntou Louisa.

"Os retratos são meus, mas as paisagens são de um amigo."

Louisa contemplou os quadros, e ficou admirada com a sutileza das cores das paisagens e com o colorido vivo dos retratos. "Gostei de ver que você pinta pessoas comuns. Adoraria que expusesse alguns destes na minha galeria."

"Do lado de cá tem outros retratos. Não são meus, porém." Ele apontou para um corredor comprido e ela o acompanhou. Mas quando viu o primeiro retrato, ficou com a boca seca. Olhando fixamente para ela estava a inconfundível imagem de Elliot, enlaçando uma mulher ruiva.

"Estes foram pintados por uma conhecida", disse Savi. "Zinnia. Acho que falamos dela da última vez em que nos vimos, embora naquele dia eu não conseguisse lembrar o nome dela. Encontrei esses quadros faz pouco tempo, num leilão, e comprei-os por um bom preço, pensando talvez em revender. Acho que são particularmente bem feitos."

Louisa deu uma desculpa qualquer e disse que preferia voltar a olhar os retratos do salão principal. Eram mais do estilo que ela procurava, afirmou. Ao olhar para trás, porém, viu que Margo, que a acompanhara no corredor, fitava a pintura do irmão.

"São bem feitos, não são?", gritou Louisa para a cunhada. "Mas venha ver estes, Margo."

Elas se entreolharam, e Margo voltou para a sala principal, visivelmente surpresa. Por um instante, Louisa parou para contemplar a luz que entrava pelos janelões. Todas as cores da sala pareciam se misturar, e ela começou de novo a sentir muito calor. Por um instante desagradável, teve a sensação de que ia desmaiar, e estendeu o braço como quem quer se apoiar em algo.

"Está tudo bem com você?", perguntou Margo. O som de sua voz trouxe Louisa de volta.

Ela respirou fundo algumas vezes e, depois de recuperar o autocontrole, disse a Savi que adoraria expor algumas obras dele, assim como algumas paisagens, mas que ainda levaria algumas semanas até que a transformação do prédio da antiga gráfica em uma galeria comercial fosse completada.

"Adoraria pintar alguns retratos especialmente para você. Talvez menores, mais fáceis de carregar? Da próxima vez que eu vier ao Ceilão."

"Sim", respondeu ela, "seria perfeito."

Enquanto saíam dali, Margo virou-se para ela. "Você está bem mesmo?"

"Acho que sim. Vi quadros parecidos no dia em que fui à fazenda."

"Mas deve ter sido um choque. Para mim, foi."

"Vi pinturas dele com o filho, mas com ela não. E não achava que esses quadros tivessem sido feitos para ser vendidos. Não sei por que, mas pensei que ela guardasse todos. Que eles fossem, de alguma maneira, particulares."

"Pode ser que ela estivesse precisando de dinheiro."

"Sim. Mas desconfio que parte das dívidas de Elliot seja por causa dela. Não imagino que ele concordasse em vender um retrato dele mesmo. Para ser franca, minha vontade era comprar todos e queimar tudo."

"São um pouco explícitos demais."

"Salta aos olhos." Louisa engoliu em seco e voltou a falar, em tom baixo. "Achei os dois felizes juntos, não?"

"Pois, se eram tão felizes, por que ele não deixou você?"

"E seu amante casado, por que ele não largou a mulher?"

Margo deu de ombros, porém parecia mais triste que antes. "Nunca foi uma possibilidade."

"Minha impressão é que todo mundo se apaixona pela pessoa errada o tempo todo."

"Aconteceu comigo, mas isso não serve como desculpa para Elliot."

"Por que não?"

Margo deu um suspiro. "O que ele fez não tem justificativa, mas o que eu fiz também não."

"Você não tentou pôr um fim na coisa?"

"No começo sim, mas depois é como se tivesse virado uma espécie de compulsão. Eu me pegava pensando em William o tempo todo, e no fim acabava entrando em contato com ele de novo."

"Não é nem o fato de Elliot ter se apaixonado por outra pessoa. Bem, é claro que é, mas o que mais me dói é a traição."

"Sabe, eu não consigo me perdoar. Será que Elliot também sentia remorso pelo que fez?"

"Bem, ele tinha todas as razões do mundo para ficar comigo, não? Dinheiro à beça, uma linda mansão, o emprego. Meu pai com certeza o demitiria se ele tivesse me abandonado. Fui tão burra de entregar meu coração a alguém tão descuidado com ele."

"Ele nunca ligou muito para os sentimentos dos outros, mas era apaixonado por você. Disso eu tenho certeza."

"Tem mesmo?"

25

Louisa andava de um lado para o outro do quarto, olhando de vez em quando para o baú de gavetas de Elliot. Roendo as unhas, desejosa de sumir de uma vez por todas com tantas lembranças, resolveu que a única coisa a fazer era se livrar dos objetos dele. Lixo. Quero tudo no lixo, pensou ela. Livrando-se de tudo, talvez se livrasse dele também.

Com uma voz determinada e ligeiramente acima do tom, ordenou que um dos empregados a ajudasse a preparar uma fogueira no jardim, porém que ainda não a acendesse. Os dois pegaram jornais velhos e arrastaram galhos que tinham sido podados e haviam secado. Quando a pilha alcançou um bom tamanho, ela voltou para dentro da casa. Entrou no quarto e ficou olhando o armário aberto. Então, tirou todos os ternos e camisas de Elliot, empilhando-os na cama. Depois, abriu uma por uma as gavetas do baú, jogando no chão tudo que havia nele. Teve a impressão de que o coração ia parar, enquanto suas mãos tocavam aquelas camisas tão conhecidas. Levou uma delas ao nariz, e depois mais outra, na esperança de capturar um toque de seu perfume de cedro. Mas todas tinham sido lavadas, então não restava nada. Conferiu os bolsos dos paletós e dos casacos, até que, num par antigo de calças de veludo cotelê, fisgou um envelope. Estava lacrado, mas sem o endereço. Ela o abriu e tirou uma única folha de papel, onde leu:

Minha querida,

Não tenho palavras para expressar minha tristeza por saber que você quer terminar. Como você sabe, não pude vê-la tanto quanto queria desde que Louisa perdeu o bebê e precisei ficar ao lado dela. Não tive escolha. Você consegue entender isso, não? Por favor, você poderia repensar? Em breve tentarei ir até aí, e você precisa saber que eu amo você. Precisa acreditar nisso. Prometo que muito em breve será o momento certo para nós. Peço desculpas por estar levando tanto tempo, mas mal posso esperar para estar com você. Não está longe o dia em que poderei cuidar de vocês dois em tempo integral.

Preciso ganhar um pouco mais de dinheiro, antes de poder lhes oferecer a vida que vocês merecem. Se eu permanecer aqui um pouco mais de tempo, ficarei em melhores condições para isso. Adquiri um novo negócio, o antigo prédio de uma gráfica. Com um pouco de reforma, espero revendê-lo com lucro. É verdade que, bem no começo, eu lhe disse que ainda amava minha esposa. Lembra-se disso? Mas é claro que isso mudou depois que Conor veio ao mundo. Por favor, cuide-se, e cuide dele também. Posso enviar dinheiro por intermédio de Leo, se não puder visitá-la tão cedo. Depois, vou levar seu próximo lote de quadros para vender em Colombo. Mas, o que quer que você esteja sentindo, por favor, reflita. Não termine, meu amor. Não vou conseguir suportar.

Sempre seu,
Elliot

Louisa leu tudo duas vezes e sentiu-se mal. Então, rasgou a carta em pedacinhos e jogou-os na cesta de papéis, com a sensação de que estava rasgando a própria vida. Não apenas Elliot nunca tivera a intenção de transformar o empório em realidade, mas também planejava abandoná-la. Parecia o prego definitivo no caixão do casamento. Era como seu coração estava se separando de seu corpo.

Em meio ao silêncio que a envolvia, uma onda de raiva tomou conta dela. Louisa pegou um punhado de roupas e saiu para acender a fogueira. Quando o fogo pegou, ela começou a empilhar as roupas de Elliot, primeiro os ternos, depois as camisas, em seguida as gravatas. Entrou de novo em casa para buscar mais, e assistiu à queima de cada peça. Foi-se, pensou. Foi-se tudo. Era o que ela queria. O empregado a tudo assistiu, com ar intrigado. Louisa supôs que, para ele, parecesse um incrível desperdício. Mas ela não podia suportar nem a mera existência das roupas de Elliot. Ela o amara tanto. Enquanto ouvia o crepitar do fogo, começou a rir descontroladamente. As chamas alcançavam as pontas de cada peça de roupa antes de devorá-las. O fogo não alimentava apenas sua raiva: sua energia destruidora a enchia de ânimo.

Ela sentiu-se realizada — quase bêbada de alívio.

Subitamente, ouviu uma voz. Ao virar-se, deu com Irene de pé, no jardim, com o horror estampado no rosto. Harold estava ao lado dela, com um braço em torno de seus ombros. E ao lado dos dois, Ashan, segurando a bagagem. "Perdão, madame", disse ele. "Queria ter anunciado a chegada dos dois, mas eles insistiram em entrar."

"O que você está fazendo?", berrou Irene. "O que você está fazendo com as roupas do meu filho?"

Louisa ficou completamente imóvel. "Irene, acho que você deve ter notado que estou queimando tudo, de cabo a rabo."

Irene correu até a fogueira. Com um pedaço de pau na mão, tentou resgatar uma camisa parcialmente queimada. Esturricada e fumegante, a peça ficou pendurada na ponta da madeira, que ela segurava bem alto. Louisa quase deu outra gargalhada ao ver o esforço inútil da sogra para salvar a camisa, enquanto Harold a puxava para longe.

"Largue isso!", ordenou Louisa.

Irene franziu a testa. "Mas por quê? Por que você está fazendo isso?"

"O que a senhora queria que eu fizesse?"

"Mas não é cedo demais?", perguntou Harold. "É como se você estivesse se livrando dele."

Louisa o fitou com frieza. "Francamente? Bem que eu gostaria. Não, pior que isso, eu gostaria de nunca tê-lo conhecido."

Tendo dito isso, deu meia-volta, subiu a escada e trancou-se no quarto. Passou ali dentro o resto da tarde, remoendo a raiva, e sentindo ao mesmo tempo que não vivia mais num mundo que podia controlar. Ashan bateu à porta várias vezes, trazendo-lhe algo para beber, delicadamente sugerindo que abrisse a porta, mas ela não tinha vontade de ver ninguém.

Naquela noite, Louisa decidiu se arrumar para o jantar. Seu pai vinha vê-la, e ela queria fazer um esforço por ele.

Mesmo ainda furiosa com a chegada não anunciada de Irene e Harold, não tinha coragem de expulsá-los. Em todo caso, a carta que encontrou ofuscou todo o resto. A euforia provocada pela fogueira durou pouco. Agora, toda vez que ela pensava na carta, precisava lutar contra a vontade de ir correndo para o banheiro e vomitar. Quanto a Irene, Elliot era seu único filho homem vivo. Louisa ia precisar de um enorme autocontrole para não destroçar as ilusões da sogra. Não sabia até que ponto ela poderia ter conhecimento das traições, até porque, aos olhos da mãe, Elliot morto deveria ser ainda mais perfeito do que em vida.

Louisa suspirou. Por que tudo tinha que ser tão difícil? Ela tomou banho e lavou o cabelo, para se livrar do cheiro de fumaça. Vestiu-se de maneira sóbria, com um vestido de seda cinza-claro, pôs o colar de pérolas e desceu até a sala de estar principal, onde Irene e Harold já estavam refestelados em um dos sofás. Ao entrar na sala, olhou em torno. Irene tinha o vício de trocar de lugar os objetos, colocando-os onde considerava mais apropriado. Embora Louisa já tivesse brigado com Elliot por causa disso, ele a convencera de que era uma questão menor, que não justificava criar caso. Agora, ela enxergava naquilo mais uma evidência das intromissões da sogra.

Irene retesou-se um pouco no sofá e fungou. Seus olhos verdes pareciam resolutos. "Pois bem, a senhorita decidiu nos conceder a graça de sua presença."

Louisa rangeu os dentes. "Que satisfação encontrá-la, Irene. E o senhor também, Harold."

Ele sorriu, sem graça.

"Quem sabe pode explicar por que estava queimando as roupas do meu filho?", prosseguiu Irene.

"Já estava na hora."

"A senhorita não pensou em perguntar se nós desejaríamos ficar com algumas delas, como lembrança dele?"

"As roupas dele não eram do seu interesse. A senhora pode ficar com a caneta, o cachimbo, o pente dele. Se quiser, pode levar tudo. Sobrou um monte de coisa. É só escolher."

"Mas nada que ele usasse mesmo."

"Não acho que..."

Irene a interrompeu. "O problema é exatamente esse. Sempre foi. Você nunca pensou em mim, não é?"

"Irene, vamos, tenho certeza de que você não quis dizer isso", ponderou Harold, tentando segurar a mão da mulher. Mas Irene o afastou, com um safanão.

Louisa virou-se e, com um passo rígido, foi até o decanter e serviu três taças de xerez. Ofereceu uma a Irene e deu outra a Harold. "Por favor, não vamos ficar com briguinhas. Estou cansada demais para isso."

Irene não respondeu, mas aceitou a taça.

Bem nessa hora, a campainha tocou. Louisa ficou escutando enquanto Ashan ia atender. Um ou dois minutos depois, voltou para a sala com o pai de Louisa, Jonathan, seguido por Margo.

"Eu a encontrei na estação do trem, tentando carregar a mala."

Margo riu. "E aí ele fez o gesto cavalheiresco e trouxe minha mala. Vim de trem para tentar chegar junto com mamãe e papai. Por sorte hoje não caiu tempestade, caso contrário o mar ia inundar os trilhos."

Irene levantou-se e estendeu as mãos para Margo.

Margo abraçou a mãe, que pareceu apoiar-se nela.

"Espero que não se importe de eu aparecer desse jeito na sua casa, Louisa."

"De forma nenhuma, Margo. Quanto mais gente, melhor!", disse ela, na verdade aliviadíssima com a presença da cunhada. "Tenho certeza de que o cozinheiro vai encontrar uma solução criativa para o jantar."

Depois que os recém-chegados se acomodaram e também foram servidos com xerez, fez-se um silêncio tenso. Sentindo talvez o constrangimento no ar, Jonathan encarregou-se de reiniciar a conversa.

"Pois bem, Irene, o que você tem achado do atual governo?"

"É melhor perguntar ao meu marido. Eu não perco meu tempo com essas questões. Mas tenho a impressão de que Harold apoia totalmente o governo, não, querido?"

Harold fez que sim com a cabeça. "Em linhas gerais, sim."

Jonathan inclinou a cabeça. "Você não acha que o ministério também deveria ter controle da polícia e do exército?"

"Ele acha que mantê-los sob controle inglês é a melhor opção", interrompeu Irene, enquanto Harold dava um suspiro resignado. "Afinal de contas, quem quer que essa gente fique encarregada de garantir a lei e a ordem? Não, é melhor que isso fique em nossas mãos."

"'Essa gente', Irene?", perguntou Jonathan, erguendo as sobrancelhas com ar inquisidor.

"Acho que você sabe o que minha mulher quis dizer", disse Harold.

Margo se intrometeu. "Não precisa sair em defesa dela o tempo todo, pai. Agora, mãe, me dê licença um pouco para que eu sente ao seu lado."

Irene moveu-se, e Margo se acomodou entre a mãe e o pai.

"Pois bem", disse Louisa, virando-se na direção do pai e falando em voz baixa, enquanto Margo e Irene pareciam estar conversando sobre como a viagem de ônibus tinha sido desconfortável. "O senhor voltou à polícia? Eles descobriram algo novo sobre a invasão de domicílio?"

Ele ergueu as sobrancelhas. "Fiz o que eu disse que ia fazer. Não vai ser de muita valia, porém."

"A polícia não vai tomar nenhuma atitude?"

Jonathan deu de ombros. "Eles nem sabiam direito o que podiam fazer."

"Tomar uma atitude?", intrometeu-se Irene. "Vocês agora estão falando em código."

Jonathan fitou Louisa antes de responder. Esta, por sua vez, apenas balançou ligeiramente a cabeça. "Foi só um pequeno contratempo."

"Bem, hoje encontrei sua filha ateando fogo a todo o guarda-roupa de Elliot. O que você me diz disso?"

"Tenho certeza de que minha filha só estava fazendo o que tinha que ser feito", disse Jonathan. "Ela não pode, nem deve, guardar tudo."

"De qualquer maneira, quem tem que decidir é Louisa, não é, mãe?", acrescentou Margo.

"Exatamente. Essa decisão tem que ser de Louisa. Minha filha tem passado por maus bocados, nossa interferência só pioraria as coisas."

Um acesso de fúria passou pelo semblante de Irene. "Ninguém pensa nos meus sentimentos", disse ela. "Ninguém!"

"Ora, Irene, isso não é justo", interveio Harold. "Sei o quanto nós dois estamos sofrendo, mas..."

"Eu vou lhe dizer o que não é justo. Casar-se com uma mulher que não conseguia lhe dar um filho vivo. Era tudo que eu queria. Era esperar demais? Você sabe que Elliot teria sido um pai extraordinário. Tão carinhoso. Tão zeloso."

"*Mãe*", disse Margo, em tom de advertência, ao mesmo tempo que Harold balançava a cabeça negativamente.

"Tudo que eu sempre quis foi um neto."

Num impulso, Louisa levantou-se, dominada pela raiva pela carta que havia encontrado. "Pois bem, não é que a senhora realizou seu desejo, Irene?"

"De que raios você está falando?"

Louisa olhou para Margo, que gesticulava desesperadamente para que ela parasse, mas Louisa já tinha ido longe demais para voltar atrás, e não pôde mais se conter. "A senhora tem, *sim*, um neto, Irene. Um menininho ilegítimo. Espero que sirva para a senhora."

Enquanto se preparava para dormir, Louisa repassou o acontecido. Sentiu-se arrasada pelo ponto a que as coisas chegaram. Sabia que contar a Irene não tinha sido sensato. Ou ela negaria por completo a possibilidade de um filho ilegítimo, ou iria querer criá-lo. Qualquer que fosse a alternativa, ela precisava avisar Leo. Pegou a caneta de Elliot, que ele sempre deixava no criado-mudo, e começou a escrever ao dono da fazenda. Na manhã seguinte, daria a caneta a Irene, e deixaria que a sogra escolhesse o que mais quisesse. Enquanto rolava a caneta nos dedos, lembrou-se de Elliot fazendo anotações para si mesmo.

Seu pensamento voltou ao dia do primeiro encontro dos dois. Ela saíra para passear de bicicleta e, embora o dia estivesse com cara de chuva, decidiu ir na direção da estrada costeira. Mas, apenas uma hora depois, a monção começou com tudo. Por ter avaliado mal o tempo, ela acabou arrastada para fora da estrada, ralando a perna. Conseguiu arrastar-se e encontrou uma pedra para se proteger, mas àquela altura já estava completamente ensopada. Meia hora se passou, e Louisa sentiu um enorme alívio quando finalmente um automóvel encostou e o motorista desceu para ajudá-la. Ele colocou-a no carro, a bicicleta no porta-malas, e levou-a de volta ao forte de Galle. Os dois beberam xícaras de chocolate quente, e a perna dela foi enfaixada antes de ele se preparar para retomar caminho. Porém, o tempo inclemente demais impediu que seguisse até Colombo. Ele passou a noite ali, e o dia seguinte, e o dia seguinte. Desde o primeiro instante, ela capitulou diante do charme e da boa aparência de Elliot, e encheu-se de esperança para o futuro.

Louisa largou a caneta e decidiu não enviar a carta a Leo. Em vez disso, ia vê-lo pessoalmente.

26

Louisa acordou na hora em que o amanhecer pintava no céu um tom sutil de lilás, refletido pelo mar como um rosa bem claro. Era sua hora favorita do dia. Olhou pela janela, na direção dos morros do norte, ainda envoltos na névoa. No jardim, o orvalho gotejava das folhas. Às vezes ela surpreendia um gato selvagem, atraído para o jardim pelas sementes de palmeira-do-açúcar, mas não foi o caso dessa vez. Os dúrios e as jaqueiras atraíam enormes bandos de passarinhos, que ela gostava de observar. Naquele dia, porém, só um solitário pombo-imperial, com asas verde-metálico, exibia-se na grama.

Ela não podia demorar-se. Com a casa lotada de gente, esperava não ter que contar aonde estava indo. Até mesmo Jonathan tinha passado a noite ali, talvez por sentir que a filha precisava de apoio moral, diante da alta probabilidade de Irene criar caso.

Depois da espantosa revelação de Louisa, as perguntas não pararam. *Que criança é essa? Tem certeza de que é filho de Elliot? Como você descobriu? Você sempre soube disso? Por que ninguém contou para mim, a avó?* E, quando Irene descobriu que Margo já sabia a respeito de Conor, ficou roxa de cólera. Não pareceu, porém, nem um pouco preocupada com o fato de a existência daquela criança significar que Elliot traíra a esposa.

Louisa vestiu-se rapidamente e desceu para a cozinha, onde o cozinheiro ainda estava alimentando a caldeira. Por isso, o café ainda não estava pronto. Ao entrar no carro, pensou numa nova ideia que lhe ocorrera para aquilo que passara a ser seu comércio de especiarias. O gerente, Nihil, tinha dito que o negócio estava maduro para uma expansão. Talvez fosse a oportunidade ideal para fazê-lo crescer. Enquanto dirigia pela estrada costeira, ponderou o que deveria dizer ao chegar a Cinnamon Hills. Primeiro, teria que contar a Leo que Irene, agora, sabia da existência de Conor. Podia não significar nada, mas, conhecendo Irene, Louisa não tinha como saber. Depois, pediria a opinião de Leo sobre sua nova ideia.

Ao sair da estrada principal e começar a subir a colina, passou pelo local de onde se entrevia o bangalô de Zinnia, aninhado entre as árvores. Ela cerrou os dentes. O que estou fazendo?, pensou. Seria tolice envolver Leo em sua nova ideia? Talvez não, porque alguma coisa em seu íntimo, alguma coisa naquele lugar onde ainda moravam restos de fé e esperança, lhe dizia que valia a pena tentar. Talvez, por algum caminho tortuoso, o próprio fato de pensar naquele plano fosse um ato de ousadia, concebido apesar da traição de Elliot. Em todo caso, ela não recuaria.

Louisa parou o carro antes de chegar ao topo e desceu do carro para inspirar o ar, sentindo a mistura de canela e da maresia. Ela olhou em torno, ansiosa. Encontraria Leo trabalhando, ou o menino brincando numa clareira? Sem ver ninguém, porém, ela foi adiante. Embora a própria existência daquela criança a abalasse até o fundo de seu ser, não podia perder de vista que ele tinha perdido o pai. Tendo ela própria sido criada sem mãe, entendia como aquela perda podia ser arrasadora para alguém tão jovem.

Ela encostou o carro, desligou o motor e saiu para esticar as pernas e admirar a vista panorâmica. Os pássaros continuavam a cantar, e ela apreciou a sensação de estar numa fazenda plena de vida selvagem. De repente, a voz dele a assustou, e ela virou-se. Ele estava usando a mesma bermuda gasta de sempre, e uma camisa azul claro que destacava a cor de seus olhos e o ruivo de seus cabelos.

"Leo."

"Olá. Não esperava revê-la."

"Tenho uma coisa para lhe contar."

"Quer caminhar?"

Ele a conduziu por um caminho estreito, por entre os pés de canela. Bem nessa hora um panapaná de borboletas exóticas passou voando.

"Pois então, o que você queria contar?"

Ela engoliu em seco, nervosa, antes de falar. "Infelizmente, a mãe de Elliot já sabe da existência de Conor."

"E?"

"Bem, ela não é uma mulher das mais fáceis. Pode ser que se intrometa."

Ele coçou a cabeça. "Não sei. Se ela estiver preparada para dar uma mão enquanto Zinnia estiver doente, pode não ser tão ruim assim."

Essa ideia incomodou Louisa. "Eu não recomendo. Nunca ficaria só numa 'mãozinha'. Ela ia querer assumir tudo, e isso seria péssimo."

"Ela sabe que ele está aqui?"

Ela fez que não com a cabeça. "Não dei nenhum detalhe, além de dizer que ele existe. Queria não ter dito coisa nenhuma."

"Eu não ficaria preocupado com isso." Ele hesitou. Parecia estar refletindo. "Espero que Zinnia se restabeleça em breve. Nesse meio-tempo, tenho feito o que posso por Conor. Ele está solitário. Por isso tento almoçar com ele todos os dias e lhe fazer companhia sempre que posso."

"O fato de ser um filho ilegítimo pode impedir Irene de se envolver."

Ele concordou, caminhou um pouco e depois virou-se e olhou para ela.

"O que foi?", perguntou ela.

"Estava pensando se você aceita uma bebida. Ou se quer conhecer um pouco mais da fazenda, se tiver tempo."

Era exatamente o que ela queria. Pensando em sua nova ideia, ela concordou. "Diga-me uma coisa — eu adoraria saber como se produz canela. Exige muita mão de obra?"

"Bem, a primeira coisa a saber é que os trabalhadores recebem uma parte dos lucros. Por isso, quanto mais produtiva e eficiente a equipe for, mais eles recebem. Portanto, sim, um terço da minha receita vai para o pagamento da mão de obra."

Ele a conduziu por um caminho largo e coberto de folhas. "O processo de colheita é trabalhoso. São duas colheitas por ano, mas o ideal é descascar durante a estação de chuvas, quando a seiva escorre facilmente."

"Então ainda não estamos na época da colheita?"

"Sim, mas ainda estamos mais talhando e juntando as folhas secas para produzir óleo."

"É um trabalho duro."

Leo sorriu, e ela percebeu como ele ficava à vontade em seu meio.

"Depois de cortar as folhas, a casca externa é raspada, e a casca interna é cortada, e depois descascada, formando o pau de canela. As partes maiores são enroladas juntas, e depois estufadas com ramas menores e lascas, para dar mais sustentação. Depois, corta-se em pedaços de um metro, mais ou menos, de comprimento."

"E a canela do Ceilão é conhecida pela qualidade?"

"Tem identidade própria e é famosa no mundo inteiro. Você sabia que ainda na Antiguidade foi levada por mar para o Oriente Médio? E dizem que Nero usou canela no enterro da mulher. Nossa canela foi motivo até para guerras. Se quiser, posso lhe mostrar onde produzimos o óleo."

"Por favor."

"Os descascadores colhem os ramos que vão usar pela manhã, quando ainda não está quente, e levam-nos para o galpão em tratores ou carroças. Mas na verdade as folhas podem ser colhidas a qualquer hora."

Enquanto caminhavam, Louisa percebeu que estava indo com ele para um local, no pé do morro, onde vapor e fumaça quase impediam a visão de uma série de galpões com teto de palha. Contornaram um deles, onde uma caldeira simples estava com o fogo aceso.

"O óleo é produzido a partir dos ramos e folhas. Sai muito vapor."

Ela ficou observando, enquanto um homem enchia um enorme barril cilíndrico com folhas, dentro do barril outro trabalhador comprimia o conteúdo.

"Nossa mãe, deve ser quente."

"Sim, ele vai pisar nas folhas até que a coluna fique bem espremida. Veja, ele está quase terminando."

O homem saiu do barril e, usando barro, tampou o recipiente.

"Está vendo o cano na parte de baixo?"

Ela fez que sim com a cabeça.

"O vapor passa através dele vindo da caldeira, extraindo o óleo das folhas, e depois sai de novo. Esse vapor se condensa em líquido ao passar por um cano submerso em água fria."

"E depois?"

"O óleo se deposita em tubos, onde o líquido é coletado. A gravidade se encarrega de fazer a separação por nós."

"É fascinante — a propósito, assistir a tudo isso me lembra do segundo assunto que me fez vir falar com você."

"Quer subir até em casa para tomar um café?"

"Obrigada."

Eles caminharam em silêncio. Ouvia-se apenas o som dos pés pisando nas folhas secas do caminho. Quando chegaram à casa, subiram a escada para a varanda, e ele pediu os cafés.

"Você adora este lugar, não é?", perguntou ela.

Ele abriu lentamente um sorriso, e seus olhos brilharam ao se arregalarem. "Acho que sim, embora às vezes dê vontade de arrancar os cabelos!"

"Como tudo aquilo que amamos."

"Deve ser."

Ela respirou fundo antes de começar. "Não sei se você tem condições de exportar sua canela, mas Elliot tinha uma empresa de especiarias que vendia para o mundo inteiro. Agora eu sou a dona, e acho que é hora de expandir... Estava pensando se poderia convencê-lo a exportar por nosso intermédio. Garanto que meu gerente lhe ofereceria boas condições."

"Bem, por essa eu não esperava", disse ele, com um ar, porém, genuinamente interessado. "Tenho pensado em trocar de intermediário. Trato com um sujeito em Galle, mas a quantidade que estou produzindo está ficando grande demais para ele dar conta."

"Posso arranjar um encontro com Nihil, o gerente em Colombo. Que tal depois de amanhã?"

"Para mim pode ser. Vou pedir a Kamu para tomar conta de Conor só desta vez."

"Certo."

Ele sorriu. "Combinado. Não vou poder lhe dar uma carona no meu caminhão. Está enguiçado, e o mecânico não consegue descobrir o problema. Mas... não sei se vai lhe interessar... Se você quiser, podemos ir na minha moto, se bem que ela é uma velharia, e a viagem seria muito demorada."

Por que não?, pensou ela. Não era hora de um pouco de aventura? "A ideia me agrada", disse. Mas então ela hesitou um pouco, tentando aparentar mais calma que na realidade em relação ao que ocupava sua mente. "Como está sua prima?"

Ele deu de ombros. "Ultimamente anda um pouco melhor."

"Como devo dizer isso?", principiou ela. "Se vamos fazer negócio juntos prefiro não vê-la."

"Ela não costuma subir até aqui. Sou eu que vou até ela."

"Ela está vivendo de quê?"

Ele ficou um pouco constrangido e fez uma careta. "Elliot lhe dava uma ajuda. Pode ser que um pouco do dinheiro tenha sobrado." Ele desviou os olhos e em seguida voltou a encará-la. "Sinto muito."

Ela sacudiu a cabeça. "Ela também vende quadros?"

"Elliot os levava a Colombo para ela."

"Eu vi alguns." Louisa respirou fundo e foi falando aos poucos. "Quando formos a Colombo, posso sacar o dinheiro que Elliot deixou para você. Você se certificaria de que chegará até ela?"

"É muita gentileza."

"Não é, não. É a lei. E ela tem um menino para criar. Ela costuma fazer compras no vilarejo? Quero dizer, os bens de primeira necessidade."

"Ela costumava, mas desde que ficou doente é o meu empregado que compra as coisas para mim."

"Então é você que a tem ajudado."

Ele deu de ombros. "O melhor que posso. Quem me preocupa é Conor. Ele é um menininho esquisito, mas toca meu coração."

"Talvez ele precise ir para a escola, como você disse outro dia. Crianças precisam de outras crianças, não?"

"Vá dizer isso a Zinnia."

*

Quando Louisa chegou em casa, Margo estava esperando por ela. "Mamãe está dando um cochilo, e papai voltou para Colombo para trabalhar. Já almoçamos, mas sobrou muita coisa. Mas receio que ela não vá parar de falar do neto."

"Era isso que eu temia."

Elas caminharam até a sala de jantar, e Ashan se dispôs a trazer seu almoço.

"Só tem uma salada niçoise, feita pela moça francesa, Camille. Então, não há nenhum prato quente. Eu não sabia quanto tempo você ia demorar", disse Margo.

"Eu fui ver o Leo."

Os olhos de Margo se arregalaram, e ela ergueu as sobrancelhas.

Louisa deu uma risada. "Ele e eu vamos fazer negócios juntos, ou pelo menos acho que sim."

"Bem, sou totalmente a favor de você falar mais com ele."

"Ele me mostrou a fazenda toda."

"Está na cara que aquele é o mundo dele. Mas, ouça bem, o motivo que me fez vir é que preciso lhe contar uma coisa. Depois de tudo que aconteceu na noite passada, não deu para falar nada, e depois você saiu tão cedo hoje de manhã..."

"Pois então?"

"Ontem, logo depois de papai e mamãe pegarem o ônibus para cá, um homem apareceu na casa deles. Disse que estava procurando os pais de Elliot, para falar sobre algumas dívidas do filho. Ele não deixou o nome. Não comentei nada com mamãe nem com papai, mas achei que devia contar a você."

"Essas dívidas terríveis... de verdade, isso parte meu coração. Você chegou a reconhecê-lo? Seria aquele homem, De Vos, que nós vimos na joalheria no dia em que fomos ao prédio da Imprensa? Você se lembra?"

"Não, com toda a certeza não era ele. Acho que tinha uma espécie de sotaque, mas não reparei muito bem. Fiquei um pouco incomodada. Será que a polícia não tem mesmo nenhuma ideia de quem invadiu a casa?"

“Nenhuma evidência que conduza a alguma pista, é o que eles estão dizendo. Eu só não entendo como os invasores sabiam que não estávamos em casa.”

27

Quando finalmente De Vos apareceu, pedindo desculpas pelo ligeiro atraso e entregando a ela o contrato, Louisa se deu conta de imediato que se tratava de um acordo de intermediação de um determinado carregamento de borracha. Com seu jeito sempre cortês, ele explicou que era uma cópia em papel carbono, mas que mantinha o original em um cofre e esperava dissipar assim qualquer incerteza que ela porventura tivesse a respeito da dívida.

"Vou lhe dizer o que vamos fazer", disse ela, ainda confusa enquanto examinava o contrato. Até onde ela sabia, Elliot nunca se envolvera em nenhum negócio com borracha. "Deixe isto comigo e vou analisar."

Depois que ele foi embora, ela reuniu os cachorros e saiu andando até a cidadela. Já era meados de maio. O mar estava revolto, e o ar regurgitava de insetos. O vento agitou seus cabelos, soprando-os em seus olhos, fazendo-a lacrimejar. No horizonte, uma linha amarela separava o oceano do céu acinzentado. Gaivotas guinchavam, rodopiando no ar acima dela e mergulhando. Ela ouvia a respiração do oceano, das ondas que cresciam e iam embora: um sinal de que as monções estavam para chegar. Mesmo ciente de que não era uma boa ideia viajar até Colombo na garupa de uma motocicleta, ela ansiava por uma escapada daquela vida à sombra da morte de Elliot. A garupa de uma moto seria a ocasião perfeita. Mesmo que ficasse ensopada, a empolgação e a velocidade fariam seu coração bater mais forte. Ela ficou rodando no dedo a aliança, que ainda usava. Seria a hora de tirá-la?

Na manhã seguinte, ela acordou às seis para esperar por Leo. Abriu as janelas francesas para contemplar o imenso céu azul. Mas Irene também tinha saído da cama cedo, e Louisa pôde ver que os olhos dela estavam vermelhos de tanto chorar. Sentiu inclusive uma ponta de compaixão pela mulher.

"Como está, Irene?", perguntou Louisa, em tom conciliador. "Quer tomar um pouco de chá?"

Irene retorcia as mãos sem parar, mas nada respondeu.

"Irene?"

As palavras saíram dela numa explosão. "E pensar que ele tinha um filho, esse tempo todo. Como pode ser que você nunca ficou sabendo?"

"A senhora também nunca soube", retrucou Louisa, suavemente.

"Mas você vivia com ele!"

"Ele estava fora o tempo todo. Acabei me acostumando com a situação."

Irene sacudiu a cabeça.

Durante a pausa que se seguiu, Margo entrou.

"Vocês duas, de pé tão cedo assim", disse Louisa. "O que está acontecendo?"

"Convenci mamãe a voltar hoje para Colombo."

"Se você acha melhor", disse Irene, com a voz ligeiramente entrecortada por um soluço. "Já nem sei mais direito o que é certo."

Louisa olhou para a sogra. Parecia fechada em si mesma, como se a cola que a mantinha inteira estivesse se dissolvendo.

"Sente-se, Irene", disse ela, puxando uma cadeira. Irene praticamente se jogou nela.

"Mas, mãe, se alguém aparecer pedindo que a senhora pague alguma dívida de Elliot, avise a polícia na mesma hora", advertiu Margo.

Irene franziu a testa, e então olhou para a filha com uma expressão intrigada no rosto. "Por quê? Que dívidas?"

"O problema, mãe, eu não estava querendo lhe contar, mas parece que Elliot estava passando por certa dificuldade."

Agora Irene estava conseguindo se controlar. "Tenho certeza de que não deve ser tanto assim. Seu pai e eu pagaremos com satisfação o que quer que ele devesse."

"Não, mãe. Estamos falando de uma pequena fortuna."

"Não compreendo."

"É melhor contar tudo a ela", disse Louisa.

Enquanto Margo explicava tudo o que sabia, Louisa ficou olhando para o chão, sentindo o coração apertado. Ouvir tudo aquilo ser exposto era desolador. Quem seria tão inocente de não suspeitar de nada? E agora, como se o espírito sem repouso de Elliot chegasse cada vez mais perto, ela tentava prestar atenção em Margo, mas não conseguia interromper os cochichos dentro da própria cabeça, nem a imagem dele, rindo pelas costas dela.

No final, Irene estava curvada na cadeira, com as mãos na cabeça.

Louisa e Margo se entreolharam. Então Irene se empertigou e apontou o dedo para Margo. "Eu me recuso a acreditar numa só palavra disso! Como vocês duas podem cometer a baixeza de desonrar o nome dele assim? Você sempre teve ciúme do seu irmão, Margo."

"Mãe, é a verdade. Para nós também foi um choque."

O rosto de Irene ficou deformado por um espasmo de dor. "Mas isso é demais. É inacreditável!"

Privada da casca que a protegia, ela parecia indefesa. Louisa, vendo a mulher amedrontada por trás da máscara de dureza, tentou aproximar-se dela. "Ele foi um bom marido para mim. Eu não tinha nenhum motivo para suspeitar de nada."

Irene a fitou com os olhos marejados. "E esse filho. E quanto a esse filho?"

"O nome dele é Conor."

"Você o conhece?"

"Na verdade, não, mas eu o vi."

"E ele se parece com Elliot?"

"Cuspido e escarrado."

"Bem, tudo que eu posso dizer é que estou contente por poder voltar de ônibus para Colombo hoje — a não ser que você queira me dar uma carona." Ela ergueu os olhos para Louisa, esperançosa.

"Na verdade, eu estou mesmo planejando ir hoje a Colombo, mas na garupa de uma moto."

"Não é um tanto arriscado? Ainda mais tão pouco depois da partida do meu querido Elliot."

O *querido* foi a gota d'água, que deixou Louisa incapaz de controlar a língua. "Seu *querido* Elliot, que passou oito anos tendo um caso em segredo? É *desse* Elliot que a senhora está falando, Irene?"

Suas palavras ficaram pairando no ar.

Minutos depois, Louisa subia na garupa da moto, passando cuidadosamente os braços ao redor de Leo. Controlando os nervos, e ansiosa em razão da proximidade física e do calor do corpo dele, ela respirou fundo. Sentia o cheiro de canela da roupa do homem, e um leve toque de algum tipo de loção pós-barba. Aos poucos, no caminho, ela foi relaxando, recostando-se mais e desfrutando da sensação de intimidade. Como sentia falta daquilo! O contato. O calor. A proximidade. E, embora ela mal conhecesse Leo, apoiou-se nele com uma sensação cada vez maior de libertação. Era tão bom sentir-se próxima de alguém daquele jeito. Tão bom.

A viagem para Colombo era de dar medo, mas ela não se importou. Apesar da velocidade, sentia que podia confiar em Leo e, cada vez que ele acelerava, tinha a impressão de se libertar das amarras do dia a dia. O vento soprava em seu rosto, e a sensação era revigorante. De vez em quando ela olhava para cima, para o céu que se fechava, e para o lado, para o mar de aparência tão revolta, mas até ali não havia chovido. Era uma viagem cheia de saltos e solavancos, em que ela sentia o tempo todo o corpo dele próximo do seu. Até que eles chegaram, um pouco chacoalhados, mas inteiros. Ao descer da moto, ela sentiu as pernas vacilarem, mas ele estendeu a mão para apoiá-la. Louisa deu um sorriso, e ele riu.

"Sente-se melhor?", perguntou ele.

"E como!"

Ele estacionou a moto e disse que precisava pegar alguns víveres, mas que a encontraria no escritório. Quando pôs a mão no ombro dela, seu toque provocou um leve arrepio. Ela ficou a observá-lo se afastando. Naquele dia estava usando calça de sarja e uma jaqueta de algodão, por cima de uma camisa com gravata. Ainda era um traje casual, mas ela nunca o tinha visto tão elegante. Passou pela loja Cargills e seguiu pela viela que conduzia ao escritório da empresa de especiarias.

No final da viela, havia um homem de pé. Ao se aproximar, Louisa percebeu que ele não tirara de cima dela os olhos frios e azuis. Quando a voz dele interrompeu suas divagações, falou com um sotaque australiano.

"Sra. Reeve?"

"Quem quer saber?" Ela sentiu uma pontada de apreensão e desejou que Leo não estivesse longe, sobretudo porque o homem era bem mais alto que ela e bloqueava a passagem.

Ele sorriu. "Era hora de termos uma conversinha amigável."

"Estou um tanto apressada agora. Tenho um compromisso de trabalho." Apesar de nervosa, ela sustentou a firmeza na voz.

Ele balançou a cabeça. "Meus pêsames pelo seu marido."

"O senhor conheceu meu marido?"

O homem fez sinal afirmativo com a cabeça. "E acho que a senhora pode ter em seu poder algo que me pertence."

Ela sentiu a respiração entrecortada, mas não evitou o olhar fixo dele. "Quem é o senhor?"

Ele sorriu de novo. "A senhora pode me chamar de Cooper."

"Estou certa de que não estou de posse de nada seu."

"Sou totalmente a favor de mantermos a conversa em tom amigável. Estou falando de uma certa dívida financeira. Acredito que meu colega, o sr. De Vos, já mencionou a respeito."

"Ele é seu colega?"

Ele fez que sim.

"Já está sendo providenciado, então."

"Providencie." Quando ele estendeu o braço e segurou o dela, ela olhou para a viela atrás dos dois, e de novo para o homem.

"Faça-me o favor de me deixar passar."

Ao ouvir um ruído, Louisa virou a cabeça de novo, e viu Leo subindo a viela lentamente, empurrando a motocicleta. Ele encostou-a contra uma parede e então, aparentemente percebendo algo errado, caminhou depressa na direção deles. Quando Leo se aproximou, o homem soltou o braço de Louisa. Leo empertigou-se e deu mais um passo para a frente. Embora o homem fosse alto, Leo era visivelmente mais forte. Os dois se encararam num silêncio cada vez mais incômodo.

Depois de um momento, o homem deu uma risadinha leve para si mesmo e deu de ombros.

Louisa achou que Leo fosse atacar o australiano a qualquer momento. Em vez disso, ele recuou um passo.

"O que está acontecendo aqui?", perguntou ele.

O homem não respondeu.

"Sugiro que você vá cuidar da sua vida."

Cooper limpou a poeira da roupa enquanto sorria friamente para Leo. Então, foi embora.

Leo virou-se para ela. Ela deu um passo para trás e respirou lentamente, antes de pôr a mão sobre o coração acelerado.

"Graças a Deus você chegou naquela hora", disse ela, um tanto nervosa. "Aquele homem me deu medo."

"O que ele queria?"

Ela suspirou fundo e contou a respeito das dívidas de Elliot. Para Louisa, doía dizer aquilo em voz alta, da mesma forma que tinha doído ouvir Margo contar a Irene. Mas ela sabia que não podia mais proteger a reputação de Elliot.

"Será que devemos ir à polícia falar desse homem?", perguntou ela.

"E dizer o quê? Não estou certo de que adiantaria muita coisa. A esta altura, ele já vai estar longe, e do que exatamente iríamos acusá-lo?"

"Ele disse que se chama Cooper."

"Duvido que seja o verdadeiro nome dele. Vamos subir agora? Ainda é o que você quer fazer?"

Ela fez que sim com a cabeça.

"Só vou pegar a moto."

Ele estacionou a motocicleta ao lado do escritório e abriu a porta para ela. "O que me preocupa é que ele parecia estar esperando você — como diabos podia saber que você estaria aqui hoje? Quem mais sabia?"

Ela sentiu um calafrio percorrer seu corpo. De fato: quem?

No andar de cima, Nihil cumprimentou Louisa calorosamente e pediu café para todos.

Os dois se sentaram, e Louisa explicou o que os trouxera até ali.

"Pois bem", disse o gerente, olhando para Leo. "Você pode garantir uma remessa grande? Muitos dos meus fornecedores de canela mais ao norte foram afetados pela seca. Por isso, estou enormemente interessado na sua resposta."

"Venho trabalhando dia e noite, junto com meu pessoal. Nosso produto é de primeira qualidade. Trouxe uma amostra."

Ele tirou um ramo da sacola.

Nihil pegou-o, esfregou-o entre os dedos e cheirou. "Excelente. Tenho certeza de que podemos fazer uma proposta vantajosa." Ele rabiscou alguma coisa numa folha de papel e entregou-a a Leo. "Que lhe parece?"

Leo assentiu. "Acho que fechamos negócio."

Os dois homens se cumprimentaram, e Louisa prometeu que seu advogado poria o acordo no papel, deixando-o pronto para Leo assinar.

"A propósito", disse ela, olhando para Nihil. "O senhor contou a alguém que eu viria hoje?"

"Devo ter comentado com minha filha, e só."

Na hora em que o encontro terminou e eles voltaram para a rua, a chuva já estava caindo com força.

"O que você quer fazer?", perguntou ele, deixando a água cair na palma da mão.

Ela olhou para o céu e fez uma careta.

"Trouxe capas impermeáveis na moto, se isso ajudar."

"Ou podemos fazer uma boquinha enquanto esperamos a chuva passar."

"Pode ser que piore."

Ela sorriu e olhou para o relógio. "Pode, mas você não está com fome?"

Ele concordou.

"Então vamos para o hotel Galle Face. Eu convido."

"Não precisa se incomodar."

"Faço questão. Eles têm ótimos frutos do mar, se ainda estiverem abertos. Podemos comer na varanda, olhando a chuva. Preciso ver um advogado, depois, para conferir umas coisas. Você se importa em ficar um pouco mais? Isso vai exigir pegar a estrada à noite."

"De forma nenhuma. Minha dúvida é se tomamos a decisão certa de ir e voltar no mesmo dia."

Depois de deixar a moto na viela, eles deram um pique e, quando finalmente se sentaram em confortáveis cadeiras de junco, na bela varanda em arcada do hotel, a chuva estava ainda mais forte. O barulho abafava o som da louça e dos copos.

"Não é bonito?", perguntou ela, falando alto.

"Maravilhoso."

Eles pediram os pratos. Ela o observava enquanto ele contemplava a chuva. Ele penteou para trás os cabelos molhados, e sua pele brilhava. Era impossível para ela não pensar naquele homem. Tão atraente, e mesmo assim solitário. Louisa olhou para a chuva, que caía levantando a água a quase um metro. Ao virar-se, notou que os olhos dele estavam fixos nela. Ele sorriu lenta e preguiçosamente. Ela teve vontade de estender o braço e tocar seu rosto. Em vez disso, baixou os olhos para a mesa e sentiu que ruborizava.

Na verdade, a temperatura tinha caído. Apesar da sensação de que o rosto estava queimando, um pouco de frescor era um alívio, depois de transpirar na umidade entorpecedora.

"Pois bem, fale-me mais de você", disse ele.

Ela ergueu os olhos. "Minha vida foi muito comum."

"Duvido."

Ela refletiu um pouco. "Bem, até recentemente."

"Louisa, eu..."

"Sim?"

"Eu estou gostando do dia de hoje." Ele sorriu de novo, formando rugas ao redor dos olhos.

"Eu também. Tirando aquele homem sinistro, Cooper."

Depois de comerem, a chuva deu a impressão de ceder um pouco. Ela tirou do bolso a cópia do contrato que De Vos lhe dera, conferiu o endereço do advogado na primeira página e se levantou. "Venha comigo, se quiser."

Eles caminharam uma curta distância, enquanto a chuva dava uma trégua, e em pouco tempo foram parar na entrada do imponente escritório Jefferson & Chepstow.

Passaram pela recepção, pediram para falar com um dos sócios e aguardaram, até que um homem baixinho e calvo veio recebê-los.

"Brian Chepstow", disse ele. "Em que posso ajudar?"

Ele indicou o caminho, e os dois o seguiram até sua sala, onde Louisa entregou-lhe o contrato. "Acho que foi seu escritório que redigiu", disse ela. "O senhor pode dar uma olhada e, quem sabe, conferir seus registros?"

Ele analisou o papel e franziu a testa. "Bem, este aqui é o nosso antigo timbre, mas já mudamos há mais de um ano. Agora somos 'R. A. Jefferson', e não mais 'G. Jefferson'. Richard, meu atual sócio, é filho do velho Gerald Jefferson. Aparentemente, está assinado por Gerald — mas está datado de seis meses depois da sua morte, e ele se aposentou seis meses antes disso. Nem preciso conferir meus registros, posso lhe afirmar desde já, e categoricamente, que isto não foi redigido por nós. Ao que devo acrescentar que nosso papel carbono é verde, e este aqui é azul. Tenho a forte impressão de que este documento pode ser fraudulento." Ele anotou alguns detalhes. "Quem entregou isto à senhora?"

Louisa embaralhou-se na resposta, sem querer revelar coisas demais. "Encontrei em meio aos papéis de meu falecido marido."

"Bem, pode ser que eu tenha que dar uma investigada nisto. Vou contatá-la assim que descobrir alguma coisa, mas neste momento posso assegurar que este suposto contrato não teria validade em nenhum tribunal que eu conheça."

Louisa agradeceu a ele pelo tempo e saiu com Leo.

"Do que se tratava?", perguntou Leo, quando os dois já se encontravam na calçada.

"Uma pessoa me deu um contrato como prova de dívidas que

Elliot teria assumido, mas você ouviu o que o sr. Chepstow acabou de dizer."

"Estranho."

"Muito." Ela ponderou se deveria contar que Cooper dissera ser parceiro de De Vos, cujo nome era citado no contrato, mas acabou resolvendo afastar a ideia da cabeça por ora. "Mas talvez fosse melhor irmos agora, que a chuva não está tão forte?"

"Um pouco de umidade não a incomoda?", perguntou ele.

Ela deu risada. "Eu não sou uma moça do tipo caseira. Vamos buscar a moto."

Enquanto ele a conduzia pela estrada costeira, ela o segurava com força, novamente empolgada pela proximidade dele. Dava para sentir a força e a energia do corpo de Leo, retesado, pilotando a moto em meio ao vento que assobiava. No início, a chuva deu uma trégua, mas depois de mais ou menos uma hora e meia o mar começou a ficar ainda mais encapelado. Ele parou para os dois colocarem as capas impermeáveis na cabeça, mas já tinha escurecido, e a chuva caía em trombas, impedindo-os enxergar muito à frente. Quando a moto começou a derrapar, ele diminuiu o ritmo, mas não foi o bastante — uma rajada forte os tirou da estrada, na direção do mar. A moto quase tombou, mas ele conseguiu segurá-la antes que caíssem no chão.

"Estamos perto dos mangues de Madu Ganga, acho, perto da vila de pescadores de Balapitiya. Vamos ter que procurar abrigo em algum lugar", disse ele, ainda montado sobre a moto parada.

Ela tentou enxergar na escuridão. "Mas são quilômetros e quilômetros sem vivalma."

"Até onde me lembro, tem algumas cabanas de pescadores em algum lugar perto daqui. Vamos na direção delas. Eu empurro a moto."

Eles progrediram lentamente. Um pouco antes de chegarem a uma cabana, Louisa tropeçou e caiu. Ele a amparou, mas seu tornozelo doía.

"Acho que torci."

"Não quer sentar na moto? Agora estou vendo o contorno de uma cabana. São só uns vinte metros até lá."

Ele acendeu uma lanterna, e os dois conseguiram achar o caminho até uma cabana feita de bambu, coberta com frondes de coqueiro trançadas. Ele abriu a porta, empurrou a moto para dentro e depois ajudou Louisa. Ela sentiu o cheiro do local. Apesar de ainda feder a peixe, parecia mofado e abandonado. Com a lanterna, ele iluminou algumas cordas velhas enroladas no chão e sacas em outro canto. Ajudou-a a encontrar um lugar para se sentar, longe de uma goteira no teto, tirou uma lamparina de querosene da mochila e sentou-se ao lado dela. Com a lamparina acesa, Louisa ficou olhando para as sombras que a luz lançou sobre as paredes. Sentindo-se um pouco apreensiva, arrepiou-se. Mesmo de dentro da cabana, ouvia a força com que as ondas batiam nas pedras.

"Está com frio?", perguntou ele.

Ela sorriu. "Você não está, escoteiro?"

"Quando viajo de moto eu sempre venho preparado."

"Bem, frio exatamente não. Só estou encharcada."

Ele tirou a capa e a jaqueta e cobriu os ombros dela. "Está parecendo que você precisa de um bom drinque."

"Sim."

Sob a luz fraca da lâmpada, ele pegou um frasco de uísque, abriu a tampa de rosca, que também fazia as vezes de copo, encheu um pouco e entregou a Louisa. Ela tomou um gole e sentiu o calor invadir seu peito.

"Pois bem", disse ela, ciente de que estavam a sós, naquela diminuta cabana, e que precisava dizer alguma coisa normal. Na verdade, não havia nada de corriqueiro naquela situação, e nada nele era comum. A verdade é que ela o achava cheio de vida, e era estimulante estar ao seu lado.

"Deve ser solitária a vida lá na fazenda", disse ela, por fim.

"Eu não sou exatamente muito sociável."

"Você gosta de ficar sozinho?"

"Sim. Mas tenho coisas para fazer o tempo todo."

"Você e Elliot chegavam a conversar?"

"Não muito."

Um raio iluminou a cabana, colorindo de azul o rosto dele.

"Tem eletricidade lá?"

"Ainda não. Somos um tanto rústicos."

"Era o que Elliot dizia também."

Leo assentiu, mas sem olhá-la nos olhos. Serviu outra dose de uísque e bebeu.

"A moto ainda está funcionando?"

"Enguiçada não está."

Ela tentou se levantar, mas o tornozelo doía. Sentou-se de novo, e de qualquer maneira não tinha vontade de ir para casa — além de não conseguir deixar de pensar em Leo. Havia alguma coisa inatingível nele, como se estivesse um pouco fora do alcance, e ela queria saber mais a seu respeito. Ele se sentiria sozinho na fazenda? Parecia levar uma vida solitária. Mas como perguntar-lhe mais sem parecer demasiadamente enxerida?

"E então", decidiu-se enfim a dizer. "Você sempre morou sozinho?"

"A maior parte do tempo. Andei viajando, por aqui e ali. Foi só quando herdei a fazenda, acho, que eu posso dizer que comecei a parar quieto. Agora que estou com quase quarenta, acho que já era tempo de fazer isso direito."

Ela vacilou por um instante, e então sorriu para ele. "Nunca quis se casar?"

Outro relâmpago iluminou o rosto dele, e ela notou sua hesitação.

Seus olhares se cruzaram, e os dois ficaram imóveis por um instante. "Parece que nunca surgiu o lugar certo na hora certa, ou a pessoa certa", disse ele, por fim.

"Mas mulheres deve ter havido", disse ela.

Ela pôde ouvir o ruído forte do seu suspiro. "Ah, sim."

"Alguma em especial?"

"Uma só."

"Quer me contar mais sobre ela?"

Ele deu de ombros. "Não há muito a dizer. Ela se casou com outro."

"O que aconteceu?", perguntou ela, e embora tivesse falado com ar conformado, Louisa sentiu que dentro dele ainda doía.

"Faz uns oito anos. O nome dela era Alicia, e era cantora em uma casa noturna de Singapura."

"E então?"

"Ela era bonita. Cabelos longos, castanhos, olhos azuis bem brilhantes e uma voz de anjo."

"Pelo visto você a amava."

Ele deu um suspiro profundo. "Nós íamos nos casar."

"O que aconteceu?"

Ele baixou a cabeça antes de voltar a erguer os olhos para ela. "O problema era que não era a mim que ela amava."

"Vocês chegaram a ficar noivos?"

"Chegamos."

Fez-se um breve silêncio, e ela estendeu o braço para tocar o dele. Ela sentiu com força a corrente que passou pelos dois.

"Sinto muito."

"O pior não foi isso. Ela foi embora uma noite e eu nunca mais pus os olhos nela. Tempos depois descobri que tinha se casado com meu melhor amigo, e que durante meses se encontrava com ele pelas minhas costas."

"Oh, meu Deus! Deve ter sido dolorido", ela deixou escapar.

Fez-se um silêncio incômodo.

"Pois é", disse ele, enfim. "Por isso eu entendo de verdade como você se sente em relação a Elliot e Zinnia."

"Sim, eu entendo. Você voltou a ter notícias deles?"

Ele baixou o tom de voz e ela teve que se inclinar para escutar. "No fim, voltei. Uns dois anos depois recebi uma carta dele, dizendo que Alicia tinha morrido no parto."

"Nossa, isso é terrível."

Ela olhou para o chão antes de erguer os olhos e encontrar o olhar dele. Um olhar que não tinha fugido do seu e não voltaria a fugir. "Você deve ficar pensando em como poderia ter sido."

"Talvez. Mas não sou muito de ficar remoendo. O que me interessa é o futuro."

"E o passado?"

"Quando eu era mais moço, vivia à procura de alguma coisa. Achava que ela podia ser a resposta."

"Mas não foi?"

"Não."

"E você encontrou? A resposta que procurava?"

"Não totalmente. Acho que nem sei o que eu procurava."

"Todos nós estamos à procura de alguma coisa, não?"

"Parece que sim."

Consciente da proximidade entre os dois, Louisa puxou o ar lentamente, e então soprou, tentando se situar em meio a emoções complexas.

"E você, Louisa, o que está procurando?", prosseguiu ele.

Ela gostava da forma como ele dizia seu nome — de um jeito que o fazia soar novo e especial. "Talvez seja mais uma vontade não satisfeita do que uma busca. Eu queria ter filhos. Queria muito."

"Eu lamento."

Ela o fitou e, mesmo sob a luz fraca da lâmpada, comoveu-se com a compaixão nos olhos dele.

"Maternidade. Nós, mulheres, somos programadas para isso, não? Para sermos mães. Minha infância sem mãe foi solitária, às vezes. Por isso acho que eu queria criar a família que nunca tive."

"É duro para você."

"Muito. Mas é assim que as coisas são."

Ele ficou a observá-la longamente, com ar inquisidor. "Admiro a forma como você lidou com tudo isso."

Ela engoliu em seco, com um nó na garganta. "É mesmo?"

"Com certeza."

"Obrigada."

Os dois ficaram em silêncio por alguns minutos, fazendo companhia um ao outro. Louisa ficou pensando nos filhos perdidos, sem saber no que Leo estaria pensando.

"Mas que vida emocionante você deve ter tido", disse ela, por fim. "Me fale dos lugares por onde esteve."

"Quer mesmo saber?"

"Sim." Ela sentia que sua tensão se esvaía. Compreendeu que, desde que chegara àquela pequena cabana, ouvindo o barulho da chuva, queria ficar assim, a sós com ele, conversando e ouvindo sua voz.

"Bem, eu trabalhei durante dez anos em um seringal na Malásia, e passei algum tempo na Indonésia. Na maior parte do tempo, andei pelos trópicos, de um jeito ou de outro."

"Desculpe por me intrometer", disse ela, achando que podia estar perguntando demais.

"De forma nenhuma."

Ela ouviu um movimento. "Aqui tem morcegos?"

"Duvido."

Mas ela deu um salto quando ele iluminou com a lâmpada um lagarto que surgira de um canto e começou a correr pelo chão. Quando voltaram a ficar em silêncio, ela se deu conta do aroma de sua pele, mistura de sal e especiarias, e da parafina da lâmpada. Foi aí que ele se inclinou em sua direção e acariciou gentilmente seu rosto.

Louisa fechou os olhos e deixou a sensação tomar conta de seu corpo inteiro. Apesar disso, depois de alguns segundos, ela se afastou. Ouviu o gemido de algum animal na chuva, um ruído solitário e incômodo, seguido do pio de uma coruja.

"Leo..."

"Desculpe. Eu não deveria."

"É que..."

"Eu entendo."

"Vamos ficar aqui sentados até a chuva passar."

Nenhum dos dois se mexeu. Mesmo perturbada pelo que quase tinha acontecido, e o que podia significar, ela sentiu uma tranquilidade dentro de si.

28

Cooper, o australiano, ainda assombrava a mente de Louisa, assim como o contrato falsificado. Como essas duas coisas ainda a inquietassem, pela manhã, depois que Leo a deixou em casa, e antes de levar os cães para passear, ela pediu a Ashan que viesse à sala de estar principal. Felizmente, não havia torcido o tornozelo, que já não a incomodava tanto. Enquanto esperava, ela andava de um lado para o outro da sala, contemplando os raios de sol que formavam listras iluminadas no chão. A sala inteira parecia brilhar, mas era um daqueles momentos em que ela gostaria de ter Elliot ao lado, algo que não tinha como impedir, por mais que lutasse contra. E o que havia acontecido com Leo, o fato de ela querer tanto ser tocada por ele, servia apenas para deixá-la mais desconcertada. Louisa ansiava por contato físico, mas dentro de sua cabeça ainda era uma mulher casada e, apesar de tudo, não era fácil virar a chave.

Ela não convidou Ashan a sentar-se. De onde estava, ficou olhando para ele. Era incômodo, para ela, pensar que alguém dentro da casa pudesse ser acusado, mas era necessário fazer a pergunta.

"Ashan, ouça, faz anos que você é nosso mordomo."

Ele fez que sim com a cabeça e abriu um largo sorriso. "Dez anos, madame, e antes disso fui criado do seu pai."

"E, durante seu período como mordomo, cuidou muito bem de nós, e por isso eu lhe sou agradecida."

Ele fez uma ligeira mesura. “A satisfação é minha.”

Ela respirou fundo antes de tocar no assunto. “Tive um pequeno contratempo e queria saber se você poderia me ajudar. Você sempre me deu assistência, e ao meu pai antes de mim, no recrutamento de pessoal novo. Não deu?”

“Sim, madame. Com muito prazer.”

“Então, eu tenho uma pergunta para lhe fazer.”

“Pois não, senhora.”

“Eu estava pensando, tem alguém aqui em quem você não confie totalmente?”

Ele franziu a testa, como se mostrasse que a pergunta o incomodava. “Conheço alguns melhor que outros, mas confio em todos eles.”

“Pois bem, preciso que você mantenha os olhos abertos. Receio que alguém esteja passando informações a respeito do que estou fazendo. Você pode cuidar disso?”

“Certamente, senhora. Seria de fato deveras preocupante.”

“E nem preciso dizer que precisamos manter o assunto estritamente entre nós.”

Ela o dispensou e sentou-se um pouco, pensando nos empregados da casa, na esperança de que todos fossem de confiança. O cozinheiro trabalhava com seu pai muito antes de passar a trabalhar com ela, depois do casamento. Ele chegou a ter um assistente de cozinha, um pouco lento, porém muito simpático, mas agora tinha a moça francesa, Camille, que se revelara indispensável. Havia mais dois auxiliares que cuidavam da limpeza e do serviço. Um era sobrinho do cozinheiro e o outro trabalhava com ela havia seis meses. Havia ainda uma governanta em tempo parcial e um lavador. Apenas Ashan, Camille e o cozinheiro moravam na casa. Também havia um jardineiro, mas ele raramente teria acesso ao paradeiro de Louisa.

Quando a chuva deu uma trégua, ela pegou os cães e saiu para visitar Himal, um mestre de obras cingalês que já tinha trabalhado com ela, para pedir um orçamento para a reforma do prédio da Imprensa. Enquanto caminhava, jogava uma bolinha para os cães. Bouncer era, em geral, o que pulava nela primeiro, e não a devolvia, mas desta vez foi Tommy quem a pegou e trouxe para que fosse jogada de novo.

Ficaram brincando na rua silenciosa e depois ela os prendeu de novo nas coleiras.

Ao chegar ao quintal do mestre de obras, ela não tardou a encontrar Himal. Embora não cobrasse barato por seus serviços, ele era confiável e competente. Tinha feito um bom trabalho ao acrescentar um andar na casa de Louisa. Já no escritório, ela abriu suas plantas, dispondo-as sobre a mesa. Enquanto ele inclinava a cabeça para esmiuçar o projeto, ela imaginou o empório em sua mente: um palácio iluminado e brilhante, com joias exóticas de safira e outros objetos fascinantes, uma caverna de Aladim de bons negócios.

"Como o senhor vê, quero manter a área da galeria superior, para expor obras de arte, e transformar cada sala do andar de baixo em um espaço para vender produtos diversos. Mas preciso manter os custos bem baixos mesmo."

Ele ergueu os olhos para ela, com ar de conhecedor. "A senhora sabe se alguma das paredes é uma divisória?"

"Não. Isso faz diferença?"

"Pode fazer. Preciso ver. Mas, no fundo, parece mais uma questão de limpeza do piso e das janelas, certificar-se de que está tudo firme e passar uma demão de tinta no lugar como um todo. Tem eletricidade?"

"Tem. O prédio vai precisar de alguns reparos, claro. Pensei em fazer mostruários de madeira de canela, para economizar, mas balcões bem bonitos em ébano do Ceilão."

"Eu trabalho com ótimos carpinteiros", respondeu ele, coçando a cabeça. "Tenho certeza de que dá para economizar mantendo a qualidade que a senhora deseja, se o prédio estiver em bom estado, mas, como eu disse, preciso dar uma olhadinha. A senhora pode deixar a chave comigo?"

Ela entregou-lhe a chave e perguntou quando ele estaria disponível para começar.

"Dentro de um mês, mais ou menos, calculo."

Ele concordou em apresentar um orçamento dali a uma semana. Ela saiu contente por ver as coisas se ajeitando aos poucos e seu sonho dourado próximo de enfim se tornar uma realidade.

*

Dois meses passaram lentamente. Louisa ainda pensava em Elliot, mas aos poucos percebeu que acordava com o coração menos pesado. As tarefas do cotidiano estavam começando a interessá-la de novo como antes, e ela dava longas caminhadas pela praia. Concordou com o orçamento proposto por Himal, e as obras já estavam bem adiantadas. Também tirou da cabeça o australiano e De Vos. Até ali, nenhum dos dois tinha reaparecido.

Dali a menos de quinze dias, seria realizado o baile anual de verão do hotel New Oriental. A maior parte dos produtores de borracha comparecia com as esposas, e Louisa sempre gostou de comparecer com Elliot a um evento romântico como aquele. Sempre fora uma ocasião especial para os dois. Naquele ano, teria que ir com o pai.

Ela pensou no evento do ano anterior e lembrou que, embora estivessem em uma fase boa, Elliot havia desaparecido por quase uma hora durante a noite. Quando por fim reapareceu, deu uma desculpa de que estava conversando com um velho amigo, o que a deixou incomodada. Na época, pareceu-lhe ligeiramente estranho, mas nada além disso. Agora, ela se perguntava se já naquela época Elliot havia começado a se endividar.

Depois de um longo e aborrecido atraso, finalmente chegou o contrato de que ela e Leo precisavam assinar para que Louisa exportasse a canela produzida por ele. Desde a viagem a Colombo, não tinha visto Leo, e ainda não havia conseguido equacionar em sua mente a complexidade do que havia sentido por ele em seu último encontro. Que sentia alguma coisa, era impossível negar, mesmo tanto tempo depois, e ela ponderou se era sensato convidá-lo a acompanhá-la ao baile. Não queria transmitir uma impressão errada e, embora o pensamento a deixasse tensa, também tinha ciência de que a ideia lhe trazia uma pontada de satisfação. Depois de respirar fundo, ela riu ao pensar como aquilo a fazia sentir-se mais jovem, e decidiu convidá-lo. Mas, como ainda tinha alguma consciência de um desejo recôndito de se vingar de Elliot, precisava ter clareza em relação ao motivo para convidar Leo. Andou de um lado para o outro, refletindo, mas acabou concluindo que tudo que a fazia sentir-se seguindo em frente não podia estar errado.

Na hora em que estava conferindo o penteado no espelho do salão, batidas na porta da frente interromperam suas divagações. Decidiu não esperar por Ashan. Ao abrir ela mesma a porta, surpreendeu-se ao ver um homem de cabelos claros.

"Posso ajudá-lo?", perguntou, pensando que poderia ser alguma espécie de vendedor e se recriminando por não ter esperado Ashan atender.

O homem parecia um tanto inseguro ao começar a falar. "Perdão por incomodá-la. Mas estou à procura de Margo Reeve. Em Colombo fui informado de que ela está hospedada em sua casa."

Louisa franziu a testa. "Ela está à sua espera?"

Ele baixou os olhos e torceu o chapéu nas mãos.

"Meu nome é William Tyler. Talvez ela tenha falado de mim."

Louisa levou a mão à boca, e sentiu na mesma hora que precisava proteger Margo. "Oh... bem, suponho que seja melhor entrar. A propósito, eu sou Louisa Reeve."

"É um grande prazer conhecê-la. Espero que aceite minhas sinceras condolências, sra. Reeve."

"Obrigada."

Ela o levou até a sala de estar e foi buscar a cunhada, que ficou roxa quando soube que William estava ali. Seu rosto, boquiaberto de espanto, e seus olhos, revirando em todas as direções até se fixarem no rosto de Louisa, traíam seu nervosismo.

"Oh, meu Deus. O que devo dizer a ele?"

Louisa não conseguiu segurar o sorriso. "Depende do que ele quer."

Ela foi para a sala de estar um passo à frente de Margo. Ao chegar à porta, Louisa fez menção de se afastar.

"Não, fique, por favor, fique", sussurrou Margo, pondo a mão no braço de Louisa para retê-la.

"Tem certeza?"

Assim que as duas entraram na sala, William ficou de pé. "Margo, eu..."

Margo não foi até ele. Permaneceu imóvel. Louisa sentiu a tensão palpável entre os dois. Embora a sala estivesse em silêncio, do lado de fora os pássaros faziam algazarra, e o jardineiro aparava a grama. Louisa ouviu um de seus cães latindo para o cortador de grama. Olhou em torno da sala, com vontade de sair correndo dali.

"Margo, eu realmente acho que..."

"Fique, Louisa. Não tem nada que William não possa dizer na sua frente."

"Para falar a verdade, Margo", disse ele. "Eu tenho..."

"Quero que ela fique", interrompeu Margo, num tom de voz firme.

Louisa concordou e apontou o sofá e as cadeiras. "Se é o que você deseja, mas é melhor nos sentarmos em vez de ficar assim, de pé. Vou pedir uma bebida gelada."

William sentou-se numa poltrona e Margo, na ponta da cadeira mais distante que conseguiu encontrar. Louisa notou como Margo olhava para o chão, incapaz de encará-lo, nem mesmo por um instante. Até que criou coragem.

"O que você quer, William?", disse ela, finalmente olhando-o nos olhos, mas com a voz levemente embargada. "Não consigo imaginar que tenha vindo aqui para nada."

Ele parecia hesitante. "Eu poderia ter escrito."

"Poderia."

"Eu tinha o endereço dos seus pais. Quando fui até lá, seu pai me disse que você estava aqui. Lamento muito pelo seu irmão."

Ela inclinou a cabeça e piscou os olhos para reter as lágrimas. "Por favor, não seja gentil comigo."

Fez-se um breve silêncio.

"Eu queria ver você." Ele fez uma pausa e hesitou de novo. "É que Deirdre me pediu o divórcio."

Margo levantou-se, empalidecendo. "Por minha causa?", perguntou, com dificuldade para assimilar a informação.

Ele fez que não com a cabeça. "Não só, mas ela disse que quer incluí-la como parte implicada no processo."

Depois de respirar fundo, Margo arregalou os olhos. "Mas isto é terrível."

“É, sim. Mas você não entende o que significa?”

Margo fitou Louisa, com ar inquisitivo. Erguendo as palmas das mãos, Louisa deu de ombros, sem conseguir deixar de sentir-se perplexa.

“Significa que podemos nos casar um dia. Se você ainda me quiser”, disse ele, com um olhar decidido, já sem nenhuma hesitação.

Margo sentou-se de novo repentinamente, com a respiração entrecortada. “Minha mãe vai ter um troço.”

“Isso quer dizer sim?”

“Eu não disse isso.”

Ele abriu um sorriso sincero e carinhoso, em parte de incentivo, em parte de esperança. “Por favor, Margo, Pense nisso. Pode ser nossa chance.”

Suspirando profundamente, Margo olhou para as mãos, que mantinha no colo, contorcendo-as sem parar. Então, erguendo os olhos, retribuiu o sorriso. Mas era um sorriso nervoso e vacilante. “Me conte tudo.”

“O que quer saber?”

“Por que ela decidiu que quer o divórcio? Contou a ela a meu respeito?”

“Só depois que ela tocou no assunto do divórcio. O que eu sempre dizia era verdade. Faz anos que não somos felizes. Agora, ela herdou uma quantia e quer voltar a morar em Devon, onde nasceu.”

“Ela não pediu que você vá com ela?”

“Não. Ela sabe que eu preciso ficar onde trabalho. Todos os meus clientes moram em Kent.”

“E onde nós viveríamos?”

“Quer dizer que você pensaria na ideia? Meu receio é que seu nome seja arrastado na lama.”

Ela piscou várias vezes, como se estivesse refletindo. “Não sei.”

“Margo, minha querida.” Ele fez uma pausa. “Você deve saber o quanto isso representa para mim.”

Ela assentiu, mas Louisa teve a impressão de que Margo estava a ponto de chorar. Aproximou-se, para ficar ao lado dela, e pousou uma mão reconfortante no ombro da cunhada.

"Você sentiu minha falta?", perguntou William. "Desde que você foi embora, senti sua falta a cada minuto."

"Escutem só", disse Louisa, dando um apertão no ombro de Margo, "vou ver o que aconteceu com Ashan. Acho que vocês dois precisam discutir isto entre si. Não precisam de mim aqui vigiando nada. E, Margo, não se deixe influenciar por aquilo que a Irene disser."

"Você acha que eu devo aceitar?"

"Acho que todos nós temos que aproveitar a chance de sermos felizes quando queremos." Tendo dito isso, saiu da sala. Pobre Margo, pensou, enquanto ia falar com Ashan; era uma decisão difícil. Ser citada no processo do divórcio seria péssimo, e revelaria o caso dos dois a todo mundo. Mas, se ela amava William de verdade, tanto quanto ele dizia amá-la, talvez fosse a decisão certa.

29

O sorriso dele, ao vê-la, foi surpreendente, iluminando os ângulos ásperos de seu rosto. Ela chegou a abrir a boca, mas acabou engolindo as palavras.

"Entre", disse Leo.

Ele deu um passo para trás para deixá-la entrar. Os dois subiram a escada e foram até um quarto confortável, mas um tanto desarrumado, atulhado de livros, várias lâmpadas a óleo e algumas velas.

Enquanto esperava de pé bem na entrada da sala, Louisa ainda lutava para deixar o passado para trás. Cansada da presença constante de Elliot em sua mente, olhou para Leo e, vendo-o sorrir de maneira tão generosa para ela, deixou de lado o fantasma de Elliot. Aliviada, fitou os olhos negros e doces de Leo. Embora ainda estivesse sorrindo, ela notou um quê de alguma coisa que ainda não havia percebido. Tristeza, talvez. Ela não tinha certeza.

"Que prazer vê-la", disse ele. "Já fazia tempo."

"Fazia."

"E então?"

Ela tirou um envelope. "Trouxe o contrato para você assinar. Desculpe por ter demorado tanto."

"Você poderia ter mandado pelo correio."

"Poderia."

"Mas decidiu vir."

"Decidi."

"E?" Ele estendeu a mão para pegar o contrato. Sentindo o calor da sua pele ao roçar os dedos nos dele, ela teve vontade de reagir. Em vez disso, afastou a própria mão, sentou-se numa cadeira e ficou mexendo com as unhas.

"Louisa", disse ele. "Desculpe se passei dos limites."

"Não passou", disse ela em voz baixa, lembrando como se sentira quando ele tocou seu rosto na cabana do pescador. Ela olhou pela janela, no momento em que o sol saía brevemente por entre as nuvens. Ela se lembrava com exatidão do momento em que soube que ia se casar com Elliot, e de como aqueles primeiros dias pareciam sempre ensolarados. Estavam dividindo um sorvete no hotel Galle Face, em Colombo, e quando ele limpou sua bochecha ela sentiu certeza absoluta. Agora, tinha perdido a capacidade de confiar nas próprias emoções. Porém, apesar dessa desconfiança, era obrigada a reconhecer que parecia haver algo estimulante entre ela e Leo. Quando levantou a cabeça e olhou para ele, admitiu para si mesma o quanto queria conhecê-lo melhor.

"Em que você está pensando?", perguntou ele. "Às vezes tenho a impressão de conhecê-la tão pouco."

"Estou pensando que, se você assinar agora, levo o contrato de volta comigo e envio para o meu gerente." Ela estava mentindo, é claro. Nunca no mundo diria o que realmente lhe passava pela mente.

Ele abriu o envelope e tirou o contrato, lendo-o cuidadosamente antes de ir até a mesa de centro. Enquanto assinava, ela pensou em William e Margo. Se havia uma lição a tirar da morte de Elliot, era que a vida tinha que ser vivida, e que o amor ainda era importante. Mas para ela era diferente, porque ainda precisava de respostas, o que embaralhava tudo.

Ele ergueu os olhos, provocando em Louisa uma repentina onda de felicidade. Então assinou.

"Feito."

Ela fez que sim com a cabeça.

"Então, por onde tem andado?"

Fazia um silêncio tão grande que ela ouvia o próprio coração batendo. "Bem que eu queria ter liberdade."

"Um dia você chega lá", disse ele. "Não precisa ter pressa."

Ela baixou os olhos. "Às vezes eu tenho medo."

"De quê?"

"De tudo. De nada. Do passado, do futuro. Do marido que eu não conhecia."

Era verdade. Desde a morte de Elliot, ela convivia com uma leve ansiedade quase permanente.

"Você sabe que pode se abrir comigo."

Ela concordou de novo, mas mudou de assunto, por não querer contar mais sobre o que sentia em relação à morte de Elliot. "E Zinnia, como está?", perguntou, percebendo a decepção de Leo por não ter demonstrado mais confiança nele.

"Se não quiser falar, tudo bem também", disse ele. "Quanto a Zinnia, ela não está bem de novo, infelizmente." Dava para ver a preocupação nos olhos dele. Louisa se deu conta de que, apesar de sua dedicação à fazenda, estava sinceramente preocupado com a prima.

Ela hesitou antes de falar. "Posso visitá-la?"

"Achei que você não quisesse."

"Acho que talvez eu deva."

"Se você estiver certa disso."

"Odeio pensar nisso — bem, pensar nela, acho —, mas creio que preciso vê-la em carne e osso. Tirando um brevíssimo instante, até hoje eu só a vi em quadros."

"Se você estiver certa disso."

Ela suspirou. "Não estou certa de nada."

Fez-se um breve silêncio, durante o qual ela não conseguiu olhar para Leo.

"Como ela está dando conta de Conor?", ela perguntou por fim.

"Mal e mal. Ele vem muito aqui, mas não é a solução ideal. Eu faço o possível — mas ele precisa de uma atenção que eu não posso dar, nem ela, no momento."

"Ele perdeu o pai."

Leo assentiu com a cabeça.

Era uma situação triste demais. Mesmo assim, ela não perdoava

Elliot por ter tido um filho, e não conseguia evitar que isso afetasse a forma como se sentia em relação a Conor.

"Conor vai estar lá?"

"Ele desceu até os galpões com os descascadores de canela."

"Melhor. Nesse caso, vamos agora. Só vou guardar os documentos no carro."

Leo calçou as botas. Os dois foram primeiro ao carro, e em seguida ele a conduziu por um atalho até a casa de Zinnia. Ela ouvia o ruído dos animais no matagal enquanto afastava do rosto um enxame de moscas.

"Não é difícil demais para você? Esta trilha?"

"Estou bem", disse Louisa, embora seu estômago estivesse dando cambalhotas. Como seria a sensação de encontrar a amante do marido? Era loucura fazer isso ou, como ela suspeitava, o único jeito de finalmente aceitar o que havia acontecido?

"Eu chamei de novo o médico, mas ela se recusou a vê-lo de forma taxativa. Eu não sei o que há de errado, mas parece que não só está fisicamente doente, mas num péssimo estado de espírito. Talvez ver outra mulher possa ajudá-la."

"Mesmo sendo eu? Suponho que ela odeie até o fato de eu existir."

"Zinnia não é do tipo que nutre ódio."

Ela ficou imóvel e vacilou por um instante. "E de que tipo ela é?"

Leo suspirou. "Difícil dizer. É talentosa e tem tendência à boemia, mas também insegura. Cometeu alguns erros na vida, mas também pagou por eles. Para ser franco, não sei se ela sabe quem é de verdade."

"Como assim?"

"Bem, eu diria que, mesmo estando um pouco à deriva agora, você tem um senso bem forte de quem é, de sua origem, de seu lugar no mundo."

Ela fez um muxoxo. "É isso que você acha?"

"É."

"Não é assim que eu me sinto atualmente."

"Bem, Zinnia nunca teve uma vida muito fácil."

"Onde estão os pais dela? Talvez eles pudessem ajudar com Conor."

"Infelizmente o pai dela, meu tio, morreu faz alguns anos."

"E a mãe?"

"A mãe era alcoólatra. Ninguém sabe onde foi parar. Onde quer que esteja, não imagino que ser avó seria o projeto de vida dela."

Louisa puxou o ar lentamente e depois expirou com força. Sentiu um calor repentino, que não a impediu de continuar fazendo perguntas. "E como Zinnia foi se envolver com Elliot?"

"Não sei direito. Ela me escondeu a verdade da primeira vez que sugeri que viesse morar aqui. Eu sabia que ela estava grávida, mas não perguntei de quem. Aos poucos, fui descobrindo que era Elliot e que ele era casado."

"E você foi contra?"

"Não me cabia ser a favor ou contra. Mas tentei convencê-la a terminar tudo."

"Mas ela não fez isso."

"Acho que ela tentou, duas ou três vezes."

"Você acha que Elliot teria me abandonado?"

Ele a encarou, perplexo. "É o que você acha?"

Ela engoliu o nó que crescia na garganta. "Encontrei uma carta bastante comprometedora para ela, mas por algum motivo ele nunca a enviou. E, pelo que li, parece que Zinnia tentou terminar tudo."

"Será que ela estava tentando blefar?"

"É o que você pensa?"

"Não sei. Só sei que você é bem mais forte que Zinnia. E, se não se importa que eu diga, sinto que também é mais forte do que Elliot era."

"É mesmo?"

"E, como Zinnia era mais fraca que ele, suponho que isso dava a Elliot a sensação de ser mais homem do que realmente era."

Ela suspirou. "Um juízo severo. Você acha que eu o fazia sentir-se menos homem?"

"Não quis dizer isso. Mas você já notou que alguns homens sentem necessidade de estar cercados de pessoas mais fracas?"

Eles seguiram caminho até que, a uns vinte metros do bangalô de Zinnia, Louisa se deteve. Afora o ruído dos grilos, o lugar transmitia uma sensação incômoda de vazio. Ela se sentiu terrivelmente indefesa e, por alguns minutos, teve vontade de dar meia-volta, refazendo o caminho contrário até algum lugar em que se sentisse segura, onde quer que fosse. Ela olhou para cima, para o céu esverdeado que podia ser entrevisto em meio às copas das árvores; seus pensamentos eram contraditórios, e ela se encolheu.

"Você consegue aguentar?", perguntou Leo, vendo claramente qual era o estado de espírito de Louisa. "Você não é obrigada a fazer isso."

Ela ficou tentada a dizer *Não, não quero ir em frente*, mas, em vez disso, empertigou-se. "Obrigada eu não sou, mas por algum motivo sei que preciso."

Mesmo nessa hora, um nó fechava sua garganta. O simples pensamento de Elliot junto com Zinnia a deixava arrasada, mas, se quisesse superar aquilo, teria que enfrentar aquela situação terrível, e não havia momento melhor. Caso não encarasse a realidade, a vida paralela de Elliot permaneceria envolta em mistério, escondida, e ela seria assombrada para sempre por sua traição. Eu não quero saber, pensou ela. Não quero ver. E mesmo assim...

Leo a conduziu pelo mesmo caminho cercado de plantas aromáticas em vasos sem poda. Depois de bater levemente na porta, os dois entraram. Louisa examinou o cômodo, que estava em completa desordem.

"Está bem bagunçado", disse ela.

Várias peças de roupa estavam penduradas aleatoriamente no encosto de duas cadeiras e espalhadas numa pilha desarrumada no chão. Tudo parecida coberto de uma fina camada de poeira.

"Você não pode mandar alguém ajeitar isto aqui?"

"Aqui a poeira acumula rápido. Eu venho uma ou duas vezes por semana, e Kamu faz o que pode, mas na maior parte do tempo ela deixa a porta trancada e não permite que a gente entre. Vamos em frente? Está pronta?"

Ele abriu outra porta e enfiou a cabeça para dentro. Louisa o ouviu dizer que tinha trazido uma visita, mas tudo que Zinnia respondeu foi: "Médico de novo, não".

"Não é um médico."

Ele fez um sinal para que Louisa o acompanhasse e, quando ela entrou, o ar viciado a deixou sufocada. O quarto era quente e escuro, com cortinas pesadas bloqueando a luz. Enjoada com o cheiro de vinho azedo que dominava o ar, Louisa hesitou, mas olhou para Zinnia. Quando ela retribuiu o olhar, Louisa teve vontade de correr para um canto onde pudesse fugir dos olhos negros da mulher, tão parecidos com os de Leo, a não ser pelo fato de serem vazios e cercados por olheiras arroxeadas. Por fim, Louisa examinou o quarto e foi sendo invadida por imagens de Elliot: Elliot deitado nu na cama, ao lado daquela mulher, ou de pé, na janela, fumando um cigarro para relaxar, com a cabeça inclinada para trás, soprando a fumaça azulada para o teto. Ela teve a sensação de que ia desmaiar.

"O gato comeu sua língua?", perguntou a mulher.

Louisa notou que ela estava terrivelmente pálida, magra demais, e os cabelos ruivos estavam descuidados, espalhados pelo rosto. O que teria aquela mulher para levar Elliot a traí-la?

"Eu sou Louisa Reeve", conseguiu dizer, com uma voz que soou abafada, paralisada pelo calor e pela raiva que apertavam sua garganta. Numa fração de segundo, mais do que tudo, veio-lhe a vontade de ferir a mulher que tinha roubado seu marido.

Zinnia estremeceu. Parecia que sua pele começava a transpirar. "Eu sei quem é você. O que está fazendo aqui?"

"Leo está preocupado com você", respondeu Louisa, ainda com a voz muito fraca, sentando-se em uma cadeira antes que as pernas cedessem.

"Eu estou bem", disse Zinnia.

Enquanto Leo falava com Zinnia, Louisa mal se dava conta do próprio coração batendo acelerado e das palmas das mãos cada vez mais suadas. Na semipenumbra da sala, tentava livrar-se do ódio. Cerrou os punhos e cravou as unhas nas palmas das mãos, pensando no catastrófico dia em que ficou sabendo pela primeira vez sobre Zinnia e Conor: seu mundo havia perdido o prumo e mudado para sempre. Da noite para o dia, ela se tornara uma pessoa diferente. Havia um antes e um depois, mas nada no meio. Ela ficou sentada, curvada na cadeira, ouvindo a voz de Elliot sem parar. Dentro de sua mente, ela estava de pé, gritando em meio ao vazio. Dentro de sua mente, batia na cara dele, agarrava seus cabelos. *Seu desgraçado! Seu grande desgraçado!* Mas não era um ódio triunfante, e as palavras não ditas soaram ocas. Elliot não estava ali. Ela passou os dedos trêmulos pelo cabelo e ouviu o canto de um pássaro do lado de fora da janela.

Leo virou-se para fitá-la. "Você está bem, Louisa?", perguntou.

Ela reuniu coragem e encarou Zinnia. "Preciso lhe perguntar se você realmente tinha a intenção de terminar com Elliot."

Zinnia coçou a cabeça, perto da têmpora, e estremeceu. "Eu terminei."

"Ele não acreditou em você?"

"Eu disse para ele que era o fim. Ele ficou insistindo para me convencer do contrário. Era um erro. Foi tudo um erro. Oh, Deus! Essa dor de cabeça é insuportável."

"Você tomou alguma coisa para passar?"

"É claro." Zinnia fechou os olhos, e Louisa aproveitou a deixa para sair do quarto.

Do lado de fora, na sala, Louisa começou a recolher as roupas espalhadas. Mesmo sentindo uma estranha espécie de pena por Zinnia, sua raiva começou a crescer de novo. Depois de alguns minutos, pediu que Leo viesse para fora. "Precisa lavar tudo isso", disse, tirando do chão, ao acaso, algumas peças. "Você acha que seu *dhobi* poderia fazer isso?"

"Na verdade eu não tenho um *dhobi*. Kamu é quem lava minha roupa, e as de Zinnia quando ela deixa."

"Por que você não insiste?"

"Acredite em mim, eu insisto."

"Vou providenciar que um *dhobi* venha recolher tudo isso. Ele vai levar e trazer de volta lavado. Você acha que seu empregado pode trazer desinfetante e alguns panos?"

"Louisa, isso realmente não é obrigação sua. Eu dou um jeito."

Ela se virou-se para ele. "Tem razão. Não cabe a mim, mas eu não tenho como sair daqui deixando-a desse jeito. Então, não vamos discutir. Só me arranje ajuda. É evidente que ela não está cuidando de si, que dirá de Conor. Alguém precisa cuidar melhor dela. O que o médico disse da última vez que ela o deixou examiná-la?"

"Inflamação na pleura, talvez. É o que ele acha."

"Agravada por uma dose cavalar de tristeza."

Ele a olhou bem nos olhos. "Eu a admiro por isso, mais do que você pode imaginar, mas infelizmente agora preciso ir. Os descascadores estão me esperando. À noite terei mais tempo. Aí posso mandar arrumar um pouco."

"Pode ir agora. E mande buscar seu empregado. Não quero ficar sozinha aqui. Como é mesmo o nome dele?"

"Kamu. Ele é tâmil. Veio comigo do tempo em que eu trabalhei numa plantação de chá na Índia."

"Muito bem. Enquanto isso vou começando por aqui."

Depois que Kamu chegou com o material necessário, ele e Louisa começaram. Primeiro, juntaram toda a roupa suja numa sacola. Enquanto ele arrumava a cozinha, ela tirou o pó da sala. Depois, deu uma conferida no quarto de Conor. Em seguida, lavaram as janelas e o piso, deixando a porta da frente aberta para arejar. Por fim, ela sentou-se em um tronco do lado de fora, sentindo o corpo tenso, buscando fôlego, com o coração acelerado, enquanto Kamu fumava um cigarro, agachado no chão. Sentindo o peito apertado, com falta de ar, ela forçou a si mesma a inspirar e soltar o ar lentamente.

Enquanto os dois esperavam, ela voltou a pensar em Zinnia com Elliot. Ela teria sido tão mais bonita que ela própria, Louisa? Ou ele fora seduzido pelo talento dela? Louisa tentou imaginar como Zinnia teria sido, mas a lembrança de Elliot veio à sua cabeça, e ela travou, lembrando como o sorriso dele bastava para iluminar a sala. E a sua vida. Talvez tenha sido isso que chamou a atenção de Zinnia. Isso, e a forma como ele olhava uma pessoa nos olhos, dando-lhe a impressão de ser a única que importava no mundo inteiro.

Mas o que teria essa mulher, para fazer com que Elliot mentisse para a própria esposa durante tantos anos? Que tinha sido mimado na infância, disso ela já tinha certeza; Irene o havia criado de modo a sentir-se o centro do mundo. Teria ele levado esse sentimento para a vida adulta? Poderia achar que, quando alguma coisa o interessava, tinha direito de pegar? Ela sabia que Elliot se valia do charme para conseguir o que queria, e fazia as vontades dele, sem perceber que poderia haver um aspecto negativo naquilo. Mas que ele pudesse enganá-la por tanto tempo, aparentemente sem peso na consciência, era o que a deixava mais espantada. O que ela estava sentindo? Amargura, pensou, eis o que sentia.

O que quer que Zinnia tivesse de atrativo, o fato era que agora precisava de um médico. Louisa chegou a pensar em chamar o seu, o dr. Russell, para vir o mais rápido possível. Não conseguia nem pensar no que poderia acontecer se Zinnia não tivesse os cuidados necessários.

Bem na hora em que os dois se preparavam para voltar para dentro, Leo retornou.

"Terminaram?"

"Não começamos nem o quarto dela nem o banheiro. O quarto de Conor está arrumado."

"Vou tentar convencê-la a deitar no sofá da sala. Assim vamos poder arrumar melhor o quarto."

"Onde está Conor?"

"Ele foi para a minha casa agora, querendo comer um sanduíche. Veja só, talvez já seja coisa demais para Zinnia para um dia só. Ela se cansa com muita facilidade. Enquanto Kamu volta para ver Conor, sugiro descermos até a praia. Não sei se Kamu considera que essas coisas são obrigação dele, mas, como eu disse, posso voltar e terminar tudo à noite."

"Posso trazer um dos meus ajudantes amanhã para me auxiliar a cuidar do quarto de Zinnia. Mas eu não trouxe roupa de banho."

"Não se preocupe com isso. Espere aqui e vou trazer algumas toalhas. Não vai demorar."

Enquanto Kamu e Leo subiam de novo o morro, Louisa ficou contemplando as nuvens arroxeadas no céu, cada vez mais escuras. À tarde ia cair de novo um temporal, com certeza. Ela levantou-se e entrou de novo na casa. Felizmente, o cheiro do quarto estava bem melhor. Ela deixou uma janela aberta para arejar. Enquanto verificava tudo, ouviu Zinnia chamando: "É você, Leo?"

Louisa abriu a porta do quarto e viu Zinnia cambaleando de volta, provavelmente do banheiro. O cheiro era terrível.

"Há quanto tempo você está vomitando e com diarreia?", perguntou.

Zinnia não olhou para ela enquanto se esforçava para voltar para a cama. "Desde quando você é enfermeira?"

"Você precisa ir a um médico."

"Vai e volta. Tem horas em que estou bem."

"Para mim, isso não é inflamação da pleura. Posso pedir que meu médico de família dê uma olhada em você, mas alguém tem que arejar este quarto." Enquanto falava, Louisa surpreendeu-se consigo mesma, e sentiu-se sufocada. Por que ela se importava, se tudo o que mais queria era esquecer que Zinnia algum dia tinha existido?

Zinnia fez muxoxo. "Que lhe importa?"

Louisa parou para refletir. "Elliot amava você. Eu o amava. Não posso deixá-la passando necessidade."

"Está bem." Zinnia fez que sim com a cabeça e enterrou a cabeça no travesseiro.

Louisa saiu do quarto e voltou para fora, onde viu Leo chegando com uma trouxa debaixo do braço direito.

"Pronta?", perguntou, pousando os olhos nela.

Louisa sentiu uma tristeza repentina tomar conta de si. Tudo aquilo era tão terrível.

"Pronta?", ele perguntou de novo.

Ela tentou se libertar do choque de ter finalmente encontrado Zinnia e da horrenda realidade de sua doença e de seu mergulho na melancolia — cuja prova era a incapacidade de cuidar de si mesma.

"Vamos lá", disse ele, "você vai se sentir melhor depois de nadar um pouco." Eles começaram a caminhar na direção da praia. "Não fique se remoendo por causa de Zinnia. Estamos fazendo o melhor possível."

"Espero de verdade que ela aceite ser examinada pelo meu médico."

Quando chegaram à beira da água, não havia ninguém por perto nem nas árvores ao redor. Louisa queria pensar em coisas menos tristes, e seu humor melhorou um pouco ao pensar de novo no baile de verão.

"Você tem algum traje formal para a noite?", perguntou ela, esforçando-se para falar com um tom de voz mais leve.

"Que pergunta!"

"Pois então, tem?"

"Teria que tirar um pouco a poeira, mas tenho. Por que a pergunta?"

"Queria saber se você pensaria na ideia de me acompanhar no baile de verão de Galle. Você teria que se arrumar um pouco."

Ele deu risada. "Outras mulheres já tentaram, e outras já fracassaram."

"Você se incomodaria?"

Ele fez uma careta. "Outra pergunta difícil. Agora, deixe-me pensar na ideia..."

Ela riu e deu um cutucão nas costas dele. "Basta dizer sim."

"Seria um enorme prazer, senhora."

"Você sabe dançar?"

"Por acaso, eu sou um pé de valsa razoável."

Ela sorriu. "Nesse caso, mal posso esperar."

A areia era branca e macia. Enormes ondas quebravam na praia, formando espuma. Ele tirou a roupa, revelando o calção de banho que usava por baixo, e saiu correndo em direção ao mar revolto. Ela subiu a barra da calça e caminhou com o pé descalço, sentindo a areia molhada nos dedos dos pés. Depois de tudo que tinha acontecido, a vontade de entrar na água com ele era irresistível.

O mar estava cinza metálico e agitado. Por isso, ele não se aventurou muito longe. Voltou rapidamente. "Por que você não tira a roupa, simplesmente, por baixo da toalha? Eu fecho os olhos enquanto você entra na água."

Ela ficou olhando para Leo, enquanto ponderava a sugestão. Então, caminhou um pouco na areia e pegou uma das toalhas. Chutou um pouco de areia, sentindo-se envergonhada, mas com muita vontade de entrar. Enquanto ele virava as costas, enrolou-se na toalha e, com algum esforço, livrou-se das calças e da camisa. Chegou a pensar em ficar apenas de roupa de baixo, mas no fim também baixou a calcinha e tirou o sutiã. Que se dane, pensou. Ela não nadava nua desde os primeiros tempos do casamento com Elliot. Agora era diferente. Para começar, ela já estava com trinta e dois anos, calejada pela vida. Sentiu o coração batendo forte enquanto corria até a beira da água. Deixou a toalha cair e entrou no mar. Apesar de agitada, a água não estava fria, e de uma hora para outra adquiriu o tom brilhante que precede uma tempestade. Ela não se importou. Enquanto nadava um pouco mais para longe, tinha a sensação de estar trocando de pele. Aos poucos, seu estado de espírito começou a melhorar. Leo nadou um pouco mais afastado, e então olhou diretamente para ela. Sem se importar, Louisa virou-se para boiar e olhou para o céu encoberto. Depois de alguns instantes, virou-se para ele e viu que ainda a estava observando.

Louisa acenou para ele, enquanto procurava apoiar o pé na areia.

"É melhor não ir muito mais longe que isso hoje", disse ele, nadando na direção dela.

Por um instante, ela ficou em silêncio, mas parecia que seu corpo estava em chamas. Olhou para a praia, onde agora o vento vergava as árvores, fazendo-as balançar.

Quando ele se aproximou, pondo as mãos em seus ombros, seus olhos faiscavam. A sensação do toque espalhou-se de forma tão intensa que não lhe ocorreu pensar no que estavam fazendo. Era uma sensação que lhe inundava o corpo inteiro, substituindo em sua mente todo e qualquer pensamento por simples emoções. Estar ali nua, tão perto dele, fazia a energia tomar conta de seu corpo. Aquilo durou por um instante, até que ela inclinou a cabeça para trás, olhando para o céu cada vez mais escuro, sentindo algo profundo demais para descrever.

"Às vezes eu me sinto assombrada", disse.

"Por Elliot?"

"Sim."

"Está dentro da sua cabeça. Vai passar."

Ele tocou o lado esquerdo do rosto dela, e inclinou a cabeça para se aproximar. "Quer que eu pare?", perguntou, em voz baixa.

Ela fez que não com a cabeça e sentiu o gosto quente e salgado de sua pele quando ele a beijou.

Uma onda de desejo fez sua garganta se apertar. Ela pressionou o corpo contra o dele e sentiu que precisava segurar as lágrimas. Não eram lágrimas de tristeza, mas de algo como alívio, esperança, ou uma sensação impossível de expressar, mas importante, importante mesmo. Em meio àquela bolha de paz, ela teve a sensação de que seu coração despedaçado estava cicatrizando. Leo se manteve abraçado com ela, enquanto eram fustigados pelo vento, de pé, na água, como se no mundo inteiro só existissem os dois.

O mar ficou ainda mais encapelado. A água rodopiava em torno deles, sob o céu ameaçador. Então a chuva caiu com tanta força que eles não tiveram alternativa a não ser sair correndo.

30

Enquanto voltava para casa dirigindo, Louisa reconheceu para si mesma que tinha sido melhor que a chuva os tivesse interrompido. Caso contrário, até onde eles poderiam ter ido? Embora o desejasse, sabia que provavelmente ainda era cedo demais para pensar em estar com outra pessoa. Apesar disso, não podia deixar de pensar que merecia um pouco de felicidade.

O ar, agora carregado, incomodava. Sob o peso da umidade, os galhos das árvores na beira da estrada estavam tão baixos que roçavam o teto do carro. Ela chegava a desejar que a chuva parasse, mas era muito necessária. E Louisa não se incomodava com o odor acre de peixe e maresia que ficava no ar.

Ela encostou o carro em frente de casa e entrou pelos fundos. Depois de subir, secou os cabelos com uma toalha, colocou um vestido e ficou revivendo a lembrança de Leo a abraçá-la. A sensação de alívio tinha sido tão agradável. Ela sentia falta do toque de um homem, a proximidade que fazia os receios desaparecerem, pelo menos por algum tempo. E pelo menos Elliot não a acompanhava mais a todo instante, embora outras preocupações não lhe faltassem. Para começar, De Vos e seu contrato falso, e aquele australiano horroroso. Ela desejou que Leo estivesse não em Cinnamon Hills, mas sim em Galle, por considerar que poderia ser a pessoa que a ajudaria a voltar a viver de verdade.

Estava se sentindo ligeiramente abalada, mas ao mesmo tempo feliz, e desceu até a sala de estar quase às escuras. Margo e William Tyler estavam sentados um ao lado do outro, de mãos entrelaçadas. Ela acendeu uma luz e a sala toda se iluminou.

"Pois bem", disse ela, sorrindo por causa da cara dos dois. "Parece que vocês chegaram a um entendimento."

Margo retribuiu o sorriso. "Concordei em ser citada como parte implicada no processo."

Louisa ergueu a sobrancelha. "É mesmo? Tem certeza?"

Margo largou a mão dele e levantou-se do sofá. Veio até Louisa.

"Eu o amo. Que escolha eu tenho, então?"

Louisa inclinou a cabeça e olhou Margo nos olhos. "Foi você que disse que nós sempre temos uma escolha. Mas, se é isso o que quer, dou meu apoio integral."

Margo pôs a mão no braço de Louisa. "Obrigada. Isso representa muito para mim. Estava pensando se seria aceitável William passar alguns dias aqui."

"É claro que sim. Mas você não precisa entregar ao tribunal algum tipo de prova para o divórcio?"

"Talvez não, se nós dois admitirmos o que aconteceu. Mas de repente você pode tirar uma foto nossa juntos, só para garantir."

"Oh, meu Deus, preciso mesmo fazer isso?"

"Se não se importar."

William levantou-se e aproximou-se das duas. "Sinto muito pelo incômodo. E, se isso realmente a deixa desconfortável, não se preocupe, por favor. Daremos outro jeito."

"Não", disse ela, apreciando o jeito direto daquele homem de olhos azuis bem claros. "Eu faço isso. Mas o que vocês vão dizer a Irene?"

"Por enquanto, não tenho a menor intenção de contar nada a mamãe. Ela só tentaria me impedir. Para ela, divórcio é um escândalo."

Louisa fez um muxoxo. "Como você acha que ela se sente tendo um neto ilegítimo?"

"Acho que confusa. Uma parte dela quer conhecer a criança, e a outra queria que nada disso fosse verdade."

"Então pelo menos uma coisa eu tenho em comum com Irene!

Mas, escute só, precisamos explicar a situação para o William. Deve parecer um pouco estranho."

"Você não se incomoda se eu contar tudo a ele?"

"De jeito nenhum. Mas antes por que não mostrar a ele onde guardar a mala?"

Enquanto Margo levava William para o andar de cima, Louisa ficou repensando os acontecimentos do dia. Era necessário processar o fato de enfim ter conhecido Zinnia, assim como de ter ganhado tanta proximidade de Leo. Lembrando-se da promessa de entrar em contato com o médico, ela olhou pela janela. A chuva tinha diminuído. Por isso, empunhando um enorme guarda-chuva, ela saiu para a casa do dr. Russell. Muita gente havia saído para a rua, andando com pressa sob guarda-chuvas, tirando proveito da calmaria. No caminho, ela cumprimentava com a cabeça os conhecidos. Ao chegar, a mulher do dr. Russell veio atender à porta e convidou-a a entrar. Explicou que o marido estava em Colombo, mas que não tardaria.

"A senhora pode pedir que ele me ligue assim que chegar?", pediu Louisa. "É um assunto bastante urgente."

"É claro."

Ela abriu a porta e Louisa viu que a chuva estava piorando. "É melhor eu correr", disse. "Obrigada."

Naquela noite, Jonathan veio jantar e foi apresentado a William. Pouco depois, Louisa chamou-o de lado e contou a história de Margo e o inglês.

O pai de Louisa mostrou-se um pouco incomodado. "Bem, fico surpreso com Margo. Talvez ela seja um pouco mais parecida com o irmão do que pensávamos."

"Que injustiça!"

"Veja, eu sou o mais compreensivo dos homens, mas é correto ficarem sob o mesmo teto? Quais as intenções desse homem?"

"Não seja tão antiquado. Ele está tentando conseguir o divórcio. De qualquer maneira, por enquanto eu coloquei os dois em quartos separados."

Ele deu de ombros. "Irene está sabendo?"

Ela fez que não com a cabeça.

"Acho que vai ser um escândalo."

Louisa fez uma careta. Em relação a isso, ele tinha absoluta razão.

Depois do jantar, Louisa pediu que o pai viesse com ela ao antigo escritório de Elliot.

Enquanto atravessavam o salão e o corredor, ela soltou um suspiro profundo. "Eu recebi um aviso de que o inspetor Roberts viria até aqui esta noite. Como o senhor sabe, o contrato que De Vos me deu é completamente falso. Entreguei-o à polícia algumas semanas atrás."

Seu pai concordou. "Pode ser um caso de extorsão. Não sei como eles vão lidar com isso."

"Nossa cidadezinha costuma ser tranquila, não é?", disse Louisa. "Só de vez em quando uma briguinha, quando os marinheiros bebem demais."

"Exatamente. Mas acho que eu devia dar um jeito nele."

"Em De Vos? Talvez, mas acho que é melhor esperarmos para interpelá-lo quando ele aparecer de novo. Não vou pagar aquela quantia por um negócio que nem sequer existia."

Os dois se sentaram, e ele pediu que ela o atualizasse em relação ao empório. Depois de explicar que Himal estava trabalhando bem, ela contou que estava unindo esforços com Leo para exportar a canela produzida por ele.

"Tem certeza de que não é coisa demais para dar conta? Você tem o empório também. Sou obrigado a dizer que estou preocupado." Ele inclinou a cabeça para um lado e examinou o rosto dela. "Mas fiquei com a impressão de que você gosta desse Leo."

Ela sorriu. "Acho que gosto."

Ele deu um tapinha na mão dela. "Bem, tome cuidado. Não quero que você sofra. Lembre-se de que ainda está vulnerável."

"Eu sei."

Eles ouviram uma batida na porta, e Ashan entrou. "Desculpe interromper. O inspetor-chefe Roberts acabou de chegar, senhora."

"Por favor, faça-o entrar."

Era o mesmo policial de rosto corado que lhe dera a notícia da morte de Elliot. Louisa cumprimentou-o com a cabeça. "O senhor quer se sentar?"

Ele se acomodou na beirada de uma cadeira de escritório e fitou os dois.

"Pois bem", disse Jonathan. "O senhor fez algum progresso?"

Ele fez uma cara de negação.

"E quanto ao contrato falsificado que lhe apresentei?", perguntou Louisa.

"Temos condições de indiciar o sr. De Vos por tentativa de extorsão. E o fato de ter tentado pode indicar que ele também tenha relação com a invasão de domicílio. Será que ele achou que poderia encontrar pedras preciosas?"

"Faz pelo menos dois meses que não ouço falar de Cooper e De Vos."

"Pode ser que eles tenham desistido."

"O senhor acredita mesmo nisso?"

"Espero que sim, sra. Reeve. Espero que sim..."

Jonathan levantou-se. "Bem, se não há mais nada a dizer, vou convidá-lo a se retirar. Será que o senhor pode pelo menos mandar vigiar a casa da minha filha? Não quero que nenhum desses réprobos volte a incomodar Louisa."

31

Louisa acordou cedo, com a intenção de levar os cães para passear na praia. Como era época de chuvas diárias, pegou uma capa impermeável. Quando não estava dirigindo, ela adorava pegar chuva e sentir o cheiro de terra que se erguia do solo, mesmo reconhecendo que isso restringia algumas atividades ao ar livre, o que odiava. Ficar trancada dentro de casa não combinava com ela.

Ela chamou os cães, mas só Tommy e Bouncer vieram correndo, abanando os rabos com força. Os cães adoravam passear, qualquer que fosse o tempo, mas estranhamente o pequeno Zip, o menor da ninhada, não apareceu. Louisa sentiu uma leve ansiedade e foi procurar nos cestos da área de serviço, mas ele também não estava ali. Ela perguntou a Ashan se tinha visto o cachorrinho. Com ar preocupado, Ashan disse achar que Zip estava junto com os outros dois — mais cedo, ele havia aberto a porta para todos os três usarem o jardim, mas não checou se todos tinham voltado para dentro.

"Estranho", disse ela. "Aonde diabos ele pode ter ido?"

Ela saiu para o jardim, para checar o portão dos fundos. Assim que chegou lá, percebeu que tinha sido fechado, mas deixado sem cadeado.

Louisa entrou de novo na casa e pôs coleira nos outros dois cães. William e Margo ofereceram-se para ajudar. Os dois saíram para um lado, para procurar perto do muro, enquanto ela chamava um dos empregados para acompanhá-la numa busca pelas ruas. Ela esperava que Tommy e Bouncer começassem a choramingar se sentissem que Zip estava por perto. A umidade reforçava o brilho do sol nas ruas. Foi preciso tomar cuidado com a água que caía em cima dela, pingando das folhas das árvores, nas vielas mais estreitas. Ela passou uma hora inteira batendo de porta em porta, perguntando se alguém tinha visto alguma coisa. Ninguém tinha. Por isso, foi até as ruas comerciais e ao mercado coberto. Nada tampouco.

Ela chegou de volta a casa no mesmo momento em que o dr. Russell apareceu, mancando mais do que nunca e com os cabelos ainda mais grisalhos. Ele ajeitou os óculos de armação de metal no nariz enquanto falava. "Louisa, minha querida, minha esposa disse que era urgente. Alguma coisa errada?"

"Obrigada por vir, mas não é nada comigo." Ela ergueu os olhos para as nuvens. "Vamos entrar, que lhe explico."

"Você parece um pouco estressada", disse ele, ao chegarem ao salão.

"Acabo de ficar sabendo que um dos meus cães desapareceu."

Ele franziu a testa. "É uma pena. Mas, tirando isso, está tudo bem?"

"Sim. Olhe, dê-me seu casaco para pendurá-lo."

Ele entregou o casaco e ela tirou a capa que estava usando, pendurando os dois num gancho no armário do salão.

Eles foram até a sala de estar, onde ele se sentou, enquanto ela andava de um lado para o outro.

"Pois bem, qual é o assunto?", principiou ele.

Ela ficou em silêncio. "Uma amiga — bem, mais exatamente uma conhecida minha — está mal de verdade. Até agora, tem recusado ser examinada por um médico, mas meu receio é que seja malária."

"Deixe-me fazer algumas perguntas."

Ela concordou.

"Primeiro, descreva-me o que pôde ver."

"Bem, ela estava tremendo e parecia com frio demais, mesmo sendo um dia de calor."

"Esses tremores podem ir de leves a severos. Você acha que ela estava com febre alta?"

Louisa fez que não com a cabeça. “Não sei, mas estava transpirando e esfregando a cabeça.”

“Dores de cabeça são comuns na malária. E vômito e diarreia?”

“Estava com os dois, creio eu.”

Ele fez uma careta e esperou antes de responder. “Não é muito bom sinal. Há quanto tempo isso vem acontecendo?”

“Meses, acho. Às vezes parece que ela está melhorando, mas depois tem uma recaída.”

“Na malária, isso pode ser um padrão.”

“O senhor pode ir vê-la? É um pouco longe.”

“Pode ser amanhã? Hoje estou um tanto ocupado.”

“Claro.”

“Como você sabe, de fato houve uma epidemia de malária, mas ela ficou praticamente restrita à região norte do país.”

“Ela acha que está com inflamação na pleura.”

“É pouco provável.”

“E infelizmente o estado de espírito dela está péssimo.”

“Vamos juntos amanhã. Vou colher uma amostra de sangue e enviá-la ao laboratório em Colombo.”

Ashan trouxe uma bandeja com chá.

“Vou servir”, disse ela quando os dois se sentaram.

Horas depois, Louisa foi até a praia com Margo e William para procurar Zip. A chuva tinha sido substituída por uma calmaria inesperada, mas, ciente de que aquilo não ia durar muito, Louisa olhava o tempo todo para o céu ameaçador. Na hora em que chegaram à praia, um jovem casal caminhava um pouco à frente. No exato local onde o matagal dava lugar à areia, Margo deu um grito repentino. Temendo que pudesse ser Zip, Louisa sentiu o coração parar de bater. Saiu correndo e viu um animal deitado em um montinho de grama alta. Ajoelhou-se na areia, com lágrimas turvando a visão.

“É uma raposa”, disse Margo. “Coitadinha.”

“O que você acha que aconteceu?”, perguntou Louisa, erguendo os olhos.

"A julgar pela espuma na boca, pode ser raiva ou, mais provavelmente, envenenamento", disse William. "Eu não tocaria nela. Em geral, essas coisas não são acidentais. As raposas atacam as galinhas."

Margo deu um suspiro. "Que desperdício, um animal tão bonito."

"Terrível." Louisa ficou olhando para a criatura.

"Venha", disse Margo, estendendo a mão a Louisa. "Não há mais nada a fazer. Vamos voltar. Zip não está aqui."

Já de volta a casa, Louisa sentiu necessidade de ficar um pouco sozinha; à procura de algo com que se distrair, foi para o andar de cima continuar a fazer sua colcha de retalhos. Pensou no pequeno Zip e, de tão preocupada, sentiu-se mal. Lembrou-se de como ele era pequeno quando nasceu. Achou que não fosse sobreviver. Tomou conta do filhote pessoalmente, amamentando-o com uma mamadeira. Desde então, ele lhe fazia companhia constante. Ver a raposa morta na praia trouxe-lhe à mente pensamentos que preferia esquecer. Imaginou a cena na estrada para Colombo e pensou em como teria sido. Elliot teria percebido que ia morrer, ou tudo ficou escuro instantaneamente? Teria sentido medo? E se ele se deu conta do que estava acontecendo, sentiu remorso pelo que havia feito? Sentira culpa ou morreu depressa demais para que o arrependimento se instalasse? Ela conseguia imaginar o acidente, seus olhos arregalados — e ela reagiu fechando os seus, apertando-os com força.

O tempo passava lentamente, mas ela não podia ficar sentada esperando. Correu de novo para o andar térreo e caminhou em torno dos muros, mantendo olhos atentos à procura de Zip enquanto observava a mudança da cor do mar, onde manchas azuladas e arroxeadas se misturavam com o cinza. Ela o imaginou correndo pela areia, com água pingando dos pelos; lembrou que antes ele sentia tanto medo da água, mas, depois que criou coragem, era impossível mantê-lo fora da água. Porém, mesmo tendo olhado mais uma vez por toda parte, novamente não viu sinal dele. Protegendo os olhos, observou o mar, receosa de que ele tivesse subido o muro e escorregado. Pensar que ele pudesse estar no fundo do oceano a deixou mal. Louisa caminhou várias vezes de um lado para o outro, entre os baluartes Aurora e Utrecht, onde no passado canhões impediam a passagem de navios inimigos. Então, enquanto as nuvens de tempestade ainda se formavam, abraçou o próprio corpo e olhou para o céu.

Chegando a casa, ela subiu para se trocar. Bem na hora em que estava se despindo, ouviu alguém bater na porta da frente, e Ashan indo atender. Sem conseguir distinguir o que estava sendo dito, enfiou um robe e foi até o topo da escada. Ao olhar para baixo, viu Ashan no saguão, segurando uma caixinha.

"Quem era?", perguntou.

"Vieram entregar um pacote para a senhora."

"Sabe de quem é, Ashan?"

"Não, senhora. Foi só um rapaz que veio trazer. Ele disse que um homem lhe deu dinheiro para entregá-lo. Posso abrir para a senhora."

"Não. Coloque-o na sala de jantar, em cima da mesa. Eu desço em alguns minutos."

"Traga a tesoura, senhora, para cortar o barbante."

De início, ela não se preocupou muito com o pacote. Voltou para o quarto e olhou o próprio rosto no espelho. Seus olhos brilhavam, e o rosto estava chupado. Louisa foi buscar uma toalha no banheiro e enxugou o cabelo molhado, antes de desembaraçar os fios. Já com roupas secas, sentou-se à penteadeira, pensando de novo em Zip; então, pegou o livro que estava lendo, mas, ao lembrar-se do pacote, teve um pressentimento repentino.

No quarto de costura, procurou uma tesoura comum — e não a melhor, que ela usava para cortar pano — e foi até a sala de jantar, dando uma olhadela na sala de estar, onde notou que Margo e William estavam absortos numa conversa.

Ela cortou o barbante e sentiu um claro nervosismo ao remover cuidadosamente a tampa da caixa. Ao olhar para dentro, seu coração quase parou. Arfando de susto, deixou a tampa cair no chão. Soltou um longo gemido, saiu correndo para o banheiro do andar de baixo e vomitou. Quando saiu, ficou de pé no salão, tremendo e soluçando, com os braços pendendo ao lado do corpo. Percebeu que Margo e William agora estavam na sala de jantar. Os dois observavam o conteúdo da caixa com um semblante de horror. Louisa fechou os olhos, mas não conseguia se livrar da imagem do pobre Zip, com a cabeça ensanguentada e retorcido dentro da caixa. Sentiu um acesso atroz de ódio. Quem poderia ter cometido um ato tão deliberadamente cruel? Margo se aproximou dela e afastou-a da visão terrível na sala de jantar, em direção a uma saleta, onde Louisa começou a chorar.

"Não aguento mais", disse, por entre soluços.

Margo tentou acalmá-la, embora também tivesse sentido o baque. Quando Louisa finalmente parou de chorar, olhou para a sala de jantar, através da porta. "Quem poderia ter feito isso com um bichinho indefeso, Margo? Pobre, pobrezinho do meu Zip, que nunca fez mal a ninguém."

Louisa sentiu-se arrasada. As lágrimas começaram a correr de novo. Pensou em Zip deitado em seu colo, enquanto ela lhe acariciava as orelhas, ou no cãozinho abanando o rabo ao ver comida. Pensou nele ficando para trás, enquanto os outros dois corriam pela praia. Agora nunca mais ia poder fazer essas coisas. Era um ato cruel e sem sentido. Ela tremia de raiva só de pensar no sofrimento e no medo que deve ter sentido.

"Qual é o telefone da polícia?", perguntou Margo.

"Está no caderninho na mesa do saguão", disse Louisa, com a voz embargada.

"Vou ligar para lá", disse Margo, levantando-se para falar com William, que estava no saguão com Ashan.

Enquanto Louisa ainda tremia, pediu a Ashan que lhe trouxesse um chá adocicado e brandy.

Enquanto Margo ligava para a polícia, Ashan trouxe o brandy e serviu uma dose a Louisa. Ela bebeu em silêncio, com Ashan de pé a seu lado, meio sem saber como ajudar e aguardando novas instruções.

"Quem poderia ter feito isso?", perguntava Margo.

Louisa sacudiu a cabeça, mas tinha certeza de que alguém estava tentando amedrontá-la. Tentava dizer a si mesma que o medo de Cooper estava dentro de sua mente, que tinha havido algum mal-entendido, mas só de pensar nele sua cabeça se enchia de apreensão. Não conseguia deixar de pensar: se fora tão fácil raptar Zip, o que mais "eles" seriam capazes de fazer? O medo tornava todos os seus problemas ainda piores: sua casa, antes tão segura, agora estava ameaçada; o casamento, que deveria durar até a velhice, agora não passava de uma ilusão sem consistência. Tudo se tornara frágil. E agora ela também tinha perdido Zip, do jeito mais terrível possível.

32

Ao acordar, sob um belo céu avermelhado, com a névoa ainda pairando sobre o mar, ela ainda sentia nas narinas o odor da morte. No café da manhã, os dois cães a fitavam com olhos melancólicos, com o focinho pousado nas patas, como se soubessem o que tinha acontecido. Por isso, Louisa sentou-se no chão, enlaçando-os nos braços.

Horas depois, estava alternando entre a cólera pela morte de Zip e um sentimento de solidão atroz, enquanto juntava forças mais uma vez para ir ver Zinnia. O dia em que levou o dr. Russell de carro até a fazenda estava ensolarado, mas ela teria preferido ficar em casa com dois cães tristes, mantendo o mundo exterior bem afastado. Porém, tinha prometido fazer aquilo — por isso, precisava fazer. A polícia levara embora o terrível pacote com seu conteúdo, mas nada poderia tirar de Louisa aquela lembrança.

Desde a última tempestade, o ar não tinha refrescado muito, e o calor estava para aumentar ainda mais. Enquanto ela dirigia, limpando o suor da testa de tempos em tempos, um silêncio pesado reinava entre os dois. Louisa tinha certeza de que o médico sabia que havia algo errado. Quando perguntou de onde conhecia Zinnia, ela hesitou um instante antes de contar, mas concluiu que ele era alguém de confiança, que não ficaria espalhando fofocas.

"Meu marido estava se encontrando com ela." Ela odiou ter que dizer aquilo e não ousou encará-lo.

"Sinto muito. Não perguntei com a intenção de bisbilhotar."

Ela engoliu um nó na garganta. "Eu só soube depois que ele morreu. O pior é que eles tiveram um filho."

Agora ela estava olhando para o lado, para conferir a reação do médico. Viu que ele balançava a cabeça.

"Imagino como deve ter sido difícil para você, minha cara."

Ela fez que sim com a cabeça. O coração batia forte no peito. "Ainda está sendo", respondeu.

"Então por que você se dá ao trabalho de ajudar essa mulher?"

Sentindo-se envergonhada, ela notou que enrubescia. "Gostaria de responder que é uma simples questão humanitária, e talvez seja um pouco isso." Ela se deteve, perguntando a si mesma até que ponto aquilo era verdade.

"E o que mais?"

"Acho que ela tentou romper com Elliot."

"Entendo."

"E eu quero ajudar o primo dela, Leo McNairn. Ela mora nas terras dele e, agora que está doente, ele está tendo que cuidar do filho. O menino tem sete anos."

"Não deve ser fácil."

"O senhor tem razão. A fazenda consome todo o tempo dele. Por isso, é muito difícil. Ainda mais porque o menino não frequenta a escola. Leo se tornou meu amigo. Estou fazendo o que posso."

"E a criança?"

Ela soltou um profundo suspiro. "Essa é outra questão. Por um lado, eu mal posso olhar para ele..."

"E pelo outro?"

"Acho que estou curiosa. Ele se parece tanto com Elliot, sabe, e é claro que isso me faz pensar em qual seria a aparência dos meus próprios filhos."

Fez-se um breve silêncio.

"Veja só", disse ela. "Vamos sair da estrada bem aqui. Vamos subir primeiro para buscar Leo. Depois podemos descer todos até a casa de Zinnia."

"O menino vai estar lá? Talvez fosse bom eu dar uma olhada nele também."

"Da última vez que fui, ele não estava. É uma coisa que eu já deveria ter dito, mas, apesar de eu ter limpado um pouco a casa de Zinnia, o quarto ainda está em péssimo estado. Vou tentar voltar com um empregado para fazer uma faxina de verdade."

"Acho que você deveria ser canonizada, Louisa."

Ela sentiu um arrepio de preocupação na pele. "De jeito nenhum. Mas fiquei sabendo de tanta coisa sobre Elliot que sinto como se nunca o tivesse conhecido. Talvez esteja ajudando Zinnia para poder entender um pouco da vida paralela dele."

"Se tem uma coisa que aprendi na minha profissão é que a vida das pessoas não é o que parece."

"A raiva que às vezes sinto me faz sentir ódio de mim mesma. Mas não quero virar uma pessoa vingativa."

"Todos nós temos coisas de que não gostamos em nós mesmos, pensamentos que nos envergonham, atitudes passadas de que nos arrependemos."

Ela ergueu as sobrancelhas. "Estou certa de que o senhor não tem nada de que se arrepender."

"Pois estaria enganada. Deixei que o trabalho dominasse demais minha vida, mas não tem jeito. Agora é tarde demais para mudar."

"Mas e quando o senhor se aposentar?"

"Minha esposa gostaria que eu me aposentasse agora, mas simplesmente ainda não estou pronto para ficar de pernas para o ar."

Eles chegaram ao topo, e Louisa estacionou.

No momento em que os dois saíam do carro, um empregado saiu para dizer que Leo já havia descido para a casa da prima, mas que seria uma satisfação levá-los até lá pela trilha.

Louisa agradeceu e estendeu a mão para o médico.

"Sua mala está pesada? O caminho é um pouco íngreme."

"Gosto de caminhar, então tenho certeza de que ficarei bem, e a mala não é pesada."

Eles acompanharam o rapaz, tomando cuidado com as raízes que invadiam a trilha sinuosa colina abaixo. O ar estava tão úmido que parecia brilhar quando os raios de sol atravessavam as árvores balançantes. Por um instante, Louisa chegou a apreciar o momento. Porém, à medida que se aproximavam do bangalô de Zinnia, voltou a ficar inquieta. Como ela reagiria se Conor estivesse lá? Da vez anterior, não tivera coragem de olhar para ele. Não era culpa do menino, mas quando ela pensava na própria filha, sua pequena Julia, sentia um arrepio, e a pontada de ressentimento despertava um sentimento de culpa. Conor era só um menininho, mas, no fundo de sua mente, ela não conseguia deixar de pensar que era o garotinho que *ela* deveria ter dado à luz.

Quando chegaram à clareira em frente à casa, Louisa se deteve. Bateu à porta e, depois de alguns instantes, Leo abriu. "Que bom que você veio", disse ele. Embora ela tenha sentido uma tensão fugaz ao vê-lo pela primeira vez desde que tinham ido nadar, o amplo sorriso que ele abriu a deixou à vontade.

"Este é o nosso médico de família. Dr. Russell, este é Leo McNairn."

Eles acompanharam Leo até a sala de estar, que continuava tão arrumada quanto Louisa a havia deixado. Ela percebeu que uma janela tinha sido aberta, e que a sala estava relativamente arejada.

"Pois bem, onde está sua prima?", perguntou o médico, olhando ao redor.

"Venha comigo", disse Leo.

Embora Leo tivesse aberto as janelas do quarto e arrumado na noite anterior, Zinnia tinha voltado a fechar as pesadas cortinas, alegando que a luz incomodava seus olhos. Por isso, ainda havia um odor acre no ar. O médico olhou para Louisa. "Alguém precisa arejar bem este quarto." Em seguida, caminhou até a cama, onde Zinnia estava deitada, com os olhos fechados.

Ele passou a mão diante de seu rosto impassível. Nada. Depois, pôs a palma da mão na testa dela. "Forte indicativo de febre malária. Tente mantê-la mais fresca. Pano úmido na testa e na nuca." Ele fez uma pausa. "Zinnia, você está me escutando?"

Ela abriu e arregalou os olhos, assustada.

Louisa recuou até a parede, horrorizada pelo olhar vazio de desespero que viu. No intenso silêncio do quarto, uma coisa era certa: aquela mulher gravemente doente não era mais a pessoa que tinha conquistado Elliot.

"Eu sou o dr. Russell. Permite que eu tire uma amostra de sangue?"

"Por quê?" Zinnia falava com uma voz frágil e rouca.

"Acho que você está com malária, minha cara. Se tivermos certeza, podemos tratá-la."

Zinnia ergueu as mãos, resignada, como quem diz: *Faça o que bem entender*.

Ele abriu a bolsa de couro marrom e tirou uma seringa de um estojo com zíper. Depois de preparar a agulha, extrair o sangue levou mais tempo que seria de esperar. "Ela está desidratada", explicou ele. "Mal dá para encontrar as veias. Façam-na beber bastante água."

Por fim, quando terminou, ele guardou cuidadosamente a amostra de sangue. "Vou pedir que levem para os laboratórios. Eles sofreram um alagamento, então pode demorar alguns dias. Agora conte-me há quanto tempo se sente doente, minha cara."

Enquanto o médico falava com Zinnia, Leo deu a entender que queria conversar com Louisa na sala de estar. "Acho bom alertar que Conor pode chegar a qualquer momento. Você vai ficar bem?"

Uma lembrança repentina de Elliot a paralisou. Ela inspirou com força e soltou o ar lentamente. Adúltero, disse ela em voz muito baixa. *Maldito adúltero*. Uma vez mais, foi invadida por um sentimento que mal conseguia controlar. Depois de dominar a si mesma, uma sensação de tristeza inesperada tomou conta dela.

"Louisa?"

"O que foi?", retrucou ela.

Ele não reagiu ao tom ríspido. "O que eu posso dizer, ou fazer, para que você se sinta melhor?"

Ela piscou várias vezes. Não gostava de pensar em si mesma naqueles termos. Era uma pessoa positiva e atenciosa, e não aquele monstro ressentido, confuso, recalcado.

"Estou bem", mentiu ela, "só assustada."

"Ele é só um menininho."

"Não me faça sentir pior do que já estou." Ela olhou para o céu. O brilho tinha desaparecido, e agora a luz amarelada estava tingida de roxo, sinal garantido de que mais chuva estava por vir.

Ele abriu um sorriso de canto de boca. "Ajudaria se eu lhe dissesse que estive pensando no baile?"

"E?"

"E pedi ao meu empregado que mandasse lavar meu smoking. Espero que não se decepcione."

"Você sabe que o dia do baile está chegando. Já pediu um motorista ou vai de moto até a minha casa?"

"De moto, mas seria aceitável me trocar na sua casa?"

"Perfeitamente. Mal posso esperar para vê-lo alinhado."

"Você não gosta de mim como sou?"

Ela teve vontade de confessar algo importante, mas não respondeu.

O semblante dele ficou sério. "Sobre aquele dia..."

"Não é isso... estou me sentindo exausta. São tantas emoções conflitantes que não consigo confiar em meu próprio discernimento."

"Imagino que neste momento seja complicado confiar em quem quer que seja."

Ela deu um suspiro e fez que não com a cabeça. "Um pouco mais do que complicado, para ser bem sincera."

Ele deu um passo em direção a ela e pousou a mão em seu braço, um gesto de ternura sem fim. Quando a encarou bem dentro dos olhos, foi com uma expressão cheia de preocupação. "Bem, basta lembrar que estou aqui e estou do seu lado. Se..."

Ouvir aquilo a fez sentir-se bem. Quando ele a olhava daquele jeito, com olhos tão calmos, sinceros e cheios daquele não-sei-o-quê que havia entre eles, Louisa se sentia melhor. Nessa hora, porém, o médico apareceu de repente, e eles se afastaram.

"Muito bem", disse ele. "Colhi a amostra. Então, Louisa, precisamos voltar para que eu possa despachar."

"Só vou levar o doutor para a cirurgia dele, Leo, mas depois volto com o rapaz para tentar limpar o quarto de Zinnia."

"Tem certeza?", perguntou Leo, agora com intensidade em seus olhos negros. "Kamu e eu podemos dar conta."

Ela suspirou. Seus nervos já tinham sido testados ao extremo. Quando subiram o morro de novo, Louisa ficou à espreita de Conor — mas chegaram ao topo, entraram no carro e pegaram o caminho antes que ele aparecesse. Se fosse sincera consigo mesma, ela reconheceria um pouco de vergonha pelo alívio de não tê-lo visto.

No trajeto de volta, o médico ficou em silêncio, e ela também. Mesmo que Zinnia tivesse tentado pôr fim ao relacionamento, era na fazenda de canela que o coração de Elliot estava. Louisa precisa reconhecer, enfim, que na verdade ele já a deixara muito antes do dia em que morreu.

"E então, qual a impressão do senhor sobre ela?", perguntou, por fim.

"Difícil dizer. Ela diz que em alguns dias se sente bem, mas para mim o caso parece bastante grave."

Louisa assentiu e voltou a se concentrar na estrada.

"Se você puder desinfetar o quarto dela ajudaria muito, mas, Louisa..."

"Sim?"

"Espero não dar a impressão de estar me metendo onde não devo, mas em minha profissão estou acostumado a ouvir fofocas, e não quero que você sofra. Gostaria de sugerir que não se envolva demais com Leo."

"Ele é um homem bom."

"Com toda a certeza, mas não subestime aquilo por que você vem passando."

"Ele vai me levar a um baile. Apenas como amigo."

Ele sorriu. "Bem, não há nenhum problema nisso. Você merece se divertir um pouco. Tome cuidado, apenas. Você está mais vulnerável do que imagina."

"Meu pai disse exatamente a mesma coisa."

"O luto pode afetar as pessoas de diversas maneiras, e durar muito mais tempo do que elas percebem, em especial nos casos mais complicados."

Louisa já não tinha certeza se estava de luto por Elliot. Sua impressão era de estar de luto pelo seu cão favorito e por ela mesma; um luto pela perda daquela que acreditava ser. Isso fazia algum sentido?

Depois que deixou o médico, a primeira pessoa que viu foi Margo, sentada no jardim dos fundos, aproveitando uma trégua da chuva. Os dois cães de Louisa estavam deitados aos pés dela, mas se ergueram para receber a dona.

"Sinto tanta falta de Zip", disse Louisa enquanto se sentava, acariciando a cabeça de Bouncer. "Não consigo nem pensar no que fizeram com ele."

"Eu sei."

Elas ficaram por alguns minutos em silêncio. Louisa pensava em Zip, mas a dor era intensa demais, e ela decidiu concentrar-se em outra coisa. Quando conseguiu, porém, a única coisa que vinha à sua mente era Elliot com Zinnia.

"Por onde você andou?", perguntou Margo.

"Levei meu médico para examinar Zinnia. Ele acha que pode ser malária."

"Meu Deus."

"Daqui a alguns minutos vou voltar para lá, para ajudar a arejar o quarto dela e fazer uma faxina completa. Vim ver se algum dos empregados está disponível."

Margo pareceu pensativa. "Tem certeza de que você dá conta?"

"Prefiro me manter ocupada. Não quero ficar sentada, só girando os polegares. Não vai me fazer nenhum bem. Logo, logo terei o empório para me ocupar, mas neste momento tudo o que sinto é ódio por causa de Zip."

"E por causa de Zinnia, não?"

"Também, mas se você visse o estado dela..."

"Vou com você, se quiser. Gostaria de ver como ela é."

"Francamente, é difícil descrever. Ela está tão adoentada..."

"Posso ir com você mesmo assim?"

"Onde está William?"

"Lá dentro, batendo papo com seu pai."

"Papai está aqui?"

"Acabou de dar as caras. Queria saber se já tinha achado companhia para o baile. Se não tiver, ele se ofereceu para levá-la."

"Não vai ser necessário." Louisa pensou na sequência de acontecimentos que tinham levado àquele momento. "Leo vai me levar."

"Fico feliz."

"William ainda vai estar por aqui?"

"Sim, mas vamos ter que mandar fazer um smoking para ele às pressas. Ele não veio preparado para um baile!"

"Não deve ter vindo mesmo. E é bom tirarmos logo nossa foto comprometedora."

"Sim, desculpe por isso."

"Não há de quê. Pode até ser divertido. Vocês vão estar seminus?"

Margo deu uma risada. "Alguma coisa assim."

"Oh, Jesus! E na cama, suponho."

"Será o suficiente. Se bem que, francamente, depois que duas pessoas decidem se separar, não deveriam fazer isso sem tanta complicação?"

Louisa ficou pensando se Margo teria razão. As pessoas deveriam mesmo se juntar de maneira tão inseparável? Seria assim que Elliot se sentia? Preso numa armadilha? Sufocado? Ela sacudiu a cabeça. Não lhe parecia que tivesse sido assim.

Na hora em que encostaram o carro em frente à casa de Zinnia, Margo respirou fundo, e Louisa notou o semblante confuso da cunhada. Ela parecia estar lutando com pensamentos e emoções conflitantes.

"É estranho pensar que Elliot vinha sempre aqui", disse Margo. "Dentro da minha cabeça, fico o tempo todo tentando achar um jeito de enxergar a situação sob um ponto de vista mais favorável. Não consigo perdoá-lo — e não gosto de me sentir assim."

Louisa não respondeu.

"Quando penso em todo o carinho que ele teve na infância. Mamãe mal demonstrava algum interesse por mim. Eu me lembro que ficávamos sentadas juntas, à mesa da cozinha, enquanto ele copiava o dever de casa do caderno de algum colega. E ria quando eu dizia que era errado. Mamãe só dava um sorriso e dizia que não havia nenhum mal naquilo. Tudo que ela queria era que ele tivesse uma nota alta. Dá para imaginar? Agora, a maneira como ele agiu me incomoda. Mas deve ser muito pior para você."

"Eu quero guardar a lembrança do que tivemos, mas ao mesmo tempo não quero. Conhecer Leo me ajudou."

"O que você quer dizer com isso?"

"Não sei direito. Ele me faz sentir melhor comigo mesma, acho."

33

Louisa abriu a porta da frente do bangalô, seguida por Margo. Assim que entraram, Louisa olhou para trás e viu a cunhada examinando os retratos de Zinnia com Conor, do mesmo modo que ela própria havia feito.

Embora Margo sempre tenha sido a que conhecia Elliot melhor, Louisa tinha a sensação de que estava sendo difícil para ela descobrir até que ponto seu irmão "perfeito" não tinha sido tão perfeito, no fim das contas. Sentiu uma pontada de incômodo, e um levíssimo surto de ciúme em seu peito. Não havia como negar que Zinnia fora muito bonita, e também talentosa, e talvez até um pouco aventurosa.

"Não estou achando tão bagunçado", disse Margo.

"Esta sala eu já limpei."

"Cadê ela?", sussurrou Margo, protegendo a boca com as mãos.

"Por aqui." Louisa respirou fundo e apontou para a porta. "Precisamos incentivá-la a sair para cá e deitar-se no sofá... Deus do céu, será que vamos conseguir?"

Sentindo um misto de medo e determinação, Louisa encarou Margo.

"Se você consegue, eu consigo", disse Margo.

"Pode ser preciso carregá-la, ou ampará-la pelos dois lados. Ela está muito fraca."

Ela bateu à porta de Zinnia, abriu e deu uma espiada no quarto.

Dessa vez, as cortinas estavam abertas, e o cheiro estava menos desagradável. Pode ser que ela tenha melhorado, pensou Louisa. Na ponta dos pés, chegou até a cama.

"Lembra-se de mim?", perguntou.

Zinnia fez que sim com a cabeça e respondeu em voz baixa. "Não precisava vir até aqui."

"Prometi ao dr. Russell que ia deixar seu quarto um brinco. Se você conseguir se sentar na cama, minha cunhada vai ajudá-la a se levantar e levá-la até a sala de estar."

Os olhos de Zinnia se arregalaram. "A irmã de Elliot?"

"Sim."

"Vocês duas devem sentir ódio de mim."

Louisa desviou os olhos, mas voltou a encarar Zinnia. "Eu tentei", respondeu, em voz baixa.

Margo entrou no quarto carregando uma caixa. "Trouxe o material de limpeza."

Louisa assentiu. "Venha cá, Zinnia, veja se você consegue erguer o corpo, e depois colocar as pernas de lado."

Zinnia conseguiu sentar na cama. Louisa virou-se para Margo. "Na verdade, talvez fosse melhor dar um banho nela. O banheiro é ali. Tem água quente na casa, Zinnia?"

"O rapaz de Leo vem acender o aquecedor uma vez por dia, então ainda deve estar quente."

Margo foi até o banheiro e Louisa ouviu o barulho da água corrente.

"Não consigo tomar banho sozinha."

"Vamos ajudá-la."

"Sério?"

Louisa fez que sim com a cabeça, mesmo com o coração batendo forte no peito, de nervosismo ou perplexidade. A única certeza que tinha era de que aquilo não era fácil. Quando ouviu a voz de Leo chamando, ela sentiu uma onda de alívio. Tanto pela presença dele, é claro, como pelo fato de que ele podia ajudá-las a carregar Zinnia até o banheiro.

Ele entrou no quarto. "Louisa", disse, alegrando o coração dela com seu sorriso. "Trouxe roupa de cama limpa."

Ela deu alguns passos à frente e sentiu a confiança voltar. "Estamos querendo dar um banho em Zinnia, antes de levá-la para deitar-se no sofá. Margo está lá dentro abrindo a água."

"Que gentileza."

"Só estou fazendo o que precisa ser feito."

Quando Margo avisou que o banho estava pronto, os olhos de Zinnia estavam fixos em Leo e Louisa. "Vocês dois parecem bem íntimos."

Louisa deu um passo para trás e respondeu rispidamente. "Somos amigos, só isso. Agora, Leo, você pode carregar Zinnia até ali?"

"Leo não pode me despir."

"Nós duas vamos."

"Onde está o Conor?", perguntou Zinnia, olhando para Louisa com ar preocupado.

"Não se preocupe. Ele está na minha casa, desenhando lesmas", disse Leo.

Ele caminhou até a cama. "Agora?" Ele pediu a Zinnia que passasse os braços pelo seu pescoço. Então ergueu-a delicadamente. "Você está magra como um passarinho, prima."

"Perdi peso."

Enquanto ele a carregava até o banheiro, Margo saiu. Ela e Louisa se entreolharam, apreensivas.

"Não é fácil", disse Margo.

"Eu sei, mas ela precisa da nossa ajuda", respondeu Louisa. "Depois que terminar, você pode começar a arrumar o quarto, por favor?"

"Vou tirar a roupa de cama primeiro."

"Podíamos mandar os lençóis para o *dhobi*, mas lavá-los aqui pode ser mais rápido." Ela deu um suspiro. "É melhor eu entrar."

Zinnia estava sentada na borda da banheira quando Louisa entrou. Seguiram-se alguns instantes de embaraço, durante os quais nada foi dito. Então Leo abriu a boca, quebrando o silêncio constrangido. "Vou dar uma olhada em Conor, mas volto depois. Você dá conta, Louisa? Se ajudar, eu posso ficar."

"Não, vá ver o Conor. Margo e eu ficaremos bem."

Depois que ele saiu, as duas se entreolharam. Havia muito a ser dito, mas que permanecia silenciado. Apesar disso, Louisa tinha a impressão de que nenhuma das duas fazia a menor ideia de por onde começar.

"Eu era apaixonada por ele, sabe", Zinnia disse por fim.

Louisa assentiu. "Eu também."

"Ele dizia que o seu casamento não era feliz, que ele ia deixá-la, mas depois de oito anos comecei a compreender que não era verdade. Ele nunca teria deixado você... Por isso eu terminei tudo."

Louisa desviou os olhos, e então voltou a fitar Zinnia. "Ele amava o filho?"

"Muito. Os filhos que você perdeu partiram o coração dele."

Louisa engoliu rapidamente em seco e testou a temperatura da água. "Precisamos que você entre. Consegue tirar sozinha a camisola?"

Margo entrou para ajudar, e Zinnia tentou levantar os braços, que logo caíram sem vida ao lado do corpo. "Não tenho forças."

"Ponha os braços para cima que eu levanto a camisola", disse Margo, em um tom profissional.

"Margo é enfermeira", acrescentou Louisa.

Quando, por fim, viu Zinnia nua, Louisa ficou chocada com a aparência dela. Pele e osso, com braços e pernas como palitos. As costelas estavam visíveis por baixo da pele transparente e azulada do peito.

"Leo não lhe dá comida?", tentou perguntar, para descontrair.

"Ele sempre me traz comida. Eu é que não sinto fome."

Louisa segurou um braço enquanto Zinnia se esforçava para entrar na banheira, onde ela se jogou, exaurida pelo esforço.

"Margo, você pode buscar uma jarra, por favor? Precisamos lavar o cabelo dela."

Margo fez que sim com a cabeça, e Louisa saiu junto com ela; viu que a cunhada já havia tirado a roupa de cama e empilhado os lençóis num canto.

"Está tudo bem com você?", perguntou Margo. "Sua cara está abatida."

"Ela está tão magra que chega a assustar."

"Mas não é por isso, é?"

"Não só por isso. Sinto-me tão estranha por estar aqui, e não consigo deixar de pensar nela com Elliot. Quero ajudá-la, mas ainda tenho acessos de raiva."

"Não me surpreende."

"Mas como posso ter raiva de alguém num estado tão terrível desses? Estou me sentindo um monstro."

"Querida, você pode ser tudo, menos um monstro. É natural que se sinta desse jeito. A maioria das mulheres nem pensaria em ajudar, considerando as circunstâncias."

Louisa olhou para o piso de madeira.

"Você quer que eu assuma daqui para a frente?"

"Não. Você não topou com uma escova de cabelo em algum canto?"

"Tem uma na mesinha de cabeceira dela."

Louisa pegou a escova, enquanto Margo encontrou uma jarra na área de serviço. As duas voltaram para o banheiro.

Os olhos de Zinnia estavam fechados.

"Você consegue sentar-se?", perguntou Louisa.

Zinnia arregalou os olhos. "Eu estava pensando no que ele diria se pudesse nos ver agora", ela disse.

"Provavelmente ia levar um senhor susto."

Zinnia conseguiu dar um sorriso. "Será que ele manipulava a nós duas?"

"Talvez. Agora sente-se. Você consegue?"

Margo ajudou Zinnia a sentar-se, mas ela começou a tossir.

"Vou trazer um copo d'água", disse Margo.

Louisa começou a derramar água nos cabelos compridos e embaraçados. Encontrou um pouco de xampu e pediu a Zinnia que ficasse de olhos fechados enquanto espalhava. Demorou um pouco para enxaguar toda a espuma. Depois, Louisa fez o melhor que pôde para pentear o cabelo de Zinnia.

"Ele adorava meu cabelo, sabe."

"Não sei se quero saber."

"Foi assim que nos conhecemos", prosseguiu Zinnia.

Louisa apoiou-se nas coxas e deixou o cabelo de Zinnia escorrer um pouco. Fechou os olhos, mas a presença de Elliot entre as duas continuava a assombrá-la.

"Então, como vocês se conheceram?", perguntou por fim, curiosa contra a própria vontade.

"Ele veio a Colombo para um vernissage, procurando um quadro para você, suponho. Em todo caso, estava admirando um autorretrato que eu tinha acabado de pintar. Ouvi-o dizer: 'Que cabelo maravilhoso'. Ele ainda não tinha me visto sentada atrás da mesa, então fui até ele."

Louisa inspirou lentamente e, em seguida, soltou o ar, tremendo.

"Eu me apresentei, e ele disse que meu cabelo era ainda mais bonito ao vivo. Tomamos uma taça de vinho e perguntei se ele queria ir dali para um bar. Meu turno na mesa já tinha acabado, então eu já estava liberada."

"Você sabia que ele era casado?"

"No começo, não. Ele era tão bonito e charmoso. Gostei dele de cara. Ele me fazia sentir especial. Sabia como fazer isso. Mas levou um tempo até dormirmos juntos."

"Porque você descobriu que ele tinha ido comprar um quadro para a esposa."

"Não, na ocasião ele não disse isso. Falou que era para um amigo."

"Então quando você ficou sabendo a meu respeito?"

"Só depois do seu primeiro aborto, quase oito anos atrás. Ele veio me ver, arrasado. Foi a primeira vez em que dormimos juntos, na verdade."

Louisa engoliu em seco, e por alguns desagradáveis instantes, fez--se o silêncio.

Margo voltou com um copo d'água. "Desculpe por ter demorado tanto."

"Você consegue se ensaboar?", perguntou Louisa, entregando a Zinnia uma barra de sabão e fazendo força para não chorar.

Zinnia pegou o sabão e conseguiu se virar com ele, enquanto Louisa evitava olhá-la nos olhos; era uma cena íntima demais. Ela levantou-se e pediu a Margo que a ajudasse a amparar Zinnia para sair da banheira.

Zinnia estendeu a mão para Louisa. Seu semblante estava abatido, e o olhar traía seu sofrimento. "Desculpe pelo mal que lhe causei."

Louisa não segurou a mão dela, mas a encarou, engolindo em seco com esforço.

Em seguida, ela e Margo conseguiram enrolar Zinnia num par de toalhas que Leo tinha trazido junto com a roupa de cama limpa.

"Precisamos levá-la até a sala de estar", disse Margo, assumindo a tarefa, com seu jeito prático de sempre. Louisa sorriu amarelo e as duas de alguma forma ampararam Zinnia até o sofá. Uma vez instalada com segurança, Margo tirou as toalhas e cobriu-a com um dos cobertores limpos. "Você tem um penhoar?", perguntou.

Zinnia apontou para um robe pendurado na porta do quarto e se jogou de novo nas almofadas em que estava deitada. Louisa baixou a cabeça, com a visão embaçada pelas lágrimas, e esgueirou-se para o lado de fora, onde a emoção a fez sorver o ar em golfadas, enquanto seus olhos ainda ardiam. "Oh, Deus", sussurrou para si mesma, sem conseguir livrar-se da imagem de Elliot com Zinnia tão pouco tempo depois de seu primeiro aborto. Ela lembrou que ele alegara ter negócios inadiáveis em Colombo, o que a deixou magoada, apesar do esforço para ser compreensiva. Agora sabia que o negócio inadiável tinha sido outra mulher.

Margo veio para fora. "Conseguindo sobreviver?"

Louisa sacudiu a cabeça, e Margo foi direto abraçá-la. Quando se separaram, ela deu um suspiro. "Difícil, não é?"

"É."

"Se quiser subir para ver Leo, eu cuido da limpeza do quarto dela. É mais o piso que precisa de uma limpeza."

"Conor vai estar lá em cima."

"É só um menino. Pode até ser bom você conhecê-lo um pouco mais."

"Não sei, não."

"Bem, fique aqui fora um pouco e, se resolver subir, pode ir. Vou depois que terminar. Se bem que seria bom Leo voltar mais tarde para carregá-la de volta para a cama."

"E a roupa de cama?"

"Vou deixar de molho na banheira."

"Obrigada, Margo. Tem um atalho para a casa do Leo pelas árvores, quando você terminar. Se bem que provavelmente é melhor você ir pela estrada."

Depois que Margo voltou para dentro, Louisa ficou refletindo por algum tempo, até que decidiu subir até a casa de Leo. Quando chegou lá, a chuva havia acabado de começar. Como ninguém respondeu às batidas na porta, ela abriu e entrou. No andar de cima, Conor estava sentado no sofá, brincando com um baralho.

"Onde está o Leo?", perguntou Louisa, inquieta com o silêncio do menino.

Ele apenas deu de ombros.

"Soube que você faz desenhos. Não quer me mostrar?"

O menino ergueu os olhos para ela, porém uma vez mais não disse nada.

"Bem, que tal se eu só ficar sentada aqui? Se tiver vontade, pode me mostrar."

Mesmo se esforçando para não encará-lo, os olhos dela voltavam o tempo todo para o menino. Era tão parecido com Elliot que impressionava. Ela ficou sentada por algum tempo, sentindo-se incomodada e ouvindo a chuva que caía do lado de fora. Então levantou-se para abrir uma janela e olhar para fora, antes de voltar para dentro para continuar esperando.

"Já almoçou?", perguntou.

Ele fez que não com a cabeça.

"O que acha de prepararmos um sanduíche?"

Ele ergueu de novos os olhos. "Leo vai fazer."

Ela deu um suspiro. O menino parecia terrivelmente distante.

Depois de mais ou menos meia hora, Leo apareceu, e Louisa percebeu um ar de surpresa nele ao se dar conta de que ela estava sentada ao lado de Conor.

"Espero que não se importe", disse ela. "Não estava mais conseguindo. Margo está lavando o piso, mas queria que você fosse levar Zinnia de volta para a cama."

"É claro."

"E acho que Conor está com fome. Não consegui arrancar muita coisa dele."

"Vamos todos comer um sanduíche. Que tal, rapazinho?"

O menino abriu um enorme sorriso e foi abraçá-lo.

"A propósito", disse Louisa, "o dr. Russell pediu que o laboratório envie o resultado do exame de sangue de Zinnia diretamente a você. Vai levar só mais alguns dias."

"Que bom. E obrigado por tudo que tem feito. Já está tudo pronto para o baile?"

Ela fez que sim com a cabeça. "E você?"

"Chego à sua casa lá pelas sete. Isso nos dará tempo? Quero garantir que este rapaz esteja na caminha antes de sair."

Enquanto Conor saía para brincar, Leo encarou Louisa.

"O que foi?", disse ela, sorrindo.

"Estou planejando uma pescariazinha com Conor amanhã. Estava pensando se você também teria interesse em ir."

"Mas por quê?"

"Acho que seria bom para ele estar perto de outras pessoas. Alguém diferente, além de mim. Ele está precisando muito de um refresco da doença da mãe."

"Não seria melhor que fossem só vocês dois?"

Ele fez que não com a cabeça. "Acho que desanuviaria um pouco o clima se você viesse junto, mas, veja, se não se sentir à vontade..."

"Não, eu vou."

"Que ótimo. Acho que sair um dia de barco vai ser divertido. A doença de Zinnia o incomoda e provoca nele um sentimento de culpa."

"Ele é só um menino", disse Louisa, embora não pudesse imaginar como seria sentir-se incomodada com a mãe que perdera.

"Pode me encontrar às nove na praia?"

34

Louisa foi a primeira a chegar à praia. A névoa se dissipara, e o céu adquirira uma coloração azul-pérola. Ela se livrou das sandálias e foi deixando pegadas na areia molhada enquanto caminhava até a espuma na beira do mar. Deu alguns passos água adentro e correu de volta para evitar as ondas, soltando um gritinho ao sentir a água gelada respingando em suas pernas. O som de uma risada a fez erguer os olhos e perceber a aproximação de Leo e Conor, que a observavam enquanto entravam na praia. Ela ficou aliviada ao ver o menino tão de bom humor. Também riu e, sentindo-se ela própria mais relaxada, estendeu a mão para Conor.

"Por que você não tira os sapatos e vem comigo?", perguntou.

Depois de uma breve hesitação, Conor largou os baldinhos que estava levando e saiu correndo na direção dela, jogando para trás os sapatos e dando um pique até a água. Ela segurou-lhe a mão, e os dois entraram, recuando quando as ondas chegavam mais perto.

"Ninguém vai me dar uma ajuda com o barco?", disse Leo, colocando no chão duas sacolas de iscas, um motor externo e um pequeno cesto.

"Nós dois vamos. Não vamos, Conor?"

O menino sorriu, e ambos foram até Leo, que os levou praia acima, por uma trilha curta, onde um barco de tábuas descascado, de uns três metros de comprimento, estava amarrado ao tronco de uma palmeira.

"Antigamente ele era azul vivo", disse Leo. "Só precisa de uma demão de tinta para ficar novinho em folha."

Ela sentiu uma ponta de apreensão. Ao notar o olhar no rosto dela, ele sorriu. "Não se preocupe, é totalmente seguro. Mandei fazer aqui mesmo, no estilo inglês, então é uma espécie de híbrido. Dá bem para o gasto."

Ele desatou a corda e, juntos, os três empurraram o barquinho areia abaixo, na direção da água, onde ele encaixou o motor.

"Pode segurar a corda?", perguntou ele, passando-a para Louisa. "Vou buscar as coisas."

Instantes depois, ele retornou, trazendo iscas e anzóis, que jogou dentro do barco. Conor voltou para buscar os baldes e a rede, que estava enrolada em volta de um deles. Leo pegou-os da mão dele e colocou-os na proa.

"Certo, Louisa e Conor, pulem os dois para dentro e sentem ali no meio. São só duas tábuas, mas são seguras."

Eles subiram no barco e, uma vez sentados, Leo começou a empurrar para dentro da água. Quando a embarcação começou a boiar, ele subiu também, passando o cesto de piquenique para Louisa guardá-lo embaixo da tábua da proa, enquanto se acomodava no assento fixo na popa.

"Este motor não é dos mais potentes", disse ele, enquanto dava a partida. "Mas é o bastante para sair e dar uma voltinha. Agora preciso me concentrar. Dar a partida é fácil, o difícil é controlar."

Louisa observou a praia, que se distanciava. Aves marinhas batiam as asas acima de suas cabeças, e ela vislumbrou alguns pescadores no mar, mais ao longe. Uma brisa salgada deixava o ar mais agradável, e o mar faiscava com os reflexos da luz do sol. Sem a menor ameaça de chuva, era o dia perfeito para pescar.

Quando chegaram a um ponto onde Leo estimou que poderiam encontrar peixes, ele desligou o motor e jogou a âncora.

"Como vocês dois estão?", perguntou.

Louisa sorriu, e Conor pulou para cima e para baixo, empolgado. "Já podemos pescar?", perguntou.

"Claro que sim. Vou só pegar o material."

Ele abriu a bolsa maior e preparou uma vara para Conor. Ao terminar, entregou-a ao menino.

"E quanto a você, Louisa? Quer uma vara? Caso contrário, se quiser, pode me ajudar a jogar a linha."

"Eu o ajudo nisso."

Ela olhou em torno, para toda a parafernália da pescaria. Agora Leo estava preparando uma linha com boias e anzóis e uma rede, à maneira dos pescadores locais.

Quando ficou pronta, ele e Louisa atiraram-na por um dos lados do barco. "E depois?", perguntou ela.

"É só esperar. Pescar é uma questão de espera. Você sabe disso, não?"

"Eu costumava sair para pescar com meu pai na infância, mas Elliot achava tudo isso lento demais. Ele gostava de disputar regatas de vela. Por isso nunca saímos para pescar."

"Eu gosto do esforço físico da pesca com rede, mas quando estou a fim de paz, não há nada como um caniço e um anzol. É assim que eu relaxo. E Conor está se revelando um pescadorzinho e tanto, não está, rapaz?"

Conor sorriu, mas não disse nada, claramente concentrado na missão do momento. Enquanto eles esperavam, Louisa e Leo continuaram a conversar.

"O que nós vamos pescar aqui?", perguntou ela.

"Cavalinha, talvez, e na rede anchovas. Podemos dar sorte e pegar uma tainha ou uma cioba. O que quer que seja, estava pensando em grelharmos na praia depois."

"Que bacana. O que tem no cesto?"

"Tudo que é preciso para assar o peixe, é claro, ah, e um cantil de chá — quer um pouco agora?"

Ela fez que sim com a cabeça.

"Será que você consegue ir com todo cuidado até a proa? No cesto vai encontrar um cantil e uma caneca. Também tem uma garrafa de limonada para Conor."

Quando ela se levantou, o barco balançou. Com o coração acelerado, Louisa abriu os braços para se equilibrar. Ele sorriu enquanto ela chegava até o cesto e trazia as bebidas de volta. Leo serviu o chá e abriu a garrafa de Conor, que não bebeu de imediato. Com as duas mãos, segurava com força a vara, agora muito vergada, e começava a puxar a linha.

"Precisa de uma ajuda aí?", perguntou Leo.

Conor fez que não com a cabeça, evidentemente determinado a pegar o peixe sozinho. Quando enfim terminou de puxar tudo, havia um peixe prateado e brilhante se debatendo na ponta da linha.

"O que é?", ele perguntou a Leo, com os olhos brilhando de satisfação.

"Uma cavalinha de um bom tamanho, acho", respondeu Leo, tirando o peixe de Conor e batendo na cabeça do bicho. "Agora só mais uns desses e vamos poder almoçar."

Enquanto o menino tomava sua limonada, Leo preparou de novo a linha de Conor e devolveu-lhe a vara.

Eles ficaram sentados por algum tempo em silêncio. Louisa entoava uma canção bem baixinho, hipnotizada pelo entorno: o sol que brilhava com força num céu turquesa, a sensação da brisa quente, o azul profundo do mar e o som da água batendo contra os dois lados do barco.

"Está cantando para os peixes?", perguntou Leo, com um sorriso, fazendo-a rir.

De repente, um peixe voou pelo ar, aterrissando com um estrondo na proa do barco. Louisa deu um pulo de surpresa, e Conor quase soltou a vara.

"Ora, ora, essa é boa", disse Leo. "Um peixe-voador significa que não estamos longe de um grupo de golfinhos. Este sujeitinho devia estar tentando sair do caminho deles."

"E agora ele é nosso almoço", acrescentou Conor com um tom alegre. "Vamos procurar os golfinhos."

Enquanto o barco balançava, eles ficaram de olhos bem atentos, vasculhando o mar à procura de marolas e jorros de água. Conor deu um grito, e os três perceberam uma forma azul acinzentada deslizando pela água. Observaram, empolgados, pelicanos que começaram a mergulhar do céu para se alimentar dos peixes assustados. Depois de alguns instantes, Conor apontou para dois ou três golfinhos, que pulavam como acrobatas, perseguindo uns aos outros do lado do barco. Um deles rodopiou no ar antes de passar por baixo da proa. Louisa observava tudo com um sorriso de satisfação no rosto por ver o oceano Índico repleto de golfinhos.

Raramente ela via tão de perto um grupo deles. Encantada, sentiu-se elevada por aquelas criaturas de outro mundo, enviadas para lembrá-los da animação e do bom humor e da simples alegria de estar vivo. Enquanto ela assistia ao espetáculo, totalmente hipnotizada, os golfinhos nadaram lado a lado por mais um tempo, antes de saltar sobre as ondas e se distanciar no mar, deixando Louisa com um sentimento de plenitude. A imensidão do oceano teria sido o bastante, por si só, para produzir aquela espécie de fascínio, mas os golfinhos haviam sido um presente especial, contagiando a todos com a sensação de felicidade. Quando se deu conta de que não havia pensado em Elliot a manhã inteira, ela soltou um suspiro prolongado e agradeceu em silêncio.

"Veja só que sorte nós demos", disse Leo, com um sorriso tão caloroso que era como se tivesse se aninhado dentro dela.

Instantes depois, ele e Louisa puxaram a linha e a rede.

"Pois bem, o que temos aqui?", perguntou Leo enquanto examinava a carga. "Ah, nada mau. Algumas anchovas, bem como eu imaginava, e uma tainha — mas, vejam, pegamos alguns camarões gigantes também. Acho que, juntando com a cavala e o peixe-voador, acabamos de pegar nosso almoço. Bom trabalho, Conor, pode puxar a linha agora. Vamos voltar para a orla."

A praia adormecia em meio ao mormaço do meio-dia. Leo escolheu um local à sombra de um dos fícus que cresciam em meio à vegetação ao longo da praia. Mais ao longe, um grupo de pescadores com turbante havia puxado as próprias redes, e Louisa pôde notar que tinham pegado baldes de camarões. Os três afastaram-se dos pescadores, e Leo acendeu uma pequena fogueira, usando pedras para equilibrar a grelha que trouxera no cesto.

Assim que a fogueira ficou pronta, ele colocou um peixe sobre a grelha, e em poucos minutos estava dividindo o butim em pratos de baquelite. Eles se sentaram na grama, comendo o peixe, lambendo os dedos salgados e molhando a garganta com limonada. Louisa bocejou e alongou os braços.

"Cansada?", indagou ele.

"Não tenho dormido lá muito bem desde..."

"Sabe o que eu faço quando não consigo dormir?"

"O quê?"

"Eu me levanto de madrugada e vou assistir ao nascer do sol. Por que não faz isso comigo amanhã? Vou buscá-la um pouquinho antes de o dia clarear. Depois até faço café da manhã para você."

"Seria bom." Ela fez uma pausa. "Ansioso para o baile?"

Ele fez que sim com a cabeça. "Se bem que faz um tempo desde a última vez que dancei."

"E quando foi isso?"

"No hotel Strand, em Rangum. Um lugar fantástico. Se um dia tiver oportunidade, hospede-se lá. É grandioso."

"Você também esteve na Birmânia, além da Malásia?"

"Trabalhei alguns anos numa firma de comercialização de teca."

"Mas ficou menos tempo lá do que na Malásia?"

"Isso."

"E o que o fez ir embora? Foi o que aconteceu com Alicia?"

"Em grande parte. Eu precisava mudar de ares."

Depois disso, os dois ficaram em silêncio. Ao fundo ouvia-se apenas o barulho do mar e das aves marinhas.

Em pouco tempo Louisa estava cantarolando de novo, bem baixinho.

"Que música é essa?", perguntou Leo.

"Uma canção horrível da Shirley Temple. 'On the Good Ship Lollipop'. Ela não sai da minha cabeça."

Ele riu. "Acho que é bem adequado", disse, começando a cantar a mesma melodia bobinha. Logo os três estavam cantando, a plenos pulmões, antes de cair rolando no chão, com lágrimas nos olhos de tanto gargalhar, sob o olhar estupefato dos pescadores.

35

Quando Leo chegou à praia na manhã seguinte, ainda estava escuro, e o mar diante deles estava calmo. Ao entrarem na trilha através da plantação, Louisa desfrutou do silêncio, quebrado apenas pelo ruído de seus pés pisando a terra e pelo som da própria respiração. Uma onda de excitação percorreu o corpo dela ao divisar o céu, ainda estrelado, dando a impressão de que toda a natureza estava à espera. Depois de alguns minutos, o brilho das estrelas diminuiu e o céu ficou azul-escuro. Ela fechou os olhos por alguns instantes, aproveitando a paz e o ar fresco da madrugada. O silêncio foi quebrado na mesma hora pelos guinchos dos morcegos frutívoros que voavam de uma árvore para outra.

Quando ela olhou de novo para o mar, o céu já havia assumido outro tom de azul, ligeiramente mais claro, com uma linha turquesa e uma faixa avermelhada no ponto em que encontrava o mar arroxeado. Louisa saboreava a companhia de Leo, enquanto o resto do mundo ainda dormia, e uma sensação quase onírica tomou conta dela. Ainda não era dia. Já não era mais noite. Era uma coisa mística, e ela estava gostando. Aos poucos, à medida que o azul se esvanecia e o céu adquiria um tom vermelho escuro dourado, alguns pássaros começavam a celebrar a chegada do dia.

"É tão repentino, não é?", exclamou. "A luz." No momento em que disse isso, o céu começou a clarear, e ela pôde perceber as silhuetas das árvores dominando os dois lados da trilha sob a luz difusa da manhã.

O vento aumentou bem na hora em que começou o coro característico do amanhecer. Foi crescendo até se tornar ensurdecedor, e ela não pôde conter o riso. Era como se a floresta inteira estivesse cantando, cada vez mais, até chegar a uma cacofonia desordenada.

"Conor consegue dormir com esse barulho?", perguntou ela, falando alto para ser ouvida.

"Consegue. Muitas vezes tenho até que arrancá-lo da cama. Pobrezinho. A mãe o deixa ficar acordado até muito tarde da noite."

"Ela é boa mãe?"

"Não é do tipo convencional, isso é fato, mas faz o melhor que pode."

"Devo entender isso como uma crítica?"

"Talvez."

"O que você faria de diferente?"

"Bem, como você sabe, não tive filhos, então provavelmente estou falando bobagem, mas acho que ele precisa de algumas regras básicas. Tem liberdade para andar solto, o que é bom, mas também acho que as restrições e os desafios de uma escola também são necessários."

"Eu jurava que você era mais liberal."

"Meu pai tinha razão numa coisa: crianças precisam conhecer limites."

"Ele é malcriado?"

"Não. É um bom menino. Acho que o que eu quero dizer é que ele precisa de mais estrutura. É jovem demais para lidar com tanta liberdade, e acaba ficando isolado. Adoraria vê-lo passando mais tempo com outras crianças."

"Você se preocupa com ele."

"Sim, gosto muito dele. No começo, estava preocupado com a ideia de ter Zinnia com o filho aqui, mas ter Conor em minha vida, conhecê-lo, vê-lo correndo pela propriedade, bem, é um privilégio."

Eles resolveram andar. O barulho e a confusão eram demais para continuar conversando. Na metade do caminho morro acima, uma revoada de periquitos-de-colar pulou de árvore em árvore, com grande alarido.

No ponto mais alto da fazenda, perto da mata, ela ouviu um canto melodioso e original.

“Papa-figos-de-cabeça-preta”, informou ele.

“Ah, sim, já ouvi falar deles aqui, creio eu”, disse ela, parando para escutar.

Depois de alguns instantes ela acrescentou: “Obrigada por tudo. Às vezes, antigamente, eu e Elliot dávamos uma fugida até a fortaleza para ver o sol nascer. O canto dos pássaros nem de longe era assim.”

Ele sorriu. “Que bom que você gostou. Café?”

“Com certeza. Estou morta de fome.”

“Ovos mexidos e torrada?”

“Magnífico.”

Eles caminharam até a casa e subiram a escada. Enquanto ele preparava o café e cuidava da comida, ela sentou-se na varanda para contemplar a copa das árvores, agora envoltas em névoa. Os pássaros ainda estavam cantando, mas o barulho em campo aberto parecia menor que no meio da plantação.

Ele voltou com o café, que ela bebeu quase fervendo. “Nunca tomei um café mais gostoso”, comentou ela, começando a comer.

Ele riu, e ela percebeu os pés-de-galinha em torno de seus olhos.

“Que apetite você tem”, disse ele.

“É o ar puro. Ando sem apetite desde que Elliot morreu, mas sinto que está voltando.”

“Você precisa fazer mais caminhadas matutinas, então.”

Ela desviou o olhar, mas sentiu o carinho que tomava conta de si.

“Você falou que costumava ir ver o sol nascer com Elliot. Como era?”

“Não sei mais dizer. É uma sensação ruim passar anos enxergando uma pessoa de um jeito para depois descobrir que era bem diferente.”

“Sempre se pode ver as coisas de mais de um jeito. Talvez não porque o que você achava não fosse verdadeiro. Talvez fosse, mas também poderia haver um outro lado desconhecido. Todo mundo não tem um segredo?”

“Não tenho certeza. Tão grande assim, provavelmente não.”

“Isso é verdade.”

Ela fez que não com a cabeça. “Nem sempre admiti o quanto a ausência dele me afetava. Fui me acostumando, simplesmente.”

"Dá para entender."

"E quanto a você, Leo? Quais são os seus segredos?"

Ele deu de ombros. "Minha vida inteira."

Ela o encarou, tentando entender o que ele quis dizer e descobrir o que de fato o incomodava. "Para você é difícil falar de si mesmo?"

"Com certeza não estou acostumado. Mas o que eu quis dizer é que, quando não abre sua intimidade com ninguém, você como pessoa e sua vida inteira acabam virando um tanto misteriosos. Claro que tenho Zinnia e Conor, mas não foi isso que eu quis dizer."

"Você se tornou meio recluso?"

"De certa forma."

"E gosta da solidão?"

"Sinto-me bem comigo mesmo, se é isso que está perguntando."

"Posso fazer uma pergunta?"

Ele riu. "Já está fazendo, não está? Mas vá em frente."

Ela sorriu. "Qual é seu sonho?"

"Fazer desta fazenda um sucesso."

Ela estreitou levemente os olhos enquanto analisava o rosto dele. "Quis dizer seu sonho pessoal. Não tem horas em que o isolamento pesa demais?"

"Não me sinto isolado, na verdade. Como eu disse, tenho Conor e Zinnia, além de Kamu, é claro."

"Até hoje nunca fiquei sozinha para valer." Pensando em Elliot, ela fez uma pausa. "Talvez não seja possível entrar de verdade na cabeça do outro."

"Enxergamos só o que queremos, você não acha?"

"Ou o que a outra pessoa deixa você enxergar."

Ele fez que sim com a cabeça. "Também."

Fez-se um silêncio prolongado, durante o qual Louisa pensou no que ele acabara de dizer. Ela acreditava que as pessoas precisavam umas das outras, que a vida sem contato íntimo devia ser vazia e sem sentido, que compartilhar o amor era essencial para o bem-estar.

"Você não é solitário, na verdade?"

Ele a encarou com um olhar intenso. "Não foi isso que eu disse. A vida aqui pode ser solitária às vezes, principalmente à noite, mas da mesma forma como você se acostumou às ausências de Elliot eu me acostumei com minha vida como ela é."

"Você nunca dividiu sua vida com ninguém?"

"É uma pergunta ou uma sugestão?"

"Não foi o que eu quis dizer."

"Eu não descarto", respondeu ele. "Depois de Alicia, tenho dificuldade em confiar nos outros. Por isso, adquiri o hábito de me afastar quando alguém se aproximava."

E agora?, ela quis perguntar. *O que está sentindo agora?* Em vez disso, porém, ela se reclinou na cadeira e fechou os olhos. Tinha a impressão de que não havia muito a dizer, e fez-se outro longo silêncio.

"O amanhecer combina com você", disse Leo, por fim, e ao abrir os olhos ela viu que ele sorria. "Mais uma torrada?"

Ela concordou.

Depois de comerem as torradas, ele se ergueu da cadeira. "Preciso dar uma olhada em Conor antes de começar a trabalhar. Você se importa de descer sozinha?"

"Vou ficar bem", disse ela, levantando-se também. "Obrigada pelo café da manhã."

Eles se olharam.

"Eu gostei muito", disse ele.

No caminho de volta morro abaixo, Louisa contemplou os esquilos listrados que subiam correndo o tronco das árvores ao ouvi-la passar. Os pássaros estavam mais silenciosos, embora alguns continuassem a cantar. Ela repassou tudo que Leo dissera. Embora tivessem tocado no nome de Elliot, ela não sentiu a mesma tristeza que geralmente acompanhava toda evocação do marido morto. O passado parecia se afastar aos poucos. Naquele dia, ela se sentia leve como um pássaro, como se um enorme peso tivesse saído de suas costas. O dia não se afigurava mais longo e vazio diante dela. Louisa até riu em voz alta, ao sentir uma onda de determinação tomar conta de si. Era hora de se concentrar no empório. Não dava para prever o que aconteceria entre ela e Leo, mas já estava claro que tinha ganhado um bom amigo.

36

O dia do baile amanheceu chuvoso e escuro. Por isso, Louisa só deixou os dois cães sobreviventes saírem um pouco para o jardim — estava úmido demais para passear —, mas pegou uma capa e um guarda-chuva para ir ao empório. Os pedreiros já estavam trabalhando pesado na hora em que ela chegou. Já tinham terminado as tarefas iniciais, limpando a bagunça deixada pelas rotativas e subindo até o telhado para lavar a imensa claraboia em forma de círculo, para enxergar melhor o trabalho no interior do prédio. A obra de carpintaria também já estava em andamento, e as persianas já estavam sendo lixadas. Ao entrar, ela notou que na sala antes trancada algumas tábuas do piso estavam quebradas.

"Não se preocupe", disse Himal. "Quando começarmos a aplainar o piso, vamos consertar tudo que está solto. Meu carpinteiro já está juntando os móveis e logo, logo vamos passar a primeira demão de tinta nisto tudo."

De volta a casa, ela subiu para verificar se o vestido da noite tinha sido passado. Estava planejando usar um modelo azul-gelo de cetim de corte justo, enviesado na cintura, com painéis rendados. O cinturado natural combinava com seu corpo alto e esbelto. A parte de cima era mais apertada, mas não colada ao corpo, com decote em V na frente e nas costas e mangas japonesas. Ela o usaria com uma echarpe azul de chiffon, combinando, e os brincos de safira.

As horas demoraram a passar, como sempre acontecia no período de monções. Louisa ficou escutando o barulho da chuva que se abatia sobre a estrada, e tentava ler, enquanto Margo e William decidiram enfrentar a tempestade à tarde para ir buscar o traje formal dele. Em seguida, os três se dedicaram a tirar a foto de que William precisava para o divórcio. Enquanto os dois subiam na cama, Margo de cabelos soltos e ombros nus, Louisa ajustou a câmera. Ele tirou a camisa, mas fora isso ambos estavam totalmente vestidos. Margo deu uma risadinha quando Louisa ergueu os olhos.

"Que sensação estranha", disse ela.

Margo fez beicinho e fez uma pose maliciosa, provocando uma gargalhada geral.

"Você podia abraçá-la", sugeriu Louisa.

"Ele vai precisar fazer mais do que isso", brincou Margo.

William parecia pouco à vontade, mas concordou. "Não há nada melhor que um bom beijo na boca", disse ele.

Louisa ergueu as sobrancelhas. "Oh, meu Deus, que vergonha."

"Está pronta?", perguntou William.

"Tudo pronto. Quando vocês quiserem", respondeu Louisa.

Enquanto William e Margo se beijavam, Louisa tirou várias fotos, e os três novamente caíram na gargalhada.

"Talvez você pudesse se juntar a nós", sugeriu Margo. "Aí, sim, o circo ia pegar fogo!"

Horas depois, já com o sol projetando sombras alongadas e pintando faixas rosadas na parede do quarto, Louisa foi dominada por um sentimento de nostalgia. Era um baque profundo constatar que, apesar da sensação de estar seguindo em frente, Elliot ainda se fazia presente de forma tão repentina. Ela sentou-se à penteadeira e, ao olhar-se no espelho, quase teve a impressão de que ia vê-lo atrás de si.

"Você está linda", diria ele. E Louisa sorriria e responderia que ele sempre dizia isso. Mas daquela vez ela não sorriria. Olharia feio para ele e o chamaria de mentiroso.

De repente, o quarto ficou vazio, e a presença dele se foi. Era como se a tivesse escutado. E agora ela estava sentada à beira do que parecia um silêncio sem fim, em que seus pensamentos e emoções permaneciam em suspenso. Louisa não acendeu a luz, deixando o anoitecer invadir o quarto.

Quando passou das sete horas, Margo bateu à porta. "Por que você está sentada no escuro?", perguntou ao entrar, acendendo a luz do quarto.

"Motivo nenhum", respondeu Louisa. "Você está adorável."

Margo estava usando um vestido vermelho vivo, que realçava seus cabelos negros e brilhantes e fazia seus olhos verdes faiscarem. "Algum sinal de Leo?", perguntou.

Louisa fez que não com a cabeça. "Ele está um pouco atrasado, mas não me espanta. Queria se certificar de que Conor estava na cama antes de sair."

"Vai ficar meio em cima da hora."

"Por que você e William não vão na frente, e nós alcançamos vocês? Leve meu pai também."

"Acho que ele queria encontrar Leo."

"Ele vai encontrá-lo no baile."

"Como você está se sentindo?", perguntou Margo.

Louisa inspirou longamente e soltou o ar aos poucos. "Estava pensando em Elliot."

"Também sinto falta dele." Margo se aproximou, inclinou-se e envolveu Louisa com o braço. "Mas dizer o tempo todo para você esquecê-lo não adianta, não é?"

Louisa fez que não com a cabeça.

"Sinto muito."

Louisa deu um suspiro. "Você se dá conta de que eu só ficaria sabendo de Zinnia e Conor no dia em que ele acabasse me deixando?"

Margo balançou a cabeça. "*Se* ele fizesse isso. Odeio falar assim do meu próprio irmão, mas ele sabia muito bem a sorte que tinha de estar casado com você. Não consigo imaginá-lo abrindo mão de tudo isso — e em troca de quê?"

"Para poder viver com o filho, imagino."

"Ele queria ter filhos, é verdade. Em parte, creio eu, para compensar a perda de nosso irmão."

"Ele nunca disse isso, mas sempre foi minha impressão."

"Na época eu era bem pequena, mas acho que foi quando minha mãe se tornou mais ambiciosa e começou a fazer planos para os homens que restavam em sua vida. Ela os forçou a ser o que não eram."

"Elliot também?"

"Na cabeça dela, o céu era o limite. Deve ter sido difícil para ele estar à altura das aspirações dela."

"Isso não serve como desculpa."

"Não..." Ela fez uma breve pausa. "Só não entendo o que ele viu em Zinnia."

Louisa deu de ombros. "Ela é só uma sombra do que já foi um dia. Naquela época, ele deve tê-la achado exótica e enigmática. Muito diferente de mim, em todo caso. Eu queria odiá-la, sabe, mas como poderia, diante de alguém tão frágil?"

"Ele amava você de verdade. Tenho certeza disso. Mas nenhum de nós conhecia Elliot de fato, não é?"

Louisa não respondeu.

"Não consigo parar de pensar se teria alguma coisa que eu pudesse ter feito."

"Não fique se culpando, Margo."

"A propósito, minha mãe telefonou, fazendo todo tipo de pergunta sobre Conor. Não contei que Zinnia está doente. Não duvido que ela viesse para pegar o menino."

"Leo não permitiria."

"Ele poderia não ter escolha. Ela é avó do menino."

Margo saiu do quarto, e Louisa terminou de pentear o cabelo. Foi para a sala de estar aguardar Leo, sentindo-se muito solitária. Só um abajur estava aceso, iluminando suas unhas pintadas. O nome do esmalte era "prata profundo". Depois de quase uma hora, ela se levantou e começou a caminhar pela sala. Não acreditava que Leo fosse o tipo de homem que a deixaria na mão; portanto, alguma coisa devia estar impedindo-o de chegar. Às nove horas, porém, ela teve que admitir que precisaria encarar o baile sozinha. Estava dando apenas uma última olhada no cabelo, no espelho do salão, quando ouviu alguém batendo à porta. Deu alguns passos na direção da sala de estar e pediu a Ashan que fosse atender. Graças a Deus, pensou ela quando ouviu a voz de Leo e ele entrou, segurando uma enorme bolsa. Ele fez uma cara de espanto. "Uau!", foi tudo o que exclamou.

Ela sentiu que ruborizava.

"Louisa, mil desculpas. Nem sabia se você ainda estaria aqui."

"O importante é que você chegou. Aconteceu alguma coisa?"

"Zinnia não estava muito bem, e Conor não parava quieto. Já mandei instalar uma linha de telefone, mas ainda não terminaram o serviço, então por enquanto ainda não tenho como entrar em contato com você. Que bom que ainda está aqui."

"Fiquei esperando."

"Eu sei."

Os dois se encararam, sorrindo.

"Você precisa se trocar. Vou conduzi-lo a um quarto de hóspedes."

"Obrigado."

Ele não se mexeu.

"O que foi?"

"Louisa, o brilho dourado nos seus olhos nunca esteve tão bonito."

Quando ele desceu as escadas, a transformação havia sido total. Em vez da jaqueta impermeável que usava para andar de moto, estava vestindo um elegante traje noturno. Deu um jeito nos indomáveis cabelos ruivos ondulados, mas não a ponto de deixar de parecer quem era. Estava bonito sem fazer esforço, quase como se não tivesse consciência do efeito que produzia. Ao admirar seus ombros largos, suas pernas compridas e olhos escuros, ela não conseguia desviar o olhar nem impedir um frio na barriga.

Ele deu um sorriso maroto. "Dá para o gasto?"

"Dá e sobra."

Ele tossiu. "Ainda não disse como você está bonita."

Ela desviou o olhar por um instante, e depois voltou a encará-lo. "Você elogiou meus olhos."

Ele fez que sim com a cabeça.

Fez-se um silêncio entre os dois. Sentindo-se um pouco como uma debutante no primeiro encontro, ela vacilou. Lá fora, um carro acelerou, um cão solitário latiu, e Louisa ouviu o barulho de alguma coisa caindo no chão da cozinha. Chegou a pensar em ir até lá ver o que tinha quebrado, mas logo se deu conta de que seria apenas uma maneira de fugir momentaneamente daquilo que a estava deixando nervosa.

"Pois bem", disse ele, por fim. "Pronta?"

E então, apesar de todas as suas dúvidas, o coração dela encheu-se de alegria ao lhe dar o braço.

"Vamos a pé?", perguntou ele. "A chuva parou." Ele a reteve por um instante. "Mas antes queria dizer uma coisa."

"Vá em frente."

"Está claro que dentro de você ainda existe uma ferida. Só quero que você saiba que eu compreendo."

Invadida por uma onda de emoção, ela assentiu.

Quando entraram no salão de baile, um foxtrote estava tocando a todo vapor. Ela apoiou-se no braço dele e olhou em torno, para os candelabros resplandecentes e os enormes arranjos de flores. As paredes, decoradas com espelhos que iam do teto até o chão, refletiam as luzes e os casais que dançavam. O salão estava lotado, e fazia calor, apesar de ter chovido. Ela queria encontrar o pai, para apresentá-lo a Leo. Por isso, os dois se esgueiraram pelas extremidades do recinto. Por fim, encontraram Jonathan conversando com Elspeth Markham, uma das principais figuras da congregação da igreja e uma das responsáveis pelos arranjos de flores.

"Olá, sra. Markham", disse Louisa. "Permita-me apresentar-lhes Leo McNairn. Leo, este é meu pai."

Enquanto todos se cumprimentavam, era evidente que Jonathan estava examinando Leo. Louisa sabia que era apenas uma forma de o pai se preocupar com ela, mas foi impossível evitar certa irritação. Ela olhou de lado rapidamente para Leo.

"Se o senhor não se importar, papai, Leo e eu vamos um pouco para a pista."

Entendendo a deixa, Leo tocou de leve no braço dela.

"Será que poderíamos tomar um drinque mais tarde?", perguntou Jonathan. "Que tal daqui a uma hora, no bar?"

"É claro", respondeu Leo.

"Meu pai vai torturar você. Desculpe", sussurrou ela enquanto procuravam um espaço livre na pista de dança.

Ele riu e tomou-a pelo braço. Assim que começaram a valsar, as inseguranças de Louisa se esvaneceram, e ela liberou-se para desfrutar plenamente da proximidade de Leo. Uma vez mais, sentiu que havia uma química entre os dois, e teve certeza de que ele sentia a mesma coisa. Ele a puxou para mais perto de si e os dois dançaram juntos sem dificuldade até ela sentir calor demais; por isso, decidiram ir para o bar. O local estava lotado, mas ela encontrou uma mesa vazia, enquanto Leo foi pedir duas taças de champanhe.

Ela se sentou e fechou os olhos, mas não pôde deixar de ouvir vozes vindas da mesa ao lado. Arregalou os olhos quando ouviu que era seu nome que estava sendo comentado.

"Estão espalhando todo tipo de boato sobre o marido de Louisa Reeve", dizia uma mulher.

"Soube que ele tinha outras mulheres."

"Ela sabia?"

"Ninguém sabe."

"Você ouviu alguma coisa sobre um filho ilegítimo?"

"Não. Que horror!" Esta última frase foi dita com um tom de espanto.

"Quantas outras mulheres ele teve?"

"Um monte, ouvi dizer."

Louisa levantou-se no momento em que Leo voltou com duas taças. "Vou avisar meu pai que você está aqui."

"Você volta?"

"Daqui a pouco."

"Algum problema?"

Ela fez que não com a cabeça. "Vou ficar bem", disse, tomando um gole do champanhe oferecido por ele. Pondo a taça na mesa, ela virou-se, encarando as duas mulheres que estavam fofocando. Uma delas era Elspeth Markham.

Louisa não tardou a encontrar o pai, avisando-lhe onde Leo se encontrava. Em seguida, foi à procura de Margo, encontrando-a fora da pista de dança, de mãos dadas com William.

"Os pombinhos não estão dançando?"

"Não sou muito de dançar", respondeu William. "Quer que eu pegue uma bebida para você, Louisa?"

"Agradeço", disse ela. Enquanto William se afastava, ela tomou o assento que ele deixara vago.

"E então, onde está Leo?"

"Com meu pai."

"Espero que dê tudo certo."

"Por que não daria?"

"Bem, lembre-se do que ele achou de Elliot assim que o conheceu."

"E no fim ele tinha razão... Margo, ouvi um grupo de mulheres fofocando sobre Elliot. Elas estavam dizendo que ele teve mais de uma mulher."

"Não dê ouvido a fofocas. Ou vai acabar enlouquecendo."

"Sei muito bem que você tem razão. Mas fiquei com muita vontade de tirar satisfação com elas."

"Deixe estar. Em vez disso, diga qual foi a sensação de dançar com Leo."

Louisa fechou os olhos e sorriu. "Com ele, eu fico à vontade. É tão tranquilo. Sei que provavelmente ainda é cedo demais, mas não posso conter o que sinto." Ela deu um suspiro. "Por que a vida tem que ser tão complicada?"

"Somos nós que complicamos tudo, você não acha? Se você gosta dele e ele gosta de você, qual o problema?"

William voltou com uma taça. Louisa levantou-se, pegou-a da mão dele e voltou para o bar, onde encontrou Leo e o pai morrendo de rir de alguma piada. Ela sentiu um arrepio de satisfação ao vê-los se dando tão bem, e nesse momento uma certeza repentina a fez tomar uma resolução.

"Louisa", disse seu pai. "Sente-se no meu lugar."

Ele levantou-se e estendeu a mão para Leo. Os dois se cumprimentaram, e Louisa enxergou no gesto um selo de aprovação, o que a deixou contente. Quando Jonathan não aprovou Elliot, foi um momento difícil.

Depois que o pai foi embora, ela sentou-se e chegou mais perto de Leo. “Podemos ir?”

“Ainda é cedo.”

“Quero voltar para Cinnamon Hills com você. Podemos ir no meu carro.”

“Está certa disso?”

“Totalmente.”

37

Depois de pegarem o carro, Louisa foi dirigindo até Cinnamon Hills. Ela não esperava se sentir tão calma, mesmo tendo que atravessar a trilha esburacada e chegar à casa da fazenda em meio a uma escuridão total. Com infinita gentileza, Leo estendeu o braço e tocou-lhe a mão, que ainda repousava no volante.

"Ainda está em tempo de mudar de ideia."

Depois que ela desligou os faróis, olhou para a espessa escuridão da noite. Sem nada poder enxergar da paisagem espetacular, ela sentia unicamente a presença de Leo a seu lado, como se os dois estivessem sozinhos, envoltos numa bolha. Era uma sensação que provocava uma pontada de prazer, fazendo-a entender que aquela era uma das razões do poder de sedução tão grande da intimidade. Pelo tempo que durasse, oferecia uma espécie de escudo delicioso, uma confortável proteção do mundo exterior, algo que lhe fazia falta desde a morte de Elliot.

Os dois saíram do carro, e ele a conduziu até a porta da frente, apenas sob a luz das estrelas. Ela sentiu o aroma noturno voluptuoso das flores e das árvores. Ao redor, a terra e a mata pareciam densas e mais próximas. Nem de longe fazia silêncio. Dava para ouvir as cigarras, os animais se esgueirando pelas trilhas e o bater das asas das aves noturnas. E, ao fundo, o rugir do oceano. Vaga-lumes passaram voando bem na frente de seus olhos, salpicando a noite de luz e fazendo-a sorrir. Ele abriu a porta, e os dois foram para o andar de cima. O cheiro do quarto, de tabaco e canela, contrastava com o perfume úmido da noite. Quando ele se abaixou para acender um candeeiro e virou-se para observá-la, Louisa notou que seus olhos estavam escuros e brilhantes. Prendeu a respiração quando a luz iluminou o rosto dele e teve a impressão de que o ar fugia-lhe.

"Eu não esperava que você ficasse tão bonito num traje de gala", disse ela.

Por um instante, Louisa teve a sensação de um conflito dentro de si, e ficou tentada a voltar atrás. Resistiu à vontade e ficou parada onde estava. Ele saiu do quarto por alguns instantes e, durante sua ausência, ela observou seus objetos pessoais. Não havia muita coisa. Apenas alguns livros, uma ou duas plantinhas, a jaqueta cáqui pendurada no encosto de uma cadeira, uma pilha de papéis desarrumados, um jornal antigo e um imenso relógio de parede. O único ruído era o tique-taque do relógio. Notou que não era nem meia-noite, e resolveu espiar os livros. Pegou um exemplar dos poemas de guerra de Siegfried Sassoon e folheou um pouco. Depois, desatarraxou os brincos e colocou-os sobre a mesa. Teve a sensação de que nunca mais esqueceria os detalhes daquele quarto, e o quanto estar perto de tudo que pertencia a Leo mexia com sua cabeça. Aquele quarto era totalmente "ele".

Quando Leo voltou ao quarto, o ar estava carregado de promessas, de intenções, ou talvez apenas de desejo puro e simples, e ela sorriu ao se dar conta de que estava descrevendo mentalmente para si mesma o que estava acontecendo.

"Por que você está sorrindo?", perguntou ele.

"Não sei. Por isto? Por nós? Pela vida?"

Ele caminhou em sua direção.

Quando se beijaram, ela sentiu como se estivesse se abrindo, lentamente no começo, e apreciou o gosto de champanhe nos lábios dele. Envolveu-lhe a nuca com os dedos e sentiu que ele se curvava em direção a ela. Inconscientemente, retesou o abdome e os quadris se ergueram bem de leve, sentindo a firmeza do corpo dele contra o seu. Como num encanto, pensou ela, imaginando se seria apenas uma questão de desejo de se livrar da tensão que a dominava. Na expectativa de que ele a levasse até a cama, sentiu a própria respiração ficar mais irregular. Ao soltar o ar contra o pescoço de Leo, uma onda de prazer percorreu seu corpo.

Louisa começou a abrir os botões da camisa de Leo, de início com cuidado, mas cada vez com mais pressa, até abri-la totalmente. Ele puxou o fecho na parte de trás do vestido e tirou-o pela cabeça. Ela pôs a palma da mão naquele peito nu e sentiu que o coração dele batia forte. Ele acariciou-lhe os ombros e então, quando baixou a cabeça para beijar a curva da nuca, ouviu-se um violento estrondo do lado de fora. Eles se separaram de um salto ao escutar um grito. Ele fechou dois botões da camisa antes de correr para a porta.

"Fique aqui", disse ele, saindo do quarto.

Ela acalmou a respiração enquanto esperava. Depois de alguns minutos, a porta se abriu, e ela viu Leo de volta.

"Macacos", disse ele. "Eram só os macacos."

Louisa tinha plena consciência de que estava seminua, mas, em vez de levá-la para a cama, ele chegou até ela trazendo seu vestido.

"Louisa, não podemos."

"Por que não?"

Ela queria ser mais ousada, insistir que não havia problema, que aquele era o momento que tinham escolhido para dar o passo seguinte, mas sentiu que não tinha forças.

Ele respondeu com ar atormentado. "E se for cedo demais? E se você acordar de manhã achando que cometeu um erro terrível?"

Ela franziu a testa, disposta a não deixar a ocasião passar. "Não vou achar. Não acharia."

"Eu sei que você ainda tem sentimentos conflitantes em relação a isso."

Ela recuou, balançou a cabeça e, com vontade de chorar, maldisse o fantasma de Elliot, que ainda pairava entre os dois. Achava que tinha certeza, que era o momento, mas, se Leo não sentia o mesmo, de que adiantava? E agora ela também já não tinha certeza.

"Você pode dormir na minha cama", disse ele, fixando os olhos em seu rosto. "Eu durmo no sofá."

"Não posso privá-lo da sua cama."

"Não só pode como vai."

*

Ela passou a noite em claro, caindo no sono apenas no final da manhã. Só foi acordada por uma batida na porta, antes de ele entrar. Num lampejo, ela lembrou-se da pressão do corpo dele contra o seu, reacendendo o desejo numa onda. Mas Leo parecia totalmente normal, vestido com a roupa do dia a dia e trazendo uma bandeja com torradas e café. Ela também notou que ele tinha um envelope na mão.

Louisa examinou os traços angulosos de seu rosto, reforçados pela luz da manhã que se infiltrava entre as persianas. Ajeitou-se na cama e passou a mão pelo cabelo despenteado.

"Você está ainda mais bonita", disse ele, tocando-lhe o rosto.

Ela sorriu, consciente de que ele a examinava, mas ficou incomodada ao sentir que ruborizava. Leo tirou a mão, arregaçou as mangas e serviu-lhe o café. Louisa sentiu vontade de estender a mão e tocar-lhe o antebraço, cujos pelos dourados refletiam a luz.

Em vez disso, perguntou o que o envelope continha.

Ele deu um suspiro, e só então ela prestou atenção em seu olhar. "É o resultado do laboratório. De fato, Zinnia está com malária."

Ela tomou rapidamente o café, enquanto assimilava a notícia. "Nesse caso, eu vou correndo ao hospital com o resultado, para buscar um pouco de quinino."

"Eu vou com você."

"Não, você fica com Zinnia. Ela precisa saber. É melhor que não fique sozinha."

"Ainda não fui vê-la, mas ela não estava muito bem ontem à noite. Então, não é má ideia. E, pensando bem, também não vi Conor ainda."

"Volto assim que conseguir o quinino, e aí levo você para buscar sua moto."

Bem nessa hora, começou a chover de novo, e os dois ouviram as gotas que batiam contra o telhado. Louisa adorava o romantismo do barulho da chuva quando estava bem abrigada; tanto as batidinhas ritmadas que davam sono como as pancadas fortes que não a deixavam dormir quando estava aninhada sob as cobertas.

"Bem que eu queria poder ficar na cama", disse ela, sentindo um arrepio, mas não teve coragem de acrescentar: *com você*. "Só de pensar de ter que sair na chuva."

Fez-se um silêncio, e ele a fitou, estreitando um pouco os olhos.

"E quanto à noite passada, está tudo bem para você?", perguntou ele por fim, chegando mais perto.

Ela encarou-o de volta e fez que sim com a cabeça, prendendo por um segundo a respiração.

Ele ficou em silêncio, como se estivesse pensando no que dizer em seguida. "Você sabe que eu queria, não é?"

Ela soltou o ar lentamente. "Sei."

No hospital de Galle, Louisa descobriu que estavam à espera de um novo suprimento de quinino, que poderia levar vários dias para chegar. Sentiu que estava se deixando abater. Já tinham ocorrido muitas mortes em sua vida, e a enfermidade de Zinnia lhe trazia a lembrança cruel de Julia e Elliot. Não que os tivesse esquecido em algum momento, mas eles voltavam ao centro de seus pensamentos, e a dor que a dominava novamente despertava-lhe o temor de que nunca fosse embora. Ela tentou lutar contra aquela sensação e decidiu viajar até Colombo para conseguir o quinino mais depressa. Ia pedir a Margo que a acompanhasse.

De volta a casa, notou que havia uma maleta no saguão. Um minuto depois, Margo e William entraram; os olhos de Margo estavam vermelhos e um pouco inchados.

"William vai pegar o ônibus", disse ela. "Chegou a hora."

Louisa olhou para um e depois para o outro. "Zinnia está com malária, agora está confirmado, e não há quinino disponível aqui. Quero ir buscar em Colombo. Então posso levar você."

"Quanta gentileza", disse William. "E é melhor que o ônibus."

"Você é que estaria me fazendo um favor. E, Margo, por que você não vem também? Assim vocês ficam juntos por mais um tempinho."

"Reservei um quarto no hotel Galle Face", disse William.

"Bem, reserve mais um quarto para dois, e eu fico com seu quarto simples. De qualquer maneira, não vou poder voltar de carro no escuro, com essa chuva. Margo pode voltar comigo amanhã."

"E aí eu vou com você até Cinnamon Hills. Zinnia precisa de uma enfermeira."

"Você faria isso por Zinnia?"

"Faria isso por você."

A viagem demorou, mas por fim os três chegaram a Colombo, e Louisa os conduziu até o Galle Face. Do lado de fora, as palmeiras de tronco fino balançavam com força ao vento. Por sorte, porém, a chuva parou quando eles saíram do carro. William levou as malas para o imenso saguão de recepção, e de lá para o Palm Lounge, passando por duas imponentes escadarias curvas. Depois que se sentaram, Louisa olhou para as outras mesas e cadeiras espalhadas pelo piso de teca encerado, e levantou-se dizendo que ia verificar se estava tudo certo com as reservas.

No balcão principal, o recepcionista certificou que a reserva estava confirmada. Ela voltou, então, para pedir a Margo e William que tomassem conta de sua pequena mala com uma muda de roupa até que voltasse do hospital.

"Quero ir buscar o quinino agora. Só para garantir."

"Vamos levar sua mala para o quarto e nos encontramos aqui embaixo, daqui a uma hora."

Louisa não gostava da ideia de ter que dirigir de novo, mas tinha chovido demais para ir andando. A trégua da chuva se revelara brevíssima, e as gotas já ricocheteavam de novo nos arbustos e nos paralelepípedos.

Depois de ficar meia hora na fila do hospital, ela conseguiu obter o que procurava. Sentiu-se um pouco culpada por não retornar de imediato a Cinnamon Hills, mas o tempo estava péssimo, e isso representaria ter que dirigir no escuro. Zinnia já tinha esperado tempo demais para se tratar; certamente, mais algumas horas não fariam muita diferença.

38

Havia no ar um cheiro de terra e folhas úmidas quando Louisa encostou o carro em frente ao bangalô de Zinnia, no dia seguinte. A primeira pessoa que viu foi Conor, saindo correndo pela porta da frente, disparando em direção às árvores, de onde a água da chuva ainda pingava.

"Por que você acha que ele fez isso?", perguntou Margo.

Louisa sacudiu a cabeça. "Provavelmente tem alguma coisa o incomodando."

"Como eu queria conhecê-lo direito. Afinal de contas, é meu sobrinho." Ela olhou para Louisa e ruborizou levemente. "Desculpe, eu não quis dizer..."

"Está tudo bem. Com certeza você vai conhecê-lo", interrompeu Louisa. "Mas esse menino é um pouquinho do tipo selvagem." Ela saiu do carro, seguida por Margo.

"Trouxe o quinino?", perguntou Margo.

"Está na minha bolsa." Ela estendeu a mão para pegar a bolsa no banco de trás, e as duas começaram a caminhada em direção à casa.

"Está tudo muito silencioso", disse Margo.

Louisa olhou em torno, mas sem se deter em nada em particular. O bosque estava mais calmo que de costume, a não ser pelos pingos de chuva e pela brisa que fazia dançarem as copas das árvores, exatamente como ela gostava. Mas sua cabeça estava concentrada no fato de que logo iria rever Zinnia. Chegou à porta da frente e abriu-a. Na mesma hora percebeu que o silêncio na sala não era normal. Viu que Leo estava sentado no sofá, olhando para o horizonte com um semblante vazio.

"Trouxe o quinino", ela falou, apressada. "Tive que ir até Colombo, no fim das contas. Cheguei o mais depressa que pude. Acabamos de ver Conor..."

Leo ergueu a mão para interrompê-la.

"O que foi?"

Ele sacudiu a cabeça, com uma cara péssima.

Ela chegou mais perto. "Leo, você está me deixando assustada."

Ele se levantou e estendeu a mão para ela. "Chegamos tarde demais."

Louisa segurou na mão dele, sentindo-se arrasada.

"Zinnia morreu hoje de manhã."

Ele soltou a mão dela e sentou-se de novo, olhando fixamente para o chão, com ar abatido. Tentando encontrar uma maneira de consolá-lo, ela fitou seu rosto sofrido e seus ombros, agora curvados pelo peso enorme da morte da prima. Sentiu vontade de puxá-lo para si e alisar seus cabelos revoltos. Com o coração aos pulos, porém, apenas sentou-se ao lado dele, esperando que falasse. A realidade incontornável da morte de Zinnia era um choque quase tão grande para ela quanto a de Elliot. O fato de já ter passado por aquela experiência de nada valia. Sempre ficava a sensação de que deveria ter feito alguma coisa a mais. De que poderia ter feito alguma coisa a mais. Se pelo menos tivesse tentado. E sempre era tarde demais.

"Ela levou uma vida tão estranha e solitária aqui", disse ele, erguendo os olhos para fitá-la. "Sempre achei que não era o que mais convinha a ela. Deveria ter ficado em Colombo, com os amigos da vida boêmia."

Louisa, encarando-o, ficou compadecida ao ver seus olhos, visivelmente assombrados pela dor. "Como ela veio parar aqui?"

Ele recuperou o fôlego antes de falar. "Ela não tinha onde morar com Conor. Mas nunca foi o ideal."

Margo o interrompeu. "Vimos Conor correndo para fora. Não era melhor irmos procurá-lo?"

"Agora não", disse Leo. "Ele acabou de saber. Vamos deixá-lo assimilar a notícia um pouco. Talvez o melhor para ele, agora, seja procurar os recantos onde gosta de se esconder."

"Mas ele é tão pequeno para perder a mãe", comentou Margo.

Louisa olhou para ela. "Estou me sentindo culpada. Eu devia ter voltado de carro ontem à noite."

Leo fez que não com a cabeça. "Não teria feito diferença nenhuma. Já era tarde demais para Zinnia. Se alguém tem culpa, sou eu. Deveria ter insistido para que ela fosse ao médico antes. Só que não me dei conta..."

"Não fique se culpando", disse Louisa, sentindo as orelhas queimarem e sabendo que ele se culparia de qualquer maneira. As pessoas eram assim, sempre pensando num jeito de se sentirem culpadas, em busca de algum detalhe mínimo que poderia ter feito tudo acabar bem, imaginando como poderiam ter feito alguma diferença. Era o mesmo que tinha acontecido com ela em relação a Julia e Elliot.

"E agora, o que fazer?", perguntou Margo.

Por alguns minutos, ninguém disse nada, até que Leo se levantou, no mesmo instante em que um raio brilhante de sol iluminou a sala escura. "Louisa, será que você poderia pedir a seu médico que viesse, por favor, para emitir a certidão de óbito? Ele pode tomar providências para que ela seja levada para o necrotério de Galle."

Margo ficou de pé. "Que tal se eu for? Sei onde é a casa dele, e Louisa pode ficar aqui para ajudá-lo." Ela virou-se para Louisa. "Você confia em mim para dirigir seu carro?"

Louisa fez que sim com a cabeça.

"Posso ir com você para pegar minha motocicleta? Não vai demorar muito, e preciso dela. Minha caminhonete ainda está no mecânico. Você pode esperar lá em cima, na minha casa, Louisa. Tenho certeza de que estarei de volta antes de Conor aparecer por lá. Quando ele vai para um dos cantinhos dele, fica por lá durante horas e nunca consigo achá-lo."

"Mas não é melhor você ficar aqui?"

"Vou e volto o mais rápido que puder. Mas preciso da minha moto, para cuidar de tudo que precisa ser feito."

"Está certo", disse ela, apesar de não saber como lidaria com o sofrimento do menino, e receando que Leo estivesse avaliando equivocadamente como Conor reagiria.

Leo trancou a porta da frente do bangalô, para que Conor não pudesse entrar de novo e ficar sozinho com a mãe. Depois que ele e Margo saíram, Louisa ficou sentada do lado de fora, em um tronco, sentindo uma terrível tristeza por Zinnia. Aquela mulher não tivera a menor chance, e agora não apenas Elliot, mas ela também estava morta, deixando Conor órfão. Louisa ainda se lembrava de como sentiu-se no dia em que a mãe morreu. Seu pai tinha tentado poupá-la do sofrimento, mas ela correu para o quarto dos pais e viu a mãe deitada na cama. Fazia muito calor no quarto, e o cheiro dos lírios era quase insuportável. Por causa daquilo, nunca mais gostou de lírios, e tornou-se fanática pelo ar livre. Gritou até a aia levá-la embora, a contragosto, em prantos. Durante muitos anos, passou a sentir medo de tudo, até que aos poucos aprendeu a não deixar transparecer. Agora estava preocupada com Conor, totalmente sozinho em algum lugar. Talvez Leo tivesse razão, e ele precisasse de tempo para se acostumar à ideia da morte da mãe. Mas era muito novo, e ela não conseguia deixar de pensar que não deveria estar sozinho.

Embora não estivesse fazendo frio, Louisa sentiu um arrepio. Respirou fundo várias vezes e decidiu se mexer. Quando chegou ao alto do morro, surpreendeu-se ao ver o menino sentado no banco que ficava em frente da casa de Leo. Inicialmente, ele não levantou a cabeça. Por isso, ela foi sentar-se ao seu lado.

"Sinto muito pela sua mãe", disse ela.

Nenhuma resposta, apenas um olhar grave de desespero.

"Posso contar uma história? É sobre uma menininha que tinha a mesma idade que você quando perdeu a mãe."

Ele virou a cabeça para Louisa, e ela viu que seus olhos estavam vermelhos de tanto chorar.

"Ela achou que era o fim do mundo. É assim que você está se sentindo?"

Ele fez que sim com a cabeça.

"Ela teve a impressão de que nunca mais nada ia ficar bem."

Uma vez mais, ele fez que sim com a cabeça.

"E ela achou que nunca mais ia voltar a sorrir."

Fez-se um longo silêncio. Louisa ficou ouvindo os pássaros e o vento, que balançava os galhos das árvores. Ergueu os olhos para o céu e viu manchas de azul em meio às nuvens escuras, filtrando um pouco de luz do sol.

"O que aconteceu com ela?", perguntou ele de repente, com pânico no olhar. "O que aconteceu com a menininha?"

"Ela ficou triste por bastante tempo, mas depois ficou tudo bem."

"Eu estou triste", disse ele.

O empregado de Leo saiu e avisou que servira limonada e chá dentro da casa, mas Conor pareceu nem perceber.

"Venha", disse Louisa. "Vamos tomar um pouco de limonada. Talvez Kamu possa arrumar uns biscoitos também."

O menino ficou de pé, mas não voltou a falar.

Os dois entraram e ele sentou, com o corpo curvado, sem tocar no copo de limonada na mesa de centro à sua frente. Louisa bebericou o chá, enquanto pensava em Zinnia. Apesar de todo o seu esforço para não se importar, no fim das contas sentiu pena dela. Agora, ali estava o filho de Zinnia e Elliot, sentado diante dela, com o coração partido. Como a vida podia ser cruel! Subitamente, ela lembrou-se do que Margo dissera a respeito de Irene, do interesse dela em ficar com o menino. Agora que Zinnia estava morta, certamente ia querer ainda mais.

Quando ouviram, minutos depois, a moto estacionando, Conor deu um pulo e correu para fora. Ela foi atrás e o viu atirando-se nos braços de Leo, cujos olhos estavam fundos de preocupação. Louisa sentiu seus próprios olhos marejarem quando Leo pegou o menino e o envolveu num abraço carinhoso. Só então ouviu os soluços da criança.

Leo carregou-o no colo, com Conor segurando firme em seu pescoço.

"Está doendo", disse o menino. "Está doendo."

Louisa também podia ver o quanto Leo estava abalado quando respondeu, com voz embargada. "Eu sei. Está doendo em mim também."

Louisa serviu uma xícara de chá e entregou-a a Leo. Quando Conor pareceu ter dormido, ele o carregou até o quarto. Só então tomou o chá, sentado, olhando para o chão, desolado. Fez-se um silêncio longo e doído, durante o qual Louisa podia ouvir a própria respiração.

"Fui ver o médico com Margo", disse ele, por fim. "Ele está vindo para cá. Por isso, logo, logo vou ter que descer até a casa de Zinnia."

"Eu fico aqui, para o caso de o Conor acordar."

Ele ergueu os olhos para ela. "Você acha que ele precisa vê-la de novo?"

"Ele já a viu? Quero dizer, depois que..."

"Viu."

Ela pôs a mão no braço dele e balançou a cabeça. "Então uma vez só já basta. Leo, saiba que farei aquilo que puder para ajudar. Só quero que você saiba disso. Não pense que precisa cuidar de tudo sozinho."

Ele sorriu em meio àquilo que, agora ela podia ver, eram lágrimas. "A propósito, a linha de telefone já foi instalada — vieram ontem terminar o serviço. Vou anotar meu número, caso você precise."

39

O enterro simples de Zinnia ocorreu sem maiores contratempos. Leo fez o melhor possível para ajudar Conor, segurando sua mão e abraçando-o de vez em quando. Havia, evidentemente, aqueles que achavam Conor novo demais para comparecer a um funeral, mas Louisa e Leo discutiram o assunto, e Leo tomou a decisão. Era importante para o menino estar ali. Louisa evitou que a lembrança do ocorrido com Elliot atrapalhasse seu apoio a Leo e ao menino. O luto de Leo diante da morte de Zinnia foi predominantemente silencioso, mas ela percebia, pela tensão, e às vezes pela dor em seu olhar, a profundidade de seu sofrimento. Era difícil saber ao certo até que ponto os primos tinham sido próximos, e era óbvio que os dois eram duas pessoas muito diferentes, mas ela não tinha dúvida do quanto ele sentia a perda dela.

E, assim, a vida seguiu como tinha que seguir.

A obra do empório caminhava bem e, embora Louisa tivesse ciência da presença periódica de um policial do lado de fora de sua casa, não tinha havido mais sinal de Cooper ou De Vos, o que era um alívio. O mau tempo a prendia dentro de casa com frequência, mas, apesar de ainda ser a estação das monções, havia também dias de sol. Mesmo assim, o ar permanecia desagradavelmente pesado e úmido.

Ela foi vistoriar o empório e constatou que estava ficando maravilhoso. Tudo estava limpo, e dois carpinteiros estavam ocupados montando as prateleiras. As grades das janelas dos fundos tinham sido instaladas, e agora ela já conseguia antever como o local ia ficar depois que fosse pintado de branco. Ela mal podia esperar para vê-lo repleto de joias e sedas, fervilhando de vida.

Louisa estava voltando para casa com os cães quando Leo apareceu, fazendo barulho com a moto. Fazia uma semana que não o via. Estava sentindo falta dele, imaginando como estaria se saindo com Conor. Leo estacionou em frente a casa, e os dois entraram juntos.

"Bem", disse ela, pendurando o chapéu e pegando a jaqueta dele. "Como estão as coisas?" Ela apontou para a porta da sala de estar. "Vamos entrar?"

Camille veio perguntar se queriam café, e ela fez que sim com a cabeça.

"E então?"

Ele sentou-se em uma espreguiçadeira. "Para ser franco, as coisas não estão indo bem. Andamos ocupados demais, e não tenho tempo para cuidar de Conor como deveria. Não da forma que ele necessita. Ele passa tempo demais vagando pela mata. Enquanto estou aqui, Kamu está cuidando dele — mas não é o ideal."

"Isso deve deixá-lo preocupado."

Ele olhou para ela e deu um suspiro. "Veja, eu sei que você ofereceu auxílio..."

"E estava falando sério."

"Seria pedir demais que Conor viesse para cá?"

Ela perdeu o fôlego. "Oh!"

"Só durante a semana. No fim de semana eu e Kamu damos conta. Mas o que ele necessita é uma presença feminina."

Louisa refletiu. Talvez fosse uma boa ideia, mas... ela respirou fundo, sentindo-se profundamente insegura. "Bem, acho que sim", disse. "E agora Margo está aqui. Tenho certeza de que ela pode ajudar; afinal de contas, é tia dele."

"E então?"

"Ele precisa frequentar a escola."

"E talvez esse possa ser o jeito de vender a ideia a ele", argumentou Leo. "Ele virá para cá para ficar com a tia quando ela estiver aqui, e para frequentar a escola."

"Será que vai funcionar?"

"Sei que ele não vai gostar de ficar longe de casa e de sua querida floresta."

Ela olhou para ele, horrorizada. "Não vá me dizer que ele está morando na casa de Zinnia!"

Ele fez que não com a cabeça. "Não, quis dizer que a fazenda é a casa dele. Tenho um depósito que transformei num quarto para ele. Sinto-me mal de mandá-lo para longe, mas não consigo pensar em outra solução."

Enquanto Camille servia o café, eles ficaram em silêncio. Louisa pensava no que Leo lhe pedira. Estava repleta de sentimentos conflitantes. Por um lado, queria ajudar, mas, por outro, embora ela e Conor tivessem se dado bem durante a pescaria, qual seria a sensação de ter que conviver todo santo dia com o filho de Elliot? Ela ficou olhando pela janela enquanto Camille servia, e então deu um gole em seu café.

"E se fizéssemos uma experiência?", sugeriu ela. "Mas se ele não se sentir feliz talvez seja preciso repensar."

Nesse instante, Margo entrou na sala. "Nossa, vocês dois estão com a cara péssima. Aconteceu mais alguma coisa?"

Com a voz hesitante, Louisa explicou a decisão que havia tomado.

"Tem certeza? Vou ajudar como puder, é claro", disse Margo, antes de fazer uma pausa. "Para ser franca, ando ansiosa para ver meu pequeno sobrinho de novo."

Louisa sentiu-se um pouco estranha. Ela era a única que não tinha parentesco de sangue com o menino, e mesmo assim teria uma enorme responsabilidade, que, suspeitava, não seria fácil assumir.

"Quando você vai mandar buscá-lo?", perguntou ela.

"Quanto antes, melhor. Será que depois de amanhã é tempo suficiente para você se preparar?"

Depois que Leo foi embora, Louisa e Margo foram até a casa de Jonathan, ver se poderiam resgatar algum dos antigos brinquedos de infância dela. Bonecas nunca fizeram sua cabeça. O que Louisa mais fazia era andar de bicicleta, mas devia haver alguns jogos de tabuleiro, ela imaginava, assim como livros. Valia a pena fazer uma visita à grande loja de brinquedos de Colombo para comprar soldadinhos de chumbo, embora ela não fizesse a menor ideia das preferências do menino.

A porta dos fundos costumava ficar destrancada. Por isso elas puderam entrar e subir até um cômodo sem uso, onde Jonathan guardava baús de madeira. Louisa tirou alguns do lugar e encontrou um que tinha o nome dela marcado. Dentro, havia uma caixa desgastada, com um antigo jogo de tabuleiro.

"É Pirata e Viajante", disse ela. "Lembro-me de jogar com meu pai. Você tinha que desenhar um cartão de viagem, onde marcava os trajetos que tinha que fazer. Rodava uma roleta para determinar quantas casas você podia andar, e aquele que chegasse primeiro ganhava. As rotas eram baseadas nas estradas de ferro e nas linhas marítimas reais. Meu Deus, fazia milênios que eu não via isto!"

"Você acha que Conor vai gostar disso?"

"Não faço ideia. Vamos ver o que mais tem."

"Provavelmente ele vai gostar de soldadinhos de brinquedo."

"Mas eu não tenho nenhum."

"Minha mãe deve ter guardado todos os de Elliot."

Louisa a olhou fixamente. "Por favor, não diga a Irene que Conor está vindo para cá. Neste momento, não posso deixar que ela interfira. Sem Irene se metendo as coisas já vão ser delicadas o bastante."

"Entendido", respondeu Margo.

"Tenho certeza de que tinha uma caixa de Meccano. Vamos achar em algum lugar aqui."

"Não é brinquedo de menino?"

"Como era papai que comprava todos os meus presentes, eu ganhava muita coisa de menino. Eu adorava."

"Por que meninas também não deveriam ter a oportunidade de construir coisas?"

"Pois é! De qualquer maneira, se acharmos, vai vir a calhar."

Depois disso, elas toparam com outra caixa de madeira, onde estava escrito *Louisa*. Dentro, entre outras coisas, acharam um ursinho de pelúcia com um olho só e pelo desgastado.

"Minha nossa. É o ursinho Albert. Eu dormi com ele toda noite até fazer doze anos. Olha só os bracinhos dele. Estão todos deformados." Ela cheirou a pelúcia e abraçou-a. "Nunca se sabe, Conor pode gostar de Albert."

O ursinho trouxe de volta o passado. Lá estava ela, cercada de lembranças da infância, sentindo-se um pouco triste. Albert tinha sido seu consolo depois da morte da mãe. Ela costumava confidenciar-lhe seus segredos mais íntimos. Era uma lembrança especial, mas que a fazia recordar que nunca se estava pisando em solo totalmente firme quanto se imagina.

"O que mais tem aí?", perguntou Margo.

Ela suspirou e parou de reviver o passado.

"Eu tinha quebra-cabeças, mas nunca tive um trenzinho ou um carrinho em miniatura. Vamos ver se há outras caixas."

Margo encontrou uma caixinha com a inscrição *Noé*. "O que será que tem aqui?", perguntou.

"Pode ser minha arca de Noé de madeira. Eu brincava com ela o tempo todo."

Margo desfez o nó do cordão e abriu a caixa. Dela, tirou uma zebrinha. "Nossa, que bonito!" Foi tirando mais animais e, por fim, as figuras de Noé e sua mulher, e a arca propriamente dita. "É tão bem feito."

"Eu já tinha esquecido disso", disse Louisa.

Embora redescobrir aqueles brinquedos fosse encantador, boa parte de sua infância tinha sido turvada pela tristeza depois da morte da mãe; ela ainda se recordava da sensação de isolamento e de não ser igual às outras meninas. Não era difícil imaginar como Conor devia estar se sentindo depois de perder tanto o pai como a mãe. Agora, ia ter a impressão de estar sendo rejeitado por Leo. Ela passou os dedos pelos cabelos, pensando se estavam tomando a decisão correta.

De repente, lembrou-se de uma coleção de borboletas que um amigo do pai lhe dera. Conor iria gostar?

Elas encontraram a caixa onde as borboletas ficavam expostas, juntaram os brinquedos que haviam desencavado e empacotaram tudo para levar para a casa de Louisa. Na hora em que estavam saindo, Louisa vislumbrou o pai em seu escritório e pediu a Margo que aguardasse enquanto ia falar com ele.

"Pensei que o senhor estivesse na lapidação", disse ela.

Ele sorriu para a filha. "Não, tenho que ficar aqui cuidando da papelada."

"Vim só buscar alguns dos meus brinquedos antigos", disse ela. "Conor vai passar a ficar comigo durante a semana."

Seu pai fez uma cara de espanto e ergueu-se da cadeira. "Meu Deus, isso não me parece uma ideia sensata. Tem certeza disso?"

Ela olhou para o rosto gentil do pai e suspirou. "A maior certeza possível, o que, para ser franca, não é muita coisa, mas preciso ajudar Leo."

"Mas o filho ilegítimo de Elliot?"

Ela franziu a testa. "Conor não tem culpa de ser quem é, tem?"

"Não vai ser difícil demais para você?"

"Talvez seja."

Jonathan fez uma cara de preocupação. "Pense em como vai explicar isso às pessoas. Já imaginou o escândalo? Todo mundo vai lhe perguntar sobre essa criança que de repente vem ficar com você."

"É só eu dizer que ele... bem, na verdade não tenho certeza."

"Pense nisso. As fofocas já estão circulando. Você não quer que elas comecem a desprezar Conor, principalmente se ele começar a frequentar a escola. As pessoas podem ser muito cruéis, principalmente as Elspeth Markhams que existem por aí."

"Achei que ele deveria frequentar a escola, mas você tem razão, já sabem que Elliot tinha um filho. Ouvi conversarem sobre isso no baile."

"Você não acha melhor repensar? Se quiser seguir adiante, vai ter que estar verdadeiramente preparada para encarar."

Ela fez que sim com a cabeça.

"Bem, a decisão tem que ser sua, mas note bem o que eu disse. Mudando de assunto", prosseguiu ele, agora com um tom diferente na voz, "ontem eu vi De Vos perambulando perto da sua casa. Ele foi embora quando me viu."

"Imagino que ainda queira o dinheiro."

"Ele ainda não a procurou?"

Ela balançou a cabeça negativamente.

"Certifique-se de que suas portas, da frente e dos fundos, fiquem sempre trancadas."

*

No dia em que Leo levou Conor para a casa de Louisa, a chuva tinha parado, e o céu adquiriu um tom pálido e desbotado. Eles tinham chegado na caminhonete de Leo, já consertada, uma Crossley que havia sido ambulância militar; a garupa de uma moto não era adequada para uma criança pequena, e era preciso levar uma trouxa com as roupas e outros pertences de Conor.

Louisa e Margo viram quando o menino desceu da caminhonete, com a cabeça baixa, olhando para o chão, e o rosto sem expressão.

"Venha, Conor", disse Leo. "Diga oi para Louisa."

O menino nada disse.

"E veja, esta é sua tia Margo."

"Oi, tia", disse o menino, erguendo os olhos timidamente para Margo.

"Oi", respondeu ela. "Espero que nos tornemos grandes amigos."

Ele não respondeu. Pelo menos tinha reconhecido a presença de Margo, pensou Louisa. Talvez levasse um pouco mais de tempo até comunicar-se com ela. Era algo que a deixava desconfortável, mas previsível vindo de uma criança traumatizada.

"Você tem tempo para tomar alguma coisa, Leo?"

Ele fez que não com a cabeça. "Desculpe. Estou atrasadíssimo."

Subitamente, o menino envolveu Leo com os braços e apertou-o bem forte.

Leo abaixou-se. "Ora, Conor, eu prometo te levar de volta para a fazenda no fim de semana. Mas agora é preciso frequentar a escola aqui em Galle, e Louisa concordou em cuidar de você."

"Quero você e Kamu."

Leo acariciou os cabelos do menino. "Vamos. Você sabe que isso não vai me convencer. Já é um menino grande, e tenho certeza de que vai ser corajoso."

Conor desvencilhou-se de Leo e chutou os pneus da caminhonete.

Enquanto Leo dava um suspiro, Louisa pensou em como o menino parecia pequeno e perdido.

Leo aproximou-se de novo de Conor e agachou-se ao lado dele. "Já expliquei como tem que ser. Mas é só por um tempo. E aqui você vai ter um monte de coisas novas para fazer, não vai, Louisa?"

"Um monte."

Conor rompeu em lágrimas. Margo deu um passo à frente. Inclinou-se e pegou na mão dele. "Você não quer entrar comigo? Louisa tem brinquedos para mostrar a você."

Ele animou-se um pouco.

"Gosta de brinquedos?"

Ele fez que sim com a cabeça.

"Então venha. No dia do começo das aulas, você vai ver Leo de novo, e depois de novo no fim de semana. O tempo vai passar voando. Você vai ver." Os dois entraram na casa, deixando Louisa e Leo do lado de fora.

"Graças a Deus Margo está aqui", disse Louisa. "Ele me odeia."

Leo balançou a cabeça negativamente. "Não odeia, não. Só não confia em você ainda."

"Talvez ele esteja percebendo como estou dividida."

"Se você preferir..."

Ela mordeu o lábio. "Ele parece tão triste."

"Vocês vão se dar bem. Para ele é tudo muito novo. Só precisa de tempo."

"Espero que você tenha razão."

Ele estendeu a mão e segurou a dela. "Obrigado por tudo."

Ela o olhou nos olhos e viu o quanto aquela situação era difícil para ele. "Se tiver tempo de fazer uma visita uma noite dessas, por favor venha. E, se quiser dormir aqui, espaço não falta."

"Adoraria, mas acho que por enquanto é melhor eu não ficar."

Ela fez que sim com a cabeça, mas não pôde deixar de sentir um leve arrepio de decepção.

Ele sorriu. "Venho vê-la no primeiro dia de aulas, quando vier levar Conor à escola."

40

Naquela noite, depois que Conor dormiu, Louisa ficou sentada até tarde lendo um livro na sala de estar do andar de baixo, desejando que Margo não tivesse ido para a cama. Ela se sentia ansiosa — afinal, o que sabia sobre crianças? —, especialmente porque Conor levava uma vida tão incomum e estava agora mergulhado em tristeza. Estava decidida a fazer tudo o que podia para que ele se sentisse em casa, mas não tinha como não se sentir apreensiva. A evidente semelhança do menino com Elliot não ajudava.

Ela estava prestes a subir para o quarto quando ouviu uma leve batida na janela francesa. Levantou-se para olhar e levou um susto quando viu que era Leo do lado de fora, no jardim.

Ela correu e abriu a janela.

"O que é isso?", sussurrou ela. "Aconteceu alguma coisa?"

"A única coisa que aconteceu foi que eu queria ver você. Algum problema eu chegar tão tarde?" Ele sorriu. "Não queria tocar a campainha e acordar todo mundo, mas você me convidou para fazer uma visita."

Ela não conseguiu evitar o riso. "Eu não quis dizer tão tarde."

"São só onze e meia."

"Entre. Mas não vamos alertar os empregados. Se puder evitar, não vou dar assunto para as más línguas."

"Nós poderíamos sentar no jardim e ficar olhando os vaga-lumes."

"Boa ideia. Eu vou buscar meu xale."

Ele foi se sentar em um banco mais afastado da casa, onde não seriam ouvidos. Depois de encontrar um lenço de casimira, ela se sentou com ele.

"Eu adoro essa hora da noite", disse Leo, enquanto ela se acomodava perto dele, mas sem chegar a tocá-lo.

Ela escutava todos os sons da noite. Os zumbidos e coaxares, e as aves noturnas nas árvores.

"Ali", disse ele, vislumbrando pequenos raios de luz.

"Maravilhoso."

Parecia algo proibido estar sentada no jardim com ele enquanto todos dormiam. Ela gostou da sensação que isso provocava. Era noite. Eles estavam sozinhos. Louisa prendeu a respiração.

"Você lê muito?", perguntou ele. "Quando tem tempo."

"Leio, mas prefiro desenhar."

"E pintar também?"

"Não, na maior parte do tempo eu só desenho prédios. E você?"

"Eu não tenho tempo para passatempos, mas gosto de ler à noite."

Ele fez uma pausa e segurou a mão dela. "Louisa, preciso dizer como me sinto em relação a você."

Pronto. Ele pronunciou de novo o nome dela do jeito que ela gostava. Em voz baixa. Carinhoso. Ela ficou em silêncio por alguns instantes, desfrutando da sensação da palma da mão formigando enquanto ele a acariciava.

Por fim, ele falou: "Só quero que saiba que entendo que você passou por muita coisa. Não quero acrescentar mais uma, de forma nenhuma".

"Não acrescenta nada. Nem é mais uma coisa."

"Bem, só estou falando...", insistiu ele.

"Eu sei. Está tudo bem."

"Tem certeza? Tem tanta coisa que eu gostaria de lhe dizer..." Ele virou a palma da mão e beijou-a.

Ela engoliu em seco rapidamente, desejando que ele fizesse aquilo de novo. "Então diga", sussurrou.

"Você trouxe algo de bom para a minha vida. Só queria que soubesse disso. Tem tanta coisa que eu adoraria fazer com você, novos lugares onde gostaria de ir, esse tipo de coisa, mas não quero apressar nada."

"Passar o tempo com você é maravilhoso... Não é isso que me preocupa."

Leo envolveu-a com o braço, e ela se apoiou nele, enquanto ele enrolava no dedo uma mecha de cabelo dela. Os aromas noturnos do jardim misturavam-se ao toque de almíscar de sua loção pós-barba, e ela torcia para que aquele instante durasse para sempre.

"É Conor?", perguntou ele, enquanto ela sentia no rosto seu hálito quente.

"Um pouco. Tenho medo de não conseguir."

"Não se preocupe. Eu confio em você. Não o deixaria com você se não confiasse, acredite em mim."

Eles ficaram em silêncio por algum tempo. Consciente da tensão no ar entre os dois, Louisa ergueu a mão e acariciou-lhe o rosto com a ponta dos dedos. Ela queria estar ainda mais perto, próxima o bastante para tocá-lo por dentro. Quando ele a puxou para si, ela sentiu que não ofereceria resistência.

Ele inclinou a cabeça e, com a mão na nuca dela, puxou-a suavemente para encará-lo; ela ficou ofegante. Então ele beijou-a com muita doçura nos lábios. Ela sentiu seu corpo em chamas. Não conseguia se lembrar da última vez em que estivera tão viva. Retribuiu o beijo e sentiu que estava se derretendo. Depois, eles se abraçaram. O coração dele batia forte contra seu peito. Ela queria pedir-lhe para ficar, mas, com Conor na casa, sentia que não era certo.

"Então...", disse ela por fim, afastando-se um pouco.

"Eu não quero, mas é melhor eu ir", disse ele, tirando o cabelo que cobria o rosto dela.

"É."

No dia seguinte, depois do café da manhã, Louisa levou Conor para a sala de visitas onde tinha disposto os brinquedos antigos que encontrou na casa do pai. As partículas de poeira no ar brilhavam com os primeiros raios de sol, fazendo a sala reluzir. Ela teve a sensação de que aquele brilho anunciava um admirável dia novo. Se pudesse encontrar uma maneira de se aproximar de Conor, tudo daria certo. Leo confiava nela, o que a inspirava a sentir certa confiança em si mesma. *Leo*. Sempre que pensava nele, seu coração saía do ritmo.

Ela respirou fundo e começou a mostrar brinquedos a Conor. Mas logo ficou evidente que, mesmo tendo pegado algumas poucas coisas, ele não estava com muita vontade de brincar. Louisa também tinha comprado lápis de cor e um bloco de papel, que deu a ele. Conor não reagiu. Ela sentiu compaixão pelo menino, que olhava com indiferença para o chão. Pobre criaturinha. Era demais para suportar, e a impressão era de que nada ia funcionar, mas, enquanto ficava escutando os pássaros no jardim, uma ideia brotou em sua mente.

"Já sei", disse ela. "Vou buscar as borboletas."

Ela subiu e voltou com uma caixa de madeira plana, na expectativa absoluta de que aquilo despertaria o interesse do menino. De início, ele ficou olhando com uma expressão perplexa, mal disfarçada como desinteresse. Quando ela abriu a tampa, porém, a curiosidade tomou conta dele, que se inclinou para a frente. Ela sorriu, feliz por ter acertado algo de que ele gostava. Mas, assim que viu os insetos sem vida presos a uma base de veludo, ele recuou, chocado.

"Estão mortas! As borboletas estão mortas!"

Ela tentou sorrir de novo. "É uma coleção. Achei que você poderia gostar de vê-las."

Ele a encarou com as feições contorcidas de horror. "Odiei isso."

Em seguida, saiu correndo da sala. Ela o ouviu descendo ruidosamente as escadas, e em seguida batendo com força a porta do quarto.

Bem, não deu muito certo, pensou ela.

Pelo restante da manhã, Louisa ficou bordando sua colcha, sentindo-se uma fracassada. Queria ir até o quarto dele, mas, sentindo que Conor poderia precisar de um tempo a sós, decidiu esperar, até que ouviu novamente o ruído de passos. Margo entrou no quarto e tentou animá-la.

"Não sei o que fazer", disse Louisa.

"O problema é que nenhum de nós tem experiência com crianças. Tem alguém a quem você poderia pedir conselhos?"

"Talvez. De repente Gwen Hooper. Ela tem dois filhos."

"Por que não ligar? Se você confia nela."

"Com toda a certeza. Ela perdeu um filho, e sinto que entende isso muito bem."

Então, por volta das onze horas, o telefone tocou. Infelizmente, era Irene insistindo para que Margo voltasse para casa. A manhã se arrastou, e na hora do almoço Conor ainda não tinha voltado. Louisa pediu a Margo que fosse buscá-lo.

Mas o clima no almoço foi tenso. Conor ficou olhando para o prato e mal levantou o garfo.

"O que você gosta de comer, Conor?", perguntou Margo.

"*Hopper*", respondeu ele, "e biscoitos com canela."

"Bem, se você contar a Louisa o que gostaria, ela vai providenciar."

"Do que mais você gosta?", acrescentou Louisa.

Não houve resposta.

"Tenho que ir a Colombo amanhã", disse Margo.

O menino lançou-lhe um olhar triste. "Você vai voltar?"

Ela sorriu. "Muito em breve."

"Posso ir junto?"

Margo fez que não com a cabeça. "Não, você vai ficar aqui com Louisa".

Ele fez uma careta. "Mas ela não é minha tia. Por que eu deveria? Quem vai cuidar de mim?"

"Louisa."

Ele colocou cuidadosamente o garfo no prato e, com ar de teimosia, encarou-a fixamente. "Quero que seja você."

"Eu sei, querido, mas nem sempre podemos ter o que queremos, não é? Você vai ficar muito bem depois que se acostumar com a Louisa."

"Tenho um novo uniforme escolar lindo para você", disse Louisa, tentando mudar de tática.

Ele balançou a cabeça.

"O período letivo começa amanhã. Vamos para o seu quarto experimentar seu uniforme?"

Não houve resposta.

Louisa trocou olhares com Margo. Seria sempre assim?

Mas todos subiram e, com a ajuda de Margo, ela conseguiu convencer Conor a experimentar a roupa da escola. Depois que ele se destrocou, ela decidiu deixá-lo brincar no jardim, ficando de olho o tempo todo para que não saísse correndo pelo portão dos fundos. Conor parecia mais contente brincando com os cães do que fazendo qualquer outra coisa. Por isso, ela o deixou ficar com eles. Quando a chuva o forçou a voltar para dentro, ela ouviu as gotas batendo com força na calçada do lado de fora. Embora parecesse que as batidas eram dentro da sua cabeça, insistiu uma vez mais com os brinquedos.

"Quer jogar um jogo?", perguntou ela.

Ele franziu a testa e fez um muxoxo com o lábio inferior.

"Talvez você não tenha ouvido falar desse. Chama-se Pirata e Viajante. O que acha? Gosta de piratas?"

"Não gosto de jogos."

Animada por ele estar pelo menos falando, ela sentiu uma pontada de esperança. Se ao menos pudesse fazê-lo falar, poderia haver uma chance de dar certo.

Naquela noite, ela ligou para Gwen, que lhe disse que, como ela e Laurence estariam em Colombo por dois dias, iria de carro e dirigira de lá até Galle, levando a bebê.

De manhã, Margo incentivou Conor a colocar o uniforme novo antes de pegar o primeiro ônibus. Então, Louisa ficou na entrada da casa esperando Leo chegar, já que eles tinham acertado que iriam levar Conor juntos à escola. Quando ela olhou para o caminho, sentiu-se animada com a ideia de revê-lo, mesmo sabendo que teria que esconder seus sentimentos por causa do menino. Mas quando Leo chegou abriu um enorme sorriso. Ao ver o carinho em seus olhos, ela se tranquilizou.

"Conor está no jardim", disse ela.

Ele apertou-lhe o braço e foi até o menino.

Embora Conor estivesse segurando a mão de Leo ao sair de casa, recusou-se a segurar a de Louisa e foi andando taciturno e silencioso, deixando-se ficar para trás o tempo todo. Leo agachou-se para lhe dirigir algumas palavras de incentivo, dizendo que ele faria um monte de novos amiguinhos e que a volta à fazenda, no fim de semana, seria maravilhosa. Conor abriu um sorriso amarelo, despertando uma vez mais a compaixão de Louisa. Devia parecer muito estranho para uma criança que nunca tinha ido à escola, mas ela acreditava que era para o bem de Conor — no mínimo, seria uma distração —, e ela achava que deixá-lo vagando por aí sozinho não era saudável. Os três entraram juntos no parquinho da escola e depois foram para a secretaria, onde Leo apresentou Conor à diretora. Ele já tinha entrado em contato para conseguir uma vaga para o menino.

Leo saiu logo depois, dizendo que gostaria de poder ficar mais tempo, porém havia muito o que fazer. De volta a casa, Louisa se sentiu subitamente sozinha. Ela entrou no quarto de Conor e encontrou um livro sobre insetos, bastante manuseado, e outro sobre animais selvagens e pássaros. Ele claramente se interessava por natureza. Talvez pudesse ser uma maneira de se aproximar. Passou o resto do tempo cuidando de tarefas domésticas banais e planejou um almoço que, esperava, seria do gosto dele.

Depois disso foi buscar Conor, mas quando chegou a diretora estava esperando para falar com ela, e a conduziu para longe dos outros pais.

"A senhora poderia vir por aqui, sra. Reeve?"

Louisa a seguiu até a secretaria, onde o professor principal as aguardava ao lado de Conor. Ela olhou para o menino e viu imediatamente que seu lábio estava vermelho e inchado. Ela franziu a testa. "O que aconteceu?"

"Se não se importar, acompanhe-me. Minha secretária vai cuidar do menino."

Ela o acompanhou até um escritório interno, onde ele se sentou atrás de uma grande mesa de madeira, fazendo sinal para ela acomodar-se do outro lado. Era uma sala do tipo que intimida, e ela mesma se sentiu como se fosse uma criança, colocada na frente de um professor por alguma malcriação.

O professor retorceu as mãos e sorriu antes de principiar. "Tenho certeza de que a senhora entende que somos uma escola particular pequena e que temos uma reputação a zelar."

"Mas o que aconteceu?"

"Conor se envolveu em uma briga."

"Por quê?"

Ele olhou para um ponto acima da cabeça dela antes de encará-la nos olhos. "Sra. Reeve, gostaria que fosse sincera comigo."

"É claro."

"Essa criança é ilegítima?"

Ela puxou o ar antes de falar. "O que isso tem a ver com o que quer que seja?"

"Receio que ele tenha sido xingado com uma certa palavra, um tanto desagradável, por sinal."

"Por quem?" Ela notou que as rugas entre as sobrancelhas dele se aprofundaram antes de falar. "O filhinho de Elspeth Markham, Colin, foi um deles, mas os outros o acompanharam. Eles o chamaram de bastardo, infelizmente."

O maxilar de Louisa retesou-se.

"Mas isso nem de longe é culpa dele."

"Sra. Reeve, a senhora não pode ser tão ingênua a ponto de pensar que acredito que a culpa seja do pobre menino. Esse não é o problema."

"Então, qual é?"

"Os outros pais, creio eu. Não posso me dar ao luxo de aborrecê-los. A sra. Markham veio me ver mais cedo, tendo sido informada de que Conor estaria começando hoje. Ela insistiu que não podemos ter um filho ilegítimo aqui e acredita que a presença de Conor vai minar a moralidade das outras crianças. E agora, especialmente à luz do que aconteceu, receio que Conor não possa permanecer na escola."

Enquanto Louisa assimilava o golpe, sentiu-se incomodada ao pensar no quanto aquilo devia ter magoado o menino.

"Não deveríamos combater a segregação?"

"Eu sinto muito."

Ela se levantou ao mesmo tempo que uma onda de raiva tomava conta de seu corpo. "Então, o senhor vai capitular?"

"Não tenho escolha."

"Como vamos mudar a postura das pessoas, então?"

Ele balançou a cabeça. "Mudar a postura dos pais não é o meu trabalho, e sim educar os filhos. Sinto muito, sra. Reeve. Talvez a escola cingalesa seja mais adequada."

Louisa virou-lhe as costas e foi buscar Conor. Segurou a mão dele e praticamente saiu correndo do escritório. O professor devia estar ciente de que a escola cingalesa não era uma alternativa, já que Conor seria visto por lá como ainda mais diferente. Agora, portanto, ela se deparava com a necessidade de educá-lo em casa. Sentia-se irritada e triste com o que acontecera com ele na escola, mas também apreensiva. Ficaria encarregada de Conor em tempo integral. Graças a Deus, Gwen chegaria em breve.

Fortalecida por um bom almoço, ela passou o começo da tarde tentando incentivar Conor a falar, sem êxito. Ele não estava acostumado a conviver com crianças da sua idade, ela sabia, mas não era bom para o menino estar apenas com adultos, em especial uma adulta com quem não falava. Ele tinha sido gentil na pescaria, na presença de Leo, mas agora não estava nem um pouco feliz por ser cuidado por Louisa. Ela perguntou do que ele gostava na fazenda. Era a mata? Ou o aroma de canela? Ou poder sentir o cheiro do mar? Nada parecia funcionar. Se conseguisse descobrir o que lhe fazia falta, poderia encontrar alguma forma de compensação. Leo lhe falara dos lugares secretos de Conor. Talvez se brincassem de esconde-esconde ele encontrasse novos esconderijos dentro da casa. Infelizmente, ele se recusou a participar. E, quando ela colocou no chão a arca de Noé com todos os animais ao redor, ele se levantou do chão e deu um pisão no barco de madeira.

"Isso é inaceitável", disse ela, fazendo força para manter a calma. "Só estou tentando te ajudar."

Ele a encarou.

"Pegue as peças e coloque-as na caixa"

Ele não se mexeu.

"Conor, estou pedindo educadamente a você para guardar os animais da arca."

Silêncio.

Ela suspirou.

"Muito bem. Talvez seja melhor você ir para seu quarto e refletir sobre o motivo para ter quebrado um brinquedo de propósito. Enquanto isso, vou guardar tudo."

Ela ficou ouvindo enquanto ele saía da sala e se sentiu derrotada. A única coisa que a fazia se sentir melhor era pensar em Leo. Fechou os olhos e imaginou-o sentado ao seu lado. Eu confio em você, ele tinha dito. Louisa tinha que fazer as coisas darem certo com Conor, pelo bem do garoto, sim, mas também pelo amor de Leo. Não podia decepcioná-lo.

Na manhã seguinte, Louisa foi ao quarto de Conor e descobriu que ele tinha esvaziado as gavetas da cômoda. A janela estava aberta e, quando ela olhou para fora, ficou evidente que ele tinha jogado todas as roupas no jardim. Chateada e sem saber como lidar com a situação, ela foi tomada por uma sensação de pânico.

"Venha comigo", disse Louisa, com as mãos nos quadris. "Precisamos ir buscar sua roupa." Ele ficou onde estava, de braços cruzados. Aquilo era terrível. Em vez de melhorar, as coisas pareciam piorar de hora em hora. Ela olhou para fora da janela novamente, quando ouviu as notas cadenciadas de uma flauta solitária tocando música cingalesa. As nuvens estavam escurecendo, e parecia que ia chover. Era preciso colocar as roupas de volta dentro de casa o quanto antes.

"Qual é o problema, Conor?", perguntou ela, agachando-se na frente dele. "Você não vai me dizer?"

"Eu quero o Leo", o menino disse, parecendo atravessá-la com os olhos.

Ela tentou ignorar e deu uma risadinha para aliviar o clima. "Você sabe que Leo está ocupado. Mas ele vai vir te pegar no sábado. Vocês vão passar o fim de semana inteiro juntos, e de repente nós três podemos sair de barco novamente em breve. Você gostaria?"

"Eu só quero ir com o Leo."

"Bem, tenho certeza de que você pode ir, se quiser. Agora venha, por que não me ajuda a juntar suas roupas?"

Conor a seguiu até o jardim e, embora ela tenha recolhido a maior parte, pelo menos ele a acompanhou. Foi só uma pequenina vitória, mas melhor que nada.

O resto do dia transcorreu em um tom parecido. Louisa tentou ler para ele, mas Conor bocejou alto para demonstrar seu desprezo. Quando ela perguntou se ele sabia o alfabeto, o menino pegou um lápis de cera e escreveu de maneira impecável. Pelo menos Zinnia tinha conseguido ensinar-lhe alguma coisa antes que a doença a impossibilitasse. Ela tentou descobrir o que ele sabia de geografia, mas o desinteresse da criança era evidente. A mesma coisa aconteceu com história, mas quando ela começou a escrever algumas somas, ele imediatamente se animou. Ela o deixou fazê-las, olhando-o disfarçadamente, fingindo não notar o interesse dele. Em poucos instantes ele terminou todas as somas. Quando terminou, pegou um livro e se acomodou no sofá para ler. Pelo menos agora ela sabia que ele lia bem e gostava de aritmética. Era um começo incerto.

41

Gwen chegou na sexta-feira à tarde, enquanto Conor estava do lado de fora brincando com os cães.

"Estou tão feliz por você ter chegado", disse Louisa, dando-lhe um abraço.

"Eu saí bem cedo. E então, as coisas melhoraram?" Ela olhou ao redor e depois colocou a bebê para dormir no sofá, cercando-a com almofadas. "Ela não é tão fácil de carregar agora que cresceu, mas felizmente ainda gosta de tirar suas sonecas. Vou ter que ficar de olho nela enquanto dormir no sofá. Eu trouxe um moisés para a noite."

Louisa balançou a cabeça. "Vamos ficar de olho. Mas ela não é linda com todo esse cabelo escuro maravilhoso? Encaracolado como o seu."

Gwen sorriu. "E então, as coisas melhoraram?"

Louisa olhou diretamente para a amiga. Não adiantava fingir. "Para ser sincera, não sei o que fazer. E..." Ela fez uma pausa. "Receio que haja uma coisa que eu não lhe contei. A coisa é que a criança de que estou cuidando não perdeu só a mãe."

"Hã?"

"Ele é filho de Elliot."

Gwen a encarou, com os olhos arregalados e o rosto empalidecido.

"Ele mora em uma fazenda de canela, mas fica aqui durante a semana, pois seu atual responsável, Leo McNairn, dono da fazenda, está ocupado demais com o trabalho. Leo é primo da falecida mãe de Conor. Depois conto tudo, mas prefiro não entrar nessa história agora."

Gwen concordou. "Não se preocupe. Você pode me dizer quando se sentir melhor e mais pronta."

"Obrigada."

"Em vez disso, vamos falar de Conor?"

Louisa assentiu.

"Fiquei atenta a Hugh depois que Liyoni morreu, principalmente porque ele se fechou de uma forma muito estranha. Mas logo adivinhei que era a maneira dele de lidar com aquilo, e precisei esperar que ele falasse, quando estivesse disposto."

"Conor está sofrendo em silêncio, eu sei disso."

"Talvez possamos encontrar um jeito de nos conectar com ele."

"Não sei."

"Ele deve estar se sentindo terrivelmente atordoado por tudo o que aconteceu. A escola pode ter sido a gota d'água."

"Acha que há algo que eu possa fazer?"

Gwen parecia estar refletindo, e não respondeu de imediato.

"Talvez não", disse ela por fim. "Ele precisará de tempo para se acostumar com perdas tão terríveis. Ele fala alguma coisa?"

"O que ele mais comunica é que não gosta de mim."

"Seja franca agora. *Você* gosta dele?"

"Por causa da semelhança com Elliot, nem sempre é fácil. Vejo Elliot refletido nos olhos de Conor, ou no formato da cabeça, ou em certo olhar interrogativo em seu rosto. A semelhança me tira o fôlego, e aí fico abalada pensando em como poderia ter sido."

"É difícil para vocês dois."

"É."

"Ele está se sentindo triste, claro, mas provavelmente também muito revoltado. Sei que Hugh ficou assim. Conor pode estar descontando em você."

Louisa apontou para o jardim. "Veja, agora ele está lá fora. Se formos até a janela lá em cima, poderemos ver o que ele está fazendo."

Elas foram até as janelas francesas e observaram Conor jogando animado uma bola para os cães. Eles latiam e corriam loucamente atrás dele, e depois voltavam para brincar mais. Ver o menino tão feliz melhorou o ânimo de Louisa.

"Acho que paciência é a chave", disse Gwen.

Conor parou de repente, como se estivesse escutando. Depois de um momento, foi até um arbusto e se agachou. Pegou alguma coisa e aninhou-a nas mãos. Então olhou para a casa e as vislumbrou. Louisa acenou, abriu a porta, e ela e Gwen saíram.

No jardim, uma brisa úmida acariciava os arbustos e as plantas. Louisa passou a mão pelos cabelos. "Essa umidade acaba com meu cabelo."

Gwen concordou.

"Conor, esta é minha amiga Gwen", disse Louisa. "Ela trouxe a bebê dela para cá. Você gostaria de vê-la?"

Ele fez que não com a cabeça.

"O que você tem aí?", perguntou Gwen.

A voz dele vacilou. "É um pássaro, mas tem algo errado com ele."

"Posso dar uma olhada?"

Ele fez que sim, e Gwen se aproximou.

"Ele não voa. Só treme."

"Deixe-me ver." Ela examinou o passarinho. "Um beija-flor de malaquite, acho, mas está atordoado. Vamos ficar só observando durante cinco minutos. Se ele não se recuperar, podemos levá-lo para dentro de casa e fazer uma caminha para ele no seu quarto. Passarinhos assustados costumam se recuperar depressa."

Como depois de mais ou menos cinco minutos o passarinho ainda não reagia, eles foram para dentro da casa.

"Louisa, você tem uma caixa de papelão que possamos usar?", perguntou Gwen.

Louisa encontrou uma caixa, forrou-a com um pano macio dobrado e fez furinhos em cima para entrar ar. "Será que isso basta?", perguntou a Conor, e ele assentiu com a cabeça.

"Precisamos deixar o passarinho se recuperar por uma hora e depois voltamos para ver como ele está indo."

Deixaram a caixa no quarto do menino e desceram para esperar.

"Como ele vai se alimentar?", perguntou Conor.

"Mais tarde, poderíamos tentar água com açúcar, com um conta--gotas que eu tenho. Gostaria de fazer isso?", sugeriu Louisa.

Depois de uma hora, foram à cozinha, onde Louisa encontrou o conta-gotas. Ela esquentou um pouco de água e pediu a Conor para misturar o açúcar — o que ele fez com muita seriedade. Quando a água com açúcar esfriou até a temperatura ambiente, ela pediu que ele pegasse a caixa. Quando voltou, ela lhe entregou o conta-gotas.

"Aperte-o para puxar a água e depois tenha muito cuidado quando abrir a tampa."

Ele abriu a caixa e ofereceu o conta-gotas ao passarinho, que sorveu apenas uma quantidade mínima da extremidade do tubo de vidro, abrindo e fechando o bico bem depressa.

"Vamos levá-lo para fora e ver se está se sentindo pronto para voar novamente", disse Louisa.

Saíram para o jardim, e Conor ergueu a tampa novamente. O passarinho olhou ao redor e, em seguida, com um breve bater de asas, partiu.

Louisa sorriu. "Bom trabalho, Conor. Você ajudou o passarinho a se recuperar."

O sábado foi um dia radiante, e Louisa estava ansiosa para rever Leo. Após o incidente com o passarinho, as coisas melhoraram, mas no geral foi uma semana difícil. Ela se vestiu com cuidado especial e penteou os cabelos até deixá-los brilhantes, o tempo todo dizendo a si mesma que não era para Leo, e tentando ignorar o desejo de sentir a proximidade dele novamente.

Conor estava ainda mais empolgado do que ela e, pela primeira vez, tão animado quanto se esperaria de uma criança de sete anos de idade. Alegrou o coração de Louisa vê-lo mais feliz, embora se sentisse aliviada por ter tempo para si mesma durante dois dias. Desde a morte de Elliot, ela se acostumara a ficar a só. Acostumara-se até a dormir sozinha, algo que achava que nunca poderia acontecer.

Ficou surpresa quando a primeira pessoa a chegar foi seu pai, trazendo um presente para Conor, mas que por ora havia deixado fora da casa.

"Bem, vamos ver o que é", disse ela. "Vamos lá, Conor?"

O menino não respondeu.

Mas, ao lado de Louisa, ele acompanhou Jonathan até fora de casa, e seus olhos brilharam quando viu uma bicicleta novinha ao lado da porta da frente.

"É para mim mesmo?", ele perguntou, erguendo olhos arregalados para Jonathan.

Visivelmente empolgado quando Jonathan fez que sim, ele passou as mãos sobre o selim, mas então seu rosto desanimou.

"Não sei andar de bicicleta", disse ele.

"Todos nós temos que começar de algum jeito", disse Jonathan. "Por que não sobe nela? Eu seguro o guidão enquanto você pedala."

Conor parecia em dúvida, mas fez como Jonathan sugeriu. Os dois subiram a estrada e logo sumiram de vista. Enquanto estavam ausentes, Leo apareceu em sua caminhonete. Louisa ficou feliz por ter alguns minutos a sós com ele. Não era muito, mas melhor que nada. A rua estava completamente vazia, e eles ficaram por um instante em silêncio. Depois, falaram de banalidades, enquanto observavam um gato com olhos cor de laranja esgueirar-se por uma parede. A distância física entre eles era perceptível e incômoda. Ela sabia que precisavam conversar direito e quis dizer mais. Ele estendeu a mão, como que para tranquilizá-la.

"Senti sua falta", disse ele.

"Eu também."

Então ele perguntou como andavam as coisas com Conor. Ela suspirou, não querendo desapontá-lo, mas sabendo que Leo merecia ouvir a verdade. "Não consigo arrancar muita coisa dele. Nada do que eu faço parece dar certo."

"Dê tempo a ele. As coisas vão mudar."

"É o que minha amiga Gwen também diz. Ela veio para ficar uns dias e me aconselhar. Espero que você esteja certo. Para ser sincera, é cansativo tentar pensar em coisas que ele possa querer fazer. O pior é que a escola não o aceitou."

Ele retesou-se. "Por que diabos não?"

"Uma parte das crianças começou a chamá-lo de bastardo, e aí ele se meteu numa briga. A diretora disse que os outros pais reclamaram pelo fato de ele ser ilegítimo."

Ele franziu a testa. "Você deveria ter me ligado."

"Desculpe. Eu sabia que você estava ocupado."

"Pobre garoto. Pois bem, cadê ele agora?"

"Saiu com uma bicicleta que meu pai comprou para ele. Papai está ensinando-o a andar."

"Bem, isso parece uma boa notícia."

"É surpreendente, um golpe de mestre do meu pai. Conor nunca tinha visto meu pai antes, mas saiu com ele, feliz da vida."

"É um bom sinal."

Ela franziu a testa. "Ele também não se incomoda com Margo. De repente, é de mim que não gosta."

"Provavelmente acha que você está tentando tomar o lugar da mãe dele."

Ela não respondeu.

Ele pousou a mão no braço dela, que sentiu seu calor na pele nua. "Nós dois sabemos que você não está. Precisamos garantir que ele saiba disso também."

De repente, houve um grito. "Leo! Veja!"

Era Conor, agora pedalando sozinho, sem medo nenhum. Jonathan subia atrás dele, rindo enquanto tentava alcançá-lo.

"Bem, isso não demorou muito", disse Louisa enquanto a criança desmontava da bicicleta, correndo até Leo.

O pai de Louisa sorriu com prazer e apertou a mão de Leo.

"Ele leva jeito. Pegou o jeito em cinco minutos. A parte mais difícil foi fazê-lo desacelerar."

"Podemos levar para casa?", perguntou Conor, com as bochechas coradas e os olhos brilhando de empolgação. "Por favor, Leo!"

Leo assentiu. "Eu vou colocá-la na parte de trás da caminhonete."

"Você precisa ter cuidado no caminho", disse Louisa. "É muito mais acidentado do que aqui."

Conor a ignorou, mas Leo disse que Louisa estava certa e que ele tinha que desacelerar um pouco, ou correria o risco de cair.

"Vou tomar cuidado", disse Conor, dando um abraço em Leo.

Leo guardou a bicicleta na parte de trás da caminhonete, abriu um enorme sorriso para Louisa, e em poucos minutos eles se foram.

"Obrigada, pai", disse Louisa. "Espero que quando ele voltar isso possa facilitar as coisas. Você sabia que a escola não o aceitou?"

"Soube a respeito da boca de Elspeth Markham. Todo mundo parece saber que ele é filho de Elliot."

"Isso o incomoda?"

Ele deu de ombros. "Tenho que admitir que sim. Porém mais por raiva de Elliot do que qualquer outra coisa. Conor é um bom garotinho, e passou por muita coisa. Que as fofocas vão para o inferno, é o que digo."

Ela sorriu para ele, orgulhosa. Seu pai nunca a decepcionara.

"O problema é que não posso educá-lo sozinha. Estava pensando em um tutor."

"Você não tem uma funcionária francesa?"

"Sim. Camille."

"Peça a ela que lhe ensine um pouco de francês básico. Eu ficarei feliz em dar uma ajuda com história e geografia, quando tiver tempo. Talvez você possa se virar com matemática, inglês e biologia."

"Parece um bom plano. Eu não quero sobrecarregá-lo, mas é preciso mantê-lo ocupado, caso contrário vai ficar sofrendo. O senhor teria tempo para passar uma hora com ele na segunda-feira? Acho que, ficando com você, o dia pode começar melhor. Ou talvez eu possa dar um passeio de bicicleta com ele para avistar animais, e depois o senhor assume."

"Segunda-feira, combinado." Ele examinou o rosto dela. "Agora vamos dar um passeio em volta das muralhas. Pela sua cara, acho que aguenta o vento no cabelo."

"Gwen está aqui, alimentando a bebê. Vou ver se ela gostaria de ir."

Ela entrou em casa, mas saiu sacudindo a cabeça. "Não, ela está tentando colocar Alice para dormir."

Pouco antes de eles saírem, o carteiro chegou e entregou a Louisa um único envelope. Ela o abriu e deu um suspiro profundo.

"O que é?"

"Um bilhete de De Vos me pedindo para encontrá-lo na segunda--feira, ao meio-dia, em Court Square."

"Está assinada?"

"Sim. Ele deve estar atrás do dinheiro novamente."

Ela pôs a carta no bolso, e eles tomaram o caminho da rua.

"Uma dívida legal teria que ser paga com o espólio de Elliot", disse Jonathan.

Ela bufou. "Que espólio? De qualquer forma, não é uma dívida legal, é? O contrato era falso."

"Então você pode simplesmente ignorar. E assunto encerrado."

"Não poderíamos simplesmente levantar esse dinheiro? Fazer esse homem sumir de uma vez por todas?"

"É uma quantia muito elevada, e você ainda não sabe o que aconteceu com todo o dinheiro que Elliot tirou de sua conta bancária. Deve estar em algum lugar."

"Uma parte foi para Zinnia, acho, mas de fato ele falava em guardar dinheiro à parte, em uma carta que encontrei. O problema é que não sei mais onde procurar."

"Você vai se encontrar com De Vos?"

"Acho que sim."

"Eu irei com você."

"Não, prefiro fazer isso sozinha."

"Por quê?"

"Porque sinto a necessidade de enfrentá-lo. Se não fizer isso, nunca vou me livrar dele."

Fez-se um breve silêncio enquanto caminhavam.

"Bem", disse o pai de Louisa, "se você mudar de ideia, me avise. Agora, conte-me como estão indo as coisas com o empório."

Louisa disse que os construtores estavam trabalhando bem, e achavam que conseguiriam concluir a obra em algumas semanas, mas ela gostaria de convencer outro joalheiro a aderir ao projeto.

"Quanto a isso, eu tenho um contato para você", disse Jonathan. "Um ourives, que faz todos os tipos de pincel, pentes, ornamentos e joalheria."

"É exatamente do que preciso."

*

Louisa e Gwen saíram para almoçar no hotel New Oriental, as duas carregando a bebê no cesto, o que já não era tão fácil, agora que ela havia crescido. Felizmente, ela ainda dormia em intervalos regulares. Por isso, o almoço foi planejado para o horário da soneca.

"Puxa", disse Gwen, quando elas chegaram. "A última vez que estive aqui foi no Natal. O tempo voa!"

Elas caminharam pelo saguão de entrada, imponente, mas repleto de fumaça, e foram em direção ao elegante salão do restaurante.

Depois de se acomodarem em uma mesa perto da janela, onde podiam observar as pessoas que passavam, ficaram conversando sobre assuntos diversos. Em seguida, tendo feito os pedidos, Gwen contou-lhe mais sobre a vida na fazenda de chá e sobre como havia conhecido Laurence em Londres.

"Eu soube no momento em que o vi."

"Amor à primeira vista?"

Gwen fez que sim com a cabeça. "Acho que sim. Era uma noitada musical em Londres. Eu estava distraída no momento em que ele tomou a iniciativa, estendeu a mão e sorriu para mim."

"Que romântico."

"Depois disso começamos a nos ver todos os dias. Meus pais não ficaram felizes com a ideia de um viúvo de trinta e sete anos querendo se casar comigo, mas mudaram de opinião quando Laurence propôs deixar um administrador cuidando da fazenda e voltar a morar na Inglaterra. Eu não queria nem ouvir falar disso. Disse que, se o coração dele estava no Ceilão, era onde o meu também estaria."

"E está."

"Sim."

Louisa respirou fundo. "Eu queria contar mais sobre Conor."

Gwen sorriu carinhosamente. "Só se você sentir que está pronta."

Louisa fez que sim com a cabeça e contou-lhe toda a história das dívidas de Elliot, de Zinnia e do filho.

"Ainda não entendi por que ele fez isso", disse ela. "O caso já vinha acontecendo havia uns oito anos. Você acredita? Dois terços do tempo do nosso casamento."

Gwen estendeu a mão até o outro lado da mesa, segurando a de Louisa. "Não é culpa sua. Você sabe disso, não é?"

"É o que eu digo a mim mesma."

"Acredite."

"Acho que poderia ter sido diferente se tivéssemos tido um filho. Eu me sinto mãe, sabe?"

"Isso deve ser tão difícil. Sinto muito."

Louisa olhou pela janela e viu passando Janesha, o lojista. Ela ergueu a mão para acenar para ele.

"Ele ficou tão preocupado quando perdemos Julia. Eu costumava pensar que não podia pedir um marido melhor. Agora me sinto uma tola."

"O tolo era ele, por não dar valor ao que tinha."

"Essa é a questão. Acho que deu valor, de muitas maneiras, mas simplesmente não conseguia se segurar. Não resistiu à tentação e foi direto para os braços dela logo depois do meu primeiro aborto. Imagino que nosso destino ficou selado ali."

"Não se ele tivesse parado."

"Talvez."

"No começo parecia que tudo estava desmoronando. Senti-me totalmente tapeada, como se de repente tivesse me transformado em um nada. Alguém sem a menor importância. Ele não teria feito isso se eu tivesse importância. Senti-me tão pequena, como se eu nem existisse."

"E agora?"

"Agora ainda dói a traição, mas ficar sustentando a raiva é muito cansativo." Ela deu um suspiro. "De qualquer forma, agora sinto como se tivesse voltado a ser eu mesma. Ou pelo menos nas partes de que mais preciso."

"Depois de Liyoni, eu me senti como se tivesse perdido a mim mesma."

"Sinto muito. É uma sensação horrível, não é? Estou mais forte agora. Se não estivesse, não conseguiria tomar conta de Conor."

"Você pode se sentir mais forte, mas em geral essas coisas acabam voltando."

Nessa hora, a comida chegou, e elas ficaram ocupadas comendo. Alice remexeu-se em seu sono, e Gwen se abaixou para dar uma olhada nela.

"Ela está sonhando", disse, acariciando a bochecha da filha. "Agora me conte mais sobre Leo."

"Nós somos amigos."

Ela sorriu para Louisa. "E?"

"Bem, como eu disse, ele comanda uma fazenda de canela não muito longe de Galle. É onde Zinnia também morava. Eles eram primos. É uma pena que você estivesse ocupada quando ele foi buscar Conor, hoje de manhã." Ela fez uma pausa.

"E então?", perguntou Gwen.

"E então, a verdade é que eu gosto muito de estar com ele."

"A-ha! Parece ser exatamente disso que você precisa."

"Não é muito cedo?"

"Ele faz você feliz?"

Louisa refletiu um pouco. "Ele me faz sentir-me viva novamente e, depois de Elliot, parece tão confiável. Passamos um bom tempo juntos, e acho tão fácil conversar com ele. Se você pudesse conhecê-lo..."

"Talvez eu possa amanhã, quando ele trouxer Conor de volta. Ele já foi casado?"

Louisa fez que não com a cabeça.

"Faz o tipo solteirão?"

"Um pouco, mas não se resume a isso."

"Acho que qualquer coisa que a faça sentir-se bem consigo mesma é uma boa. O que Elliot fez deve ter abalado terrivelmente sua confiança."

Louisa concordou.

"No que quer que isso dê, a cavalo dado não se olha os dentes."

"Você pensa assim mesmo? Estou com medo de cometer um erro. Como saber se alguém se importa genuinamente conosco?"

"Temos que confiar em nosso instinto."

"Mas é exatamente isso. Quero tanto confiar em Leo, e às vezes acho que confio, mas depois de Elliot..."

"Não deixe Elliot arruinar seu futuro. Se é Leo que você quer, dê as costas para o que aconteceu. Você precisa." Gwen deu um suspiro. "Não sei, mas o que quer que a vida ponha na nossa frente, temos que achar um jeito de passar por cima, não é?"

"Mas você é feliz com Laurence."

"Sim, mas passamos pelas nossas provações."

"Claro. Perder a filha deve ter sido tão terrivelmente triste para vocês dois."

Gwen olhou para o chão, e Louisa ficou pensando se havia algo mais que sua amiga não queria contar.

O restante do dia passou sem maiores novidades, mas, contrariando a expectativa, Louisa descobriu que estava sentindo falta de Conor correndo pela casa. E, quando Gwen foi tirar uma soneca com Alice no final da tarde, afora os habituais rangidos e estalos do velho piso de madeira e do encanamento novo, ficou tudo silencioso demais. Sentindo-se uma estranha na própria casa, ela leu um pedaço de um romance, retomou o bordado da colcha de retalhos e levou os cachorros para passear. Em silêncio, surpreendeu-se sonhando com Leo. Sua mente pensava nele o tempo todo. O jeito de falar, o jeito de andar, o jeito como seus olhos escuros brilhavam quando sorria para ela. Louisa conseguia imaginá-lo com tanta clareza que era como se ele estivesse no quarto. O que dissera a Gwen era verdade; Leo ajudou-a a recuperar a confiança, e ela ansiava por vê-lo novamente.

No dia seguinte, ao ouvir um choro de bebê, Louisa acordou de repente. Mas, de olhos bem abertos, sabia que tinha sido um sonho. Não era nenhum bebê. Então, como se estivessem zombando dela, ouviu Alice chorando. E pensou em Conor. Agora, havia uma criança para ela cuidar, não? E uma criança era uma criança. Conor podia, então, ser sua única chance.

Naquela tarde, Irene e Margo apareceram inesperadamente. Louisa ficou apreensiva e olhou para Margo, enquanto conduzia as duas até a sala de estar. Margo ergueu as sobrancelhas e deu de ombros.

"É uma pena que você tenha perdido o chá", disse Louisa. "Em vez do nosso tradicional bolo de domingo, servimos um doce francês feito por Camille. Uma *tarte tatin*. Estava uma verdadeira delícia."

Margo fez que sim com a cabeça.

"O jantar não vai tardar, mas vou fazer o cozinheiro improvisar um sanduíche. Pode ser?"

"Vai ter que ser", disse Irene, apertando os lábios.

"Vocês deviam ter me avisado que estavam vindo."

"Desculpe. Nós pegamos o primeiro ônibus", disse Margo. "Foi tudo meio em cima da hora."

"Eu não vou ficar enrolando", disse Irene. "Vim ver meu neto. Margo me disse que ele está aqui. Não que ela quisesse me contar, na verdade."

Apenas mexendo a boca, Margo pediu desculpas silenciosas a Louisa.

Louisa suspirou. "Infelizmente, ele não está aqui."

Irene lançou-lhe um olhar penetrante. "Onde está, então?"

"A ideia é que ele passe a semana aqui e os fins de semana com Leo, até ter idade suficiente para ir para o internato."

"Parece um arranjo muito insatisfatório. Crianças precisam de rotina, de estabilidade, de coisas que não se alterem. Todas essas interrupções e mudanças não vão ajudar em nada."

"Achamos que podemos fazer dar certo."

"Pretendo ficar uma semana, pelo menos. Embora Harold não esteja de acordo, quero conhecer melhor o garoto."

O desânimo tomou conta de Louisa. "Não é uma ideia tão boa, Irene. Primeiro, deixe ele se acostumar comigo."

"Infelizmente, vou ser obrigada a insistir."

"Ele precisa de tempo, Irene, antes de conhecer alguém novo. Tem sido uma mudança enorme."

"Eu não sou uma qualquer! Sou a avó da criança! Já vou avisando, orientei meu advogado a elaborar um pedido de guarda."

Louisa suspirou. Era só o que faltava.

Irene era a última pessoa que ela queria palpitando sobre suas tentativas de se relacionar com Conor, ainda mais porque parecia estar falando sério em relação à guarda. Ela olhou para a cunhada, mas Margo parecia obediente, o que fez Louisa pensar se teria algo a ver com William e seu divórcio.

Alguém bateu à porta, e Camille, a empregada francesa, trouxe um prato de sanduíches.

"Com licença", disse ela. "Ashan teve que sair. Precisam de mais alguma coisa?"

"Gim e tônica", disse Irene.

"Só uma água para mim, por favor", pediu Margo.

"Na verdade, Camille, aproveitando que está aqui, queria perguntar se você estaria preparada para ajudar o menino que está morando conosco a aprender francês básico."

"Seria um prazer, madame."

Depois que a jovem saiu da sala, Irene olhou para Louisa. "Você está pedindo a uma empregada da cozinha para instruir meu neto?"

"É uma boa ideia. Ele nunca foi à escola e tem que recuperar muita coisa."

"Por que ele não pode frequentar a escola daqui?"

"Não o aceitaram por ser ilegítimo. Só que as crianças usaram uma palavra mais desagradável."

Os olhos de Irene se arregalaram. "Não direi que não é um obstáculo, mas se adotássemos Conor isso lhe daria legitimidade, não? E se fosse para a escola em Colombo..."

Louisa interrompeu. "Não acho que Leo permitiria isso, Irene. O lar dele é a fazenda de canela. É só o que ele conhece."

"Esse Leo é o que da criança? Pelo que ouvi de um amigo de Elspeth Markham, apenas um primo de segundo grau, ou filho de um primo de primeiro grau. Não consigo lembrar. De qualquer maneira, os avós têm preferência."

Camille voltou com as bebidas, e a sala ficou em silêncio. Louisa desejou que Irene não tivesse chegado. Só iria complicar tudo. Quanto a Conor, ela não sabia o que esperar, mas desejava um comportamento melhor, ou teria que aguentar os comentários exultantes de Irene.

42

Quando Leo trouxe Conor de volta, o céu do final da tarde ainda apresentava um tom suave de lilás perolado. Ventava pouco, e não havia nenhum sinal de chuva iminente. Gwen e Louisa saíram da casa juntas, e ela apresentou a amiga a Leo.

"É um prazer conhecê-lo", disse Gwen, abrindo um amplo sorriso e estendendo a mão.

Leo cumprimentou-a. "Igualmente."

"Como anda Conor?", perguntou Gwen.

Leo inclinou a cabeça. "Muito bem."

E, de fato, Conor parecia um menino mudado. Em vez da cara feia de sempre, sorriu para Louisa, e ela notou que havia cor em suas bochechas. Foi uma visão bem-vinda, e ela alimentou a esperança de que fosse o sinal de uma semana mais fácil pela frente.

"Conor andou de bicicleta o fim de semana quase inteiro", acrescentou Leo. "Eu disse a ele que também poderia dar uma volta pedalando por Galle, se alguém fosse com ele."

"Eu adoro pedalar", disse Louisa, abaixando-se para falar com Conor. "Quando eu era criança, passava todo o tempo em cima da bicicleta. Amanhã de manhã a primeira coisa que vamos fazer é dar um passeio. Quer dizer, se você quiser. E mais tarde meu pai vai ajudá-lo com sua lição de história."

Margo apareceu e, enquanto ela e Gwen conversavam com Conor, Louisa chamou Leo de lado.

"Infelizmente a avó de Conor, Irene, apareceu com todo tipo de ideias."

"De que tipo?"

"Levá-lo para morar em Colombo, para começo de conversa. Francamente, Leo, ela é a última pessoa que deveria cuidar dele. Vai acabar com o menino."

"Bem, ela vai ter que lidar comigo primeiro. Não se preocupe. Pode não dar em nada."

Ela soltou um suspiro. "Espero que você tenha razão."

Enquanto Conor estava ocupado com Gwen e Margo, Louisa virou-se subitamente e encarou Leo, sentindo o peso de tudo aquilo, o que quer que fosse. Mal ousava pensar no que o futuro poderia reservar, mas queria se agarrar à sensação de estar tão perto dele que podia ouvi-lo respirar.

"Você está bem?", disse ele, com suavidade.

Ela fez que sim com a cabeça.

"Se você precisar de mim, ligue. E não apenas por causa de Conor. Entende o que estou dizendo?"

Ela assentiu novamente. Seus olhos ficaram embaçados, e ela piscou rapidamente.

"De qualquer forma, antes de eu ir embora, talvez você possa me apresentar a Irene."

Bem nessa hora Irene apareceu. Olhou para Louisa e Leo com uma expressão perplexa.

Louisa se sentiu paralisada, mas Leo estendeu a mão para Irene. "Leo McNairn, o responsável por Conor."

Irene fez um muxoxo, mas lhe apertou a mão. "Irene Reeve." Virou-se para Conor e, sem a menor hesitação, bateu palmas e começou a paparicá-lo. "E este deve ser meu querido netinho. Minha nossa, como você se parece com seu pai. Não é lindo? Incrível, não é, Louisa?"

"Sim. Igualzinho a Elliot", disse ela. Porém, mesmo sem olhar para o rosto de Conor, Louisa sabia que a criança estava perplexa com a súbita aquisição de uma avó. Não tinha sido o mais delicado dos encontros, e ela ficou preocupada com a forma como Conor estava absorvendo a novidade.

"Bem", disse Leo. "Prazer em conhecê-la, Irene, e você também, Gwen, mas eu preciso tomar meu rumo. Comporte-se, Conor."

Conor deu-lhe um abraço, recuou e fez cara de quem estava incomodado com alguma coisa.

"Ela é minha avó mesmo?", deixou finalmente escapar.

Leo fez que sim com a cabeça. "Mas Louisa está cuidando de você. Lembre-se disso."

Louisa preferiria ter apresentado Conor à avó dentro de casa, depois que Leo fosse embora, mas agora Irene tinha notado o jeito como Leo olhava para Louisa e como ela esteve perto das lágrimas. Louisa sabia que isso podia levar a comentários e Deus sabe que tipo de restrição. Enquanto Leo e Louisa caminhavam em direção à caminhonete, ele falou em voz baixa, fora do alcance dos ouvidos de Irene. "Você consegue fugir uma noite? Eu adoraria encontrá-la do jeito certo."

Ela sentiu um arrepio de prazer. "Sim."

Ele abriu um enorme sorriso.

"Pensei em dar outra passada aqui, mas com sua sogra por perto pode não ser muito agradável para nenhum de nós."

"Que tal terça-feira? Isso deve dar a Conor tempo para se reacostumar."

"Excelente. E não deixe a Irene provocá-la."

"Eu preciso contar a você, ela realmente está querendo a guarda de Conor."

Ele apertou os olhos. "Sério? Nem pensar!" Ele parou por um instante. "Olha só, enquanto Conor está com Irene, você pode dar uma escapada?"

"Agora?"

"Sim."

Ela assentiu com a cabeça. "Só por um instante."

"Venha. Vamos para as muralhas."

Andando bem próximos, mas sem se tocar, eles seguiram, sentindo o cheiro de peixe secando enquanto passavam pela peixaria. Todos cumprimentaram Louisa, e ela retribuiu os sorrisos, um por um.

"Você conhece a cidade inteira", disse ele.

"Praticamente."

"Quer tomar um sorvete?", perguntou Leo, parando do lado de fora de uma pequena sorveteria.

"Sorvete de manga, por favor", disse ela.

Ele comprou os sorvetes e entregou-lhe um. Os dois passaram por um perfumado jasmim-manga e chegaram à antiga muralha, de onde divisaram o oceano prateado no crepúsculo.

"Parece que não acaba nunca, não é?"

Ela fez que sim com a cabeça, continuando a lamber o sorvete enquanto se sentavam na murada. "Eu amo o cheiro salgado do mar e o jeito como muda o tempo todo."

"O que isso significa para você? Quero dizer, viver aqui." Ele fez um gesto largo com o braço, mostrando a paisagem.

"Sinto que as minhas raízes estão aqui."

Ele a olhou e estendeu a mão para tocar seu queixo, de onde escorria um pingo de sorvete. Ele limpou-o com a ponta do dedo e depois lambeu.

"Obrigada", disse ela.

"Você moraria em algum outro lugar?", perguntou ele.

"Depende da razão para se mudar. E você?"

"Acho que a fazenda é o primeiro lugar que já chamei de meu. Estou gostando de ter controle sobre minha vida."

Ela inclinou a cabeça e franziu a testa. "Antes não tinha?"

"De certa forma sempre tive, mas muitas decisões que tomei foram fruto do acaso. Já a fazenda é uma coisa que realmente escolhi e dediquei anos da minha vida."

"E agora você tem Conor para se preocupar."

Ele fez que sim com a cabeça. "O que muda tudo."

Ela fez uma pausa. "Leo, você acha que a confiança é mais importante que o amor?"

"Talvez seja impossível ter um sem o outro."

"Eu confiava em Elliot."

"Todos nós já confiamos em alguém que não merecia".

"Mas você não pode deixar uma traição tomar conta da sua vida, não é? Caso contrário, nunca vai voltar a viver de verdade."

Ele segurou o queixo dela, puxando-o ligeiramente para cima enquanto a observava.

"E agora? Como você está se sentindo agora?"

"Como se estivesse voltando a viver."

Naquela noite tudo transcorreu em relativa paz. Quando Conor já estava em segurança na cama, Gwen sorriu para Louisa e disse que havia gostado muito de Leo. Mesmo conhecendo-o tão pouco, podia notar que ele era uma pessoa sincera. "Muito genuíno", disse ela.

Louisa ficou feliz de ouvir aquilo. Também se sentiu aliviada por Conor parecer mais tranquilo; ele escovou os dentes sem reclamar e vestiu o pijama sem criar caso. Até deixou que ela lesse uma história de ninar. Quando chegou ao fim, ele perguntou sobre a menininha que ela havia mencionado em outra ocasião.

"Aquela que também perdeu a mãe."

"Ela cresceu."

"E ela conseguiu ser feliz?"

Ela sorriu para ele. "Conor, aquela menininha era eu e, sim, consegui ser muito feliz. Isso não quer dizer que não sinta saudade da minha mãe."

"Você ainda consegue vê-la?"

"Você consegue ver sua mãe?"

"O tempo todo. Imagino que ela está sentada na minha cama de manhã. E a imagino vindo passear comigo na fazenda de canela. Eu conto a ela tudo sobre os bichos."

"Então, isso é bom. As pessoas que amamos ficam em nossos corações."

"Mesmo quando elas já se foram?"

"Sim, mesmo assim."

Ela acariciou-lhe o rosto, depois se levantou e apagou a luz. Por alguns momentos, ficou do lado de fora do quarto, sentindo seu coração se animar. Aquela conversa a fez lembrar que costumava imaginar a mãe na cozinha, misturando massa de bolo numa tigela de barro, com os cabelos louros caindo sobre o rosto. E que a via segurando o chapéu quando o vento vindo do mar soprava forte demais. Ou que ela se aninhava no sofá, concentrada numa revista, as páginas farfalhando ao folheá-las, enquanto as monções desabavam do lado de fora. Não eram memórias. Eram imagens inventadas que ela usava para se consolar enquanto crescia. As verdadeiras lembranças eram nebulosas, momentos incompletos: um esboço de sorriso, o calor persistente de um abraço. Não mais que isso.

Mais tarde, quando estavam confortavelmente sentados na sala de estar depois do jantar, os adultos ouviram Alice chorando. Gwen subiu para cuidar dela. Foi então que Irene falou.

"Eu deveria pôr o menino na cama. Não acha que quanto mais cedo ele se acostumar comigo, melhor? Quando eu obtiver a guarda..."

"Talvez quando ele a conhecer melhor", interrompeu Louisa, tentando adotar um tom conciliatório.

Irene fez um muxoxo. "Seu marido não está no túmulo nem há seis meses e..."

Louisa sentiu o maxilar enrijecer, mas continuou mantendo a voz calma. "Isso é da sua conta, Irene?"

"Mas na frente da criança..."

Ela teve vontade de retrucar, mas não suportava a ideia de discutir com Irene. Por isso, continuou a falar em tom controlado. "Veja bem, Irene: Leo e eu somos bons amigos, e isso é tudo. Ele tem me apoiado muito durante o que tem sido o momento de maior provação e incômodo para mim, enquanto eu tenho lidado com a traição do seu filho, tanto a mim como ao nosso casamento."

Irene bufou. "Quando um marido pula a cerca, a culpa é da esposa."

"O que a senhora quer dizer com isso?"

"Se você tivesse tido filhos..."

Louisa ficou perplexa. "Então a senhora me culpa pelo caso extraconjugal dele. E quanto às dívidas? Foram obra minha também?"

Irene deu de ombros.

Enquanto ouvia os sons da cozinha, a faina dos funcionários, o zumbido de um rádio, Louisa sentia-se furiosa. Era a hora da noite em que todos estavam ocupados com a conclusão das tarefas do dia. Logo, porém, a casa iria dormir, e ela poderia remoer sozinha sua raiva.

A sogra sempre fora um problema, mas aquilo era a gota d'água. E o problema era que não havia como incentivá-la a ir embora, a não ser expulsando-a.

Margo ficou o tempo todo olhando para o chão enquanto a conversa acontecia, mas então ergueu os olhos para a mãe.

"Isso foi extremamente injusto. Acho que a senhora deveria pedir desculpas a Louisa."

"Sabia que você iria defendê-la. Prefere estar com ela do que voltar para casa para ficar comigo. Não pense que não me dei conta. E, embora não tenha me dado a menor pista do motivo por que abandonou seu emprego em Londres, não tenho dúvida de que contou a história toda a Louisa."

Enquanto Irene se erguia da cadeira, Margo respondeu: "Já lhe ocorreu qual poderia ser o motivo?"

"Você é minha filha."

"E você é minha mãe."

"Pois então?"

"Eu me apaixonei por um homem casado."

Com uma repentina falta de ar, Irene se sentou de novo na mesma hora. "Você deveria ter me contado. Acabou?"

"Não. Ele está pedindo o divórcio."

Irene ficou pálida e parecia chocada. "Oh, Margo! Eu não entendo você."

"É exatamente o que estou dizendo."

"Bem, é uma grande decepção. Acho que já ouvi o suficiente para uma noite." Ela se levantou novamente e, dessa vez, saiu da sala.

"Sinto-me uma desnaturada, mas às vezes me pergunto o que fiz para merecê-la como mãe", disse Margo, enquanto Louisa balançava a cabeça.

"Dormir cedo seria uma boa ideia, não é? Graças a Deus amanhã há de ser outro dia. Talvez seja melhor."

"E pelo menos mamãe não é de acordar cedo", disse Margo. "Isso lhe dá a oportunidade de escapulir com Conor."

Louisa sorriu para ela.

Um pouco mais tarde, Leo telefonou. Louisa atendeu e, quando ouviu a voz dele, seu coração teve um sobressalto. “Está tudo bem?”, perguntou ela.

“Eu só queria saber se Conor está bem.”

“Ele está bem. Ele falou sobre Zinnia.”

“Fico feliz. É um avanço.” Ela o ouviu tossir e, quando ele falou, sua voz soou rouca. “Bem, essa não é toda a verdade. Queria, sim, ter notícias de Conor, mas também ouvir sua voz.”

Ela sorriu, feliz. “É ótimo ouvi-lo também.”

“Eu... Bem, o que quero dizer é que estou ansioso para ver você. Isso é tudo.”

Ela sentiu um calor invadir seu peito, e teve a impressão de que algo que poderia mudar tudo estava prestes a acontecer.

43

Louisa se levantou bem cedo com Gwen, que ia voltar dirigindo para Colombo e decidiu não esperar pelo café da manhã, pois queria pegar a estrada cedo. No silêncio da cozinha, Louisa preparou um bule de chá, fez a mamadeira e enfiou algumas bananas em uma sacola de papel pardo. Depois que as duas se abraçaram e prometeram escrever, Louisa a ajudou a levar Alice até o carro.

"Obrigada por ter vindo. E muito obrigada pelo seu apoio", disse Louisa, e beijou a amiga no rosto.

"O prazer foi todo meu. Precisamos nos encontrar novamente em Colombo."

"Ótima ideia. Dirija com cuidado."

Em seguida Louisa subiu as escadas e abriu as persianas para contemplar o céu claro. A chuva por acaso daria uma trégua? Ela tomou um banho rápido, vestiu-se e voltou para a cozinha, onde o cozinheiro estava preparando o primeiro café do dia. Depois de uma ou duas xícaras, Louisa subiu as escadas para acordar Conor, ansiosa para sair antes que Irene tivesse oportunidade de estragar as coisas. Tocou-lhe suavemente no ombro e ele acordou instantaneamente, olhando para ela, surpreso.

"É um desafio", disse ela e sorriu, na esperança de que as coisas corressem bem. "Quero ver se podemos sair de bicicleta antes que alguém mais acorde."

Ela ficou encantada quando ele fez que sim com a cabeça e se vestiu em silêncio. Era um bom sinal. Talvez suas esperanças fossem justificadas.

Comeram mangas no café da manhã, seguidas de coalhada de leite de búfala e mel, e depois foram para o jardim pegar as bicicletas, guardadas em um pequeno galpão. Sua presença parecia intimidá-lo, e ela temia que ele não estivesse com muita vontade de andar de bicicleta em sua companhia, mas em poucos instantes eles estavam fora do jardim.

"Vamos dar uma volta nas muralhas?", disse ela, inclinando a cabeça para olhar o céu — agora azul, com apenas algumas nuvens e uma bem-vinda brisa.

Ele ainda não estava muito falante, mas os dois saíram da Church Street e pedalaram pela Rampart Street em direção à muralha, onde acabaram chegando à Torre do Relógio. "Você sabe ver as horas?", ela perguntou.

Ele deu uma olhada no relógio e sorriu. "São sete e meia."

"Muito bem!"

Eles pedalaram, depois pararam para olhar o campo de críquete logo depois do Portão Principal. "Você gosta de críquete?"

Ele a encarou. "Nunca joguei."

"Bem, precisamos ver se meu pai e Leo podem ensinar a você. É muito divertido. Seu pai costumava jogar."

Ele fechou a cara.

"Desculpe. Não tinha intenção de chatear você."

Ele balançou a cabeça, mas não respondeu, e Louisa torceu para não ter estragado tudo. Mas era impossível evitar a sensação de que era melhor tocar no nome de Elliot do que evitar falar dele.

Eles passaram de bicicleta pelo portão principal e depois saíram pelo portão antigo, seguindo para o baluarte do Sol, que tinha uma deslumbrante vista do porto.

"Sei que você gosta de barcos."

Ele fez que sim com a cabeça.

"Podemos descer algum dia para vê-los melhor."

"Leo também pode vir?", perguntou ele.

"É claro." Eles fizeram uma curva, passando pelo ponto de onde se podia avistar o hotel New Oriental, e foram em frente. Quando chegaram à Court Square, onde o tribunal e diversos escritórios cercavam imensas figueiras, desmontaram e passaram empurrando as bicicletas.

"Olhe!", ele gritou, e Louisa viu, na direção em que ele estava apontando, um lagarto verde com a cabeça vermelha. "Esse é enorme."

"É, sim. Você gosta de lagartos?"

"E de pássaros e insetos. Eu tenho um livro de insetos. Queria estar com ele agora."

"Onde está?"

"Na sua casa."

"Quer saber? Vou arrumar um alforje para que possa levar seu livro com você sempre que estiver na sua bicicleta e conferir tudo o que encontrar."

Ele deu um sorriso, mas não disse nada. Louisa teve a impressão de que talvez ele tivesse sentido que falou demais, e que agora devia se fechar de novo em sua concha.

Ela reparou num homem vendendo mamão fresco, com ou sem pimenta, em uma carrocinha.

"Você quer?", perguntou ela. "Sem pimenta?"

Ele fez que sim com a cabeça. Depois que ela comprou dois pedaços, eles foram se sentar em um banco, para ver o movimento aumentando na imensa praça. As pessoas estavam chegando, e agora esperavam, com ar inquieto, à sombra dos galhos das figueiras.

"Acho que estão esperando para entrar ao tribunal", disse ela. "É por isso que parecem tão nervosos."

Ele continuou comendo seu mamão.

Louisa estava começando a sentir calor e pensando em encurtar o passeio de bicicleta.

"Podemos ir até a praia?", perguntou Conor. "Leo disse que tem praia aqui."

"É só uma faixa de areia, não muito grande, mas dá para entrar na água. Não fica longe."

"E nadar?"

"Não trouxemos roupa de banho. Podemos nadar outra hora. Pode ser assim?"

"Quero observar as aves marinhas."

Louisa ficou impressionada com a transformação de Conor. Ele ainda estava falando pouco, e ela continuava preocupada em saber como estava lidando com a morte da mãe. Mas, apesar de tudo, tinha a sensação de que estavam progredindo. E, à medida que tudo ficava mais tranquilo, seu sentimento em relação ao menino se tornava menos conflitante. A bicicleta parecia estar surtindo efeito. Eles ainda não tinham chegado lá, mas pelo menos estavam encontrando interesses em comum, e ela se surpreendeu ao notar o quanto estava gostando da companhia dele.

Quando saíram da Court Square, ouviram um macaco gritando, o que fez Conor rir. Isso a encheu de prazer e lhe proporcionou a esperança de que tanto necessitava. Ela daria tudo para que aquela criança deixasse de sofrer.

Ao chegar à praia do Farol, eles deixaram as bicicletas encostadas numa árvore. Ele estava de bermuda. Por isso, só precisou tirar as meias e os sapatos enquanto ela dobrava a barra das calças. Foram até a beira da água, pisando com cuidado e sentindo o cheiro da maresia. Ela apontou para os pássaros voando para cima e para baixo, por entre as ondas.

"Maçaricos-brancos", disse ele. "Estão catando caranguejos e camarões."

Ele ficou olhando para o chão por um instante, e ela percebeu que havia algo errado.

"O que foi?", ela perguntou.

Ele hesitou antes de falar. "Minha mãe me levava à praia."

"Oh, Conor. Eu sinto muitíssimo. Você quer voltar?"

Ele fez que não com a cabeça.

"Você deve sentir falta da sua mãe."

Ele parecia tão doloridamente vulnerável, mordendo o lábio, que Louisa teve vontade de pegá-lo nos braços. As pontadas de ressentimento haviam desaparecido, e tudo que ela queria era saber como consolá-lo.

"Eu gosto de ver os maçaricos", disse ele. "São tão gordinhos."

"São mesmo, não? Devem pegar um monte de caranguejos."

Enquanto andavam dentro da água, Louisa pôde ver Elliot com uma nitidez impressionante, quase como se seu fantasma estivesse caminhando a seu lado. Tudo nele parecia tão concreto que ela se sentiu momentaneamente presa numa armadilha. Podia sentir o cheiro amadeirado de sua colônia, o toque da mão dele na sua nuca. *Vá embora*, sussurrou ela, sentindo-se aliviada quando ele desapareceu. O menino pôs no bolso algumas conchas, calçou os sapatos de volta e voltou a pedalar, parando apenas quando chegaram ao farol no topo do baluarte Utrecht. "É muito alto, não é?", disse ela.

Ele olhou para cima. "Tem que ser alto para que as pessoas possam ver a luz, bem de longe, no mar."

"É isso mesmo. Vamos continuar pela Rampart Street até a pedra da Bandeira?"

Eles subiram de volta nas bicicletas e pedalaram uma curta distância. Quando pararam, ele ficou contemplando o mar antes de se virar para perguntar o porquê do nome pedra da Bandeira.

"É aqui que os navios costumavam ser alertados das rochas perigosas por bandeiras agitadas do baluarte. Às vezes também davam tiros de Pigeon Island para avisar os navios."

"Tem muitas rochas?"

"Tem, mas muitas estão submersas, por isso os navios não conseguem vê-las. Muitos barcos naufragaram por aqui."

"Naufrágios de verdade!", disse ele, em franca admiração.

Ela fez que sim com a cabeça. "Muitos."

"Leo me falou dos naufrágios. Dos piratas também."

Eles ficaram observando o mar e escutando o barulho das ondas. Apesar do céu azul, a água agora estava agitada.

Em seguida, foram para um pouco mais longe, até o baluarte Tritão; o melhor lugar para ver o pôr do sol, segundo ela.

"Estamos vendo o oceano Índico", disse Louisa.

Ele parecia impressionado. "Você já foi à Índia?"

"Não, mas gostaria de ir. E você?"

Ele fez que não com a cabeça e, quando falou, o fez em voz baixa. "Minha mãe disse que íamos."

"Bem, talvez Leo leve você quando for um pouco mais velho."

Ele olhou para o chão. "Eu estava com raiva da minha mãe."

"É?"

"Porque ela estava doente. Eu estava com raiva."

"Tenho certeza de que ela sabia que você a amava."

Ele assentiu com a cabeça, muito lentamente. "Você acha?"

"Tenho certeza."

Fez-se um breve silêncio, durante o qual Louisa pensou no que ele havia dito. Pobre menino. Atormentado não só pelo luto, mas também pela culpa. Não admira que falasse tão pouco.

"O que vai acontecer com a escola?", disse ele, por fim.

"Leo ainda não decidiu. Então, por enquanto, não precisamos nos preocupar."

Depois disso, eles voltaram pela Pedlar Street e pela Lighthouse Street até a Church Street. Louisa sentia cada vez mais que Conor precisava falar sobre Zinnia, e, embora até ali estivesse apenas tentando mantê-lo ocupado, esperava que logo se sentisse seguro o bastante para se abrir. O fato de ter mencionado a mãe sem que lhe pedissem deixou-a mais contente.

Quando chegaram em casa, já era quase meio-dia; o horário em que De Vos queria se encontrar com ela. Infelizmente, no momento em que cruzavam a porta da frente, Irene apareceu no hall de entrada.

"Por onde você andou? Fiquei esperando a manhã toda! Francamente, é muita falta de consideração, Louisa."

"Fomos dar um passeio de bicicleta, não é, Conor?"

"Bem, tenho aqui uns doces deliciosos, que você pode gostar, meu jovem. Você gosta de doces?"

Ele fez que sim com a cabeça, mas sem abrir a boca.

"Meu Deus, Louisa, deixou o menino cansado. Você realmente não entende nada de cuidar de crianças, não é?" E, tendo dito isso, pegou Conor e, com um braço em volta de seus ombros, levou-o para a sala de estar.

Louisa ficou a observá-los do corredor. Viu Irene agachar-se ao lado de Conor, agora sentado no chão. Ela abriu um enorme álbum de fotos e apontou para uma das páginas.

"Você gosta de bichos?"

"Sim."

"Bem, estes são dinossauros."

"Eu gosto de dinossauros. Minha mãe comprou um livro para mim. Não tão grande quanto este."

"Vamos olhar as fotos juntos e você me conta quais são, um por um?"

Quando Conor fez que sim com a cabeça, Louisa, que ainda observava, teve a impressão de que a criança estava despertando um lado mais suave de Irene.

"Agora preciso dar uma saída", gritou para a sogra, que acenou com a mão como quem diz *Fique à vontade*.

Ela deu uma olhada no relógio. Ia ter que correr para chegar no horário. Por isso, saiu às pressas e voltou para Court Square. O ar agora tinha um forte cheiro de especiarias e maresia, exatamente o tipo de dia que ela apreciava, mas não havia tempo para desfrutar. Ela não tardou a ver De Vos encostado a uma das figueiras e foi até ele.

"Sr. De Vos."

"A senhora sabe por que estamos tendo este pequeno encontro", disse ele, com a fala mansa de sempre, e sorrindo.

"Não tenho muita certeza. O senhor sabe muito bem que o contrato que me entregou não tem validade."

"Sinto muito. Eu queria poupá-la."

Ela franziu a testa. "De quê?"

"Da verdade. Seu marido me devia muito dinheiro, sra. Reeve."

"Pelo quê, exatamente?"

"Enormes dívidas de jogo." Ele fez um meneio com a cabeça. "Acredite em mim, eu gostaria de perdoá-las, mas tenho colegas que são mais difíceis de convencer."

"O senhor se refere a Cooper, o australiano?"

Ele deu de ombros. "Agora, eu a aconselharia fortemente a pagar logo. Esta situação já se prolongou por tempo demais."

"Caso contrário?"

Ele não respondeu.

Ela olhou para a praça em torno. Havia muita gente por perto.

Louisa engoliu em seco rapidamente. "Eu não cedo a ameaças, sr. De Vos, mesmo as veladas. E, em todo caso, como o senhor pode garantir que essas dívidas são genuínas? Sem nenhuma prova formal, o senhor pode me dizer o que bem entender. Elliot não está aqui para confirmar ou negar."

Ele inclinou a cabeça. "Há algo que a senhora deveria saber. No dia em que morreu, seu marido estava a caminho de me encontrar para fazer as tratativas do pagamento. Como a senhora sabe, o primeiro cheque dele voltou."

Ela o encarou.

"Eu lhe darei uma semana. Mas devo insistir na quantia integral, sra. Reeve. A quantia integral."

Ele deu-lhe as costas e, assobiando, foi embora. Ela não sabia o que pensar. Se no fim das contas De Vos estivesse dizendo a verdade, ela não tinha como não ficar furiosa com Elliot. Onde ele estava com a cabeça para perder tanto dinheiro no jogo?

No caminho de casa, ela foi ver o pai na casa de lapidação e polimento.

Encontrou-o com a cabeça reclinada sobre alguns livros de contabilidade. Ao vê-la, porém, ele sorriu e afastou o cabelo da testa. "A que devo a honra?"

"Encontrei De Vos", disse ela, mas então notou o quanto o pai parecia cansado e quanto seu cabelo parecia estar mais grisalho.

Ele franziu a testa, unindo as sobrancelhas, e olhou-a nos olhos.

"Receio que ele esteja entrando em desespero", explicou ela.

"Mais uma razão para não pagar. Se continuarmos firmes, ele vai acabar desistindo."

"A não ser que ele, por sua vez, deva dinheiro, talvez a Cooper ou a outra pessoa."

"A polícia nos aconselhou a não pagar."

Ela respirou e expirou lentamente. "De Vos insiste que eram dívidas de jogo."

"Que podem ser autênticas ou não."

"Foi o que eu disse."

Jonathan balançou a cabeça. "Para ser franco com você, Louisa, às vezes tenho a impressão de que jamais perdoarei Elliot. Enganar a todos nós dessa maneira."

"Mas no começo ele não enganou o senhor, não é?"

O pai balançou a cabeça novamente. "Bem que eu queria ter me apegado à minha intuição."

"Não teria feito nenhuma diferença. A única diferença seria que eu teria ido morar com ele em Colombo."

"Você sempre soube o que queria, como a sua mãe."

Ela sorriu para ele. "Obrigada pela gentileza com Conor. Aquela bicicleta fez toda a diferença."

"O menino é inocente. Ele não merece nada disso, embora eu não consiga imaginar o que vai acontecer no longo prazo. Ele precisa frequentar a escola."

"Acho que Leo está tentando levantar fundos para mandá-lo para o internato."

44

O dia seguinte transcorreu relativamente feliz. Louisa levou Conor à praia, mais uma vez antes de Irene acordar, e depois os dois jogaram bola no jardim com Margo. À tarde, brincaram de Pirata e Viajante e de adivinhações. Nesse meio-tempo, Irene afirmou que sua requisição estava sendo encaminhada e que logo estaria pronta para ir ao tribunal pedir a guarda de Conor. À luz fraca do entardecer, Louisa ponderava se o encontro com Leo era uma boa ideia. Dizia a si mesma que queria contar-lhe o progresso que havia feito com Conor e que estava começando a gostar de verdade do menininho, mas isso significava sair logo depois de colocá-lo na cama, o que deixaria Irene com grande controle sobre a situação. Porém, assim que terminou de ler uma história de ninar para Conor, ele estendeu os braços para abraçá-la, deixando-a tão comovida que Louisa sentiu que precisava compartilhar o acontecido com Leo. Agora que se sentia menos tensa perto do menino, ele também estava relaxando, e isso a enchia de satisfação.

Assim que teve certeza de que Conor havia adormecido, na mesma hora em que ouviu o repetitivo e melancólico chamado islâmico à oração, Louisa saiu de Galle e, em pouco tempo, chegou a Cinnamon Hills. Já estava escurecendo e, quando desceu do carro, ela olhou para o céu azul-escuro, salpicado por estrelas dispersas. Sentiu uma onda inesperada de felicidade ao avistar um grupo de barulhentos morcegos frugívoros.

Leo abriu a porta e veio até ela. Louisa reparou em todas as coisas que gostava nele. Seus olhos castanhos e profundos. O calor do seu toque. Sua aparência, rústica e bela. Seus cabelos ondulados. A tranquilidade com que caminhava, aparentemente à vontade na própria pele. A preocupação que demonstrava com Conor. E a maneira como seus olhos se iluminavam quando sorria para ela. Agora, ele estava sorrindo.

"Que bom ver você. Antes de subirmos, quero mostrar uma coisa."

"Hã?"

"É uma surpresa."

Segurando-lhe a mão, conduziu-a pela mata, por uma trilha estreita, iluminada apenas pela lanterna dele. A vegetação parecia mais espessa na escuridão, com trepadeiras abraçando enormes árvores e raízes emaranhadas sob seus pés. Por fim, no entanto, ela divisou luzes que dançavam em meio à vegetação rasteira. Ouviu o uivo de um cão selvagem, que chegou a arrepiá-la de medo, mas Leo apertou-lhe a mão e logo chegaram a uma pequena clareira, onde viu meia dúzia de homens sentados de pernas cruzadas em esteiras, ao redor de uma fogueira. Um deles tamborilava levemente, enquanto outro parecia estar cantando.

"Venha", disse Leo, dando um tapinha no chão. "Sente-se ao meu lado."

Ao se juntarem ao círculo, um dos homens olhou para ele e sorriu para Louisa. O ar estava esfumaçado, e ela começou a tossir, mas rapidamente passou, e depois conseguiu se concentrar.

"É uma espécie de poesia rítmica", sussurrou Leo. "Uma maneira de contar histórias."

"Você sempre vem aqui?"

"Sempre que posso. Gosto de manter uma relação de proximidade com o pessoal. É bom saberem que reconheço o que é trabalho duro e que valorizo sua cultura."

O clima era estranhamente sedutor. Fechando os olhos, Louisa escutou os sons hipnóticos.

"Eles acreditam que os poemas os protegem dos predadores. Muitas vezes esses encontros duram a noite toda."

Eles ficaram por meia hora, talvez. Então Leo acenou para o homem que havia sorrido, e os dois se levantaram para sair. Louisa olhou para a fumaça que subia ao céu e sentiu-se feliz por ele tê-la levado para ver aquilo.

De volta a casa, ele apontou para o andar de cima. “Vamos nos sentar na varanda? Tenho repelente de mosquitos.”

Ela fez que sim com a cabeça. Entraram e subiram as escadas para a varanda. Louisa sentou-se em uma das cadeiras de vime e sentiu a doce fragrância das flores noturnas.

“Administrar a fazenda é uma questão de confiança”, comentou ele, depois que se sentaram. “Tento ser leal a eles e proteger seus interesses. Uma vez falei que eles trabalham numa base de lucro compartilhado. O que não expliquei é que trabalham de graça até receberem sua parte.”

“Não é sacrifício demais?”

“Funciona melhor assim. Significa que eles têm uma participação real no resultado. Enquanto isso, eu lhes forneço a alimentação.”

“Entendi.”

“E por falar nisso”, disse ele, depois de lhe entregar o repelente. “Se você estiver com fome... Só arroz e curry.”

“Ótimo”, disse ela, embora não estivesse verdadeiramente com fome. Passou o óleo nos braços e na parte de baixo das pernas. Enquanto esperavam o serviçal, Kamu, trazer a comida, conversaram sobre Irene.

“Acho que ela está falando sério a respeito da guarda. Será que ela tem chance? Quer dizer, como avó de Conor?”

“Possivelmente, mas seria horrível para ele perder tudo isso.” Leo estendeu o braço para o terreno em torno da casa. “E eu sentiria uma saudade terrível dele. Mas por que ela o quer a qualquer custo? Não me ser parece o tipo de pessoa que acolhe uma criança ilegítima.”

“E não é. Em circunstâncias normais, ficaria horrorizada. Mas é o filho de Elliot. Ela perdeu Elliot, e acho que vê Conor como uma maneira de trazê-lo de volta. Ela quer adotá-lo.”

Ele parecia estar refletindo. “Conheço Conor desde que ele nasceu e gosto muito dele. No curso normal das coisas, sob nenhuma hipótese eu cederia a guarda para Irene... Mas lá no fundo fico pensando se estou sendo egoísta. E se ela pudesse proporcionar a ele um lar mais tradicional e o dinheiro para um bom internato? São coisas que não posso dar. Pelo menos não agora."

"Não. Ela mimou Elliot terrivelmente, criou-o fazendo achar que tudo era dele por direito divino."

"E se eu mesmo tomasse a iniciativa e desse entrada num processo de adoção formal? Até agora, parti do princípio de que ele iria ficar comigo."

Quando chegou a comida, fez-se silêncio. Enquanto pensava em Irene, ela remexia o curry no prato.

"Não está com fome?", perguntou ele.

"Não muito. De Vos me deu um ultimato, cobrando o dinheiro que diz que Elliot lhe devia. Eu tenho menos de uma semana para pagar."

"Caso contrário?"

"Ele não disse."

"Provavelmente é um blefe."

"Podemos entrar quando você terminar? Estou sendo devorada pelos mosquitos."

Depois que entraram, Louisa sentiu uma expectativa incômoda. Sem saber como se comportar, sentou-se na beirada de uma cadeira.

"Não estou achando você muito à vontade aí", disse ele, estendendo-lhe a mão.

Ela estava prendendo a respiração, mas quando ele sorriu, tudo ficou melhor. Ela pegou na mão de Leo, que a puxou para si. Ficaram juntos, olhando nos olhos um do outro, mas sem se tocar. Depois de uma pausa bem curta, Louisa sentiu um impulso de confiança. Dando um passo na direção dele, beijou-o nos lábios e recuou, para ver como ele reagira. Seus olhos estavam escuros e brilhantes.

Ela sorriu. "Estou pronta. E você?"

Ele tomou-a nos braços e estreitou-a tanto que ela pôde sentir o coração dele batendo contra seu peito.

Em seguida levou-a até o quarto, onde ela se sentou na cama e tirou os sapatos, enquanto ele acendia uma vela. A luz cintilou no rosto dela, enquanto ele se aproximava e tirava a camisa. Louisa teve um forte sentimento de conexão e, incapaz de tirar os olhos do rosto de Leo, ficou totalmente imóvel quando ele se sentou ao seu lado. Era extraordinário estar tão perto de alguém que não era Elliot, e que era tão diferente de Elliot. Leo não encantava com tanta facilidade, mas possuía algo profundo que ela apreciava de verdade. Não era o homem retraído que antes imaginara; em vez disso, era gentil e sensível.

"Estou sem prática", disse ela.

"Acredite em mim, eu também."

Ela riu. "Dizem que é como andar de bicicleta. Mas já faz sete meses."

Ele levantou-lhe a ponta do queixo e, enquanto ela olhava para o teto, beijou-lhe o pescoço e atrás das orelhas. Ela sentiu o corpo formigar quando baixou a cabeça para observá-lo. Havia algo de tocante em seu rosto formoso e sério, que ela tomou entre as mãos, beijando as bochechas e a testa. Então, inclinou-se para trás e permitiu que ele abrisse os botões de sua camisa. Ela soltou o sutiã e se desvencilhou da peça. Ele apertou os seios com as mãos e beijou suas curvas, antes de passar lentamente para os mamilos. Ela ofegou de prazer. Era maravilhoso, mas também assustador, deixar-se levar daquele jeito. Do nada, ela sentiu que vacilava por um instante. Ele percebeu na mesma hora e fez uma pausa.

"Louisa?", disse ele.

Ela murmurou que estava bem, e ele a ajudou a tirar a calça e a calcinha. Agora completamente nua, ela deitou-se de costas na cama. Uma sensação maravilhosa de estar à vontade consigo mesma tomou conta de seu corpo. Quando seus olhos encontraram os dele, foi como mergulhar na paz de espírito. A sensação durou algum tempo, até ele tirar as calças e vir deitar-se nu ao seu lado. Ela olhou ao redor do quarto, percebendo a luz das velas que iluminava as paredes e o teto, enquanto a paz se espalhava dentro de si: uma sensação cálida e generosa de que tanto necessitava. Ele pôs a mão por trás da cabeça dela e enrolou o cabelo acima do pescoço. Então, carinhosamente, passou a ponta do dedo da parte de trás da orelha até o abdome. A respiração dela se acelerou. Em seguida, ele a beijou novamente. Suas línguas exploravam um ao outro. Ela começou a empinar os quadris na direção dele, o que Leo deve ter entendido como um sinal, pois, depois de beijar-lhe o pescoço, foi como se o mundo inteiro tivesse desaparecido. Só existia aquele momento. Só ele. Só ela.

Quando terminou, ela deitou-se de bruços e ele acariciou-lhe as costas.

Ela sentia nele um jeito protetor muito diferente do falecido marido. Incomodada por estar de novo comparando-o com Elliot, ela repreendeu a si mesma mentalmente. Decidiu, em vez disso, concentrar-se na magia daquele momento, e em como era possível se sentir tão feliz.

"Conor quer que você o ensine a jogar críquete", disse ela.

"Quando?"

"Que tal sábado, quando você for buscá-lo? Vou pedir a meu pai para participar também."

Leo se aninhou perto dela. "Seu cheiro é uma delícia", disse ele.

"O seu é de canela e tabaco."

"É?", ele pareceu desapontado.

"É gostoso. Eu adoro."

"Você pode ficar?"

"Só até o amanhecer. Preciso ter certeza de que estarei de volta antes que Conor ou Irene acordem."

"Isso nos dá tempo de sobra."

"Para dormir?"

"Talvez."

Ela riu e rolou na cama, virando-se. "A propósito", disse ela, "Conor me deu um abraço quando o coloquei na cama. Isso me deixou muito feliz."

De madrugada, ela entrou em casa na ponta dos pés e, segurando os sapatos, foi até a cozinha buscar um copo de água. Bebeu rapidamente e em seguida foi até o corredor, com a ideia de correr para o quarto sem ser vista. Ficou espantada ao encontrar Irene em pé, com os braços cruzados, no pé da escadaria. Seu semblante dizia tudo: os olhos brilhando e um misto de triunfo e incredulidade nas feições. Louisa não conseguia pensar no que dizer, e ficou apenas olhando para a sogra.

"Então, esse é o tipo de exemplo que você dá ao menino! Esgueirando-se como um gato vira-latas."

"Eu não queria acordar ninguém."

"Estou vendo!"

"Eu..."

"Aquele pobre menino estava tendo pesadelos. Você não estava aqui e acabei tendo que consolá-lo. Quanto mais cedo ele ficar sob meus cuidados, melhor." Tendo dito isso, deu as costas a Louisa e subiu as escadas.

Louisa sentou-se no primeiro degrau, sentindo um misto de fúria, por Irene conseguir fazê-la sentir-se tão pequena, e de tristeza com a ideia de Conor assustado durante a noite, na sua ausência. Ela olhou em torno, enquanto se dava conta do quanto Conor era importante para sua vida. Louisa se importava com o filho de Elliot, se importava de verdade, e esse sentimento novo de vulnerabilidade a deixava sem ar. Quaisquer que fossem as consequências, era preciso protegê-lo de Irene.

45

Naquela noite Louisa acordou ao som de soluços, vindos do quarto de Conor. Abriu a porta e entrou na ponta dos pés, sem acender a luz. Pôde vê-lo sentado, empertigado à luz da lua, com as lágrimas fazendo o rosto brilhar. Pensou no conselho de Gwen; paciência era fundamental. Ela cuidaria daquilo com muita calma.

"Conor", disse ela.

Ele fez um leve barulho de engolir em seco, e ela viu que um arrepio fez seus ombros estremecerem.

"Sei que você está muito triste."

Ele confirmou com a cabeça. Ela estendeu a mão e ficou feliz quando ele a pegou.

"Estou com medo", disse ele.

"Você sabe do que está com medo?"

"Estou com medo de ficar sozinho."

Eles ficaram em silêncio por alguns momentos. Ela sentou-se na cama, ao lado dele.

"Quer ir dormir no meu quarto?"

Ele assentiu. Ela então pegou-o nos braços e levou-o para a cama dela. "É só entrar debaixo das cobertas. Vou fazer um chocolate quente. Quer um?"

"Por favor", respondeu ele, numa voz bem baixa.

Ela foi até a cozinha e voltou com duas canecas de chocolate.

Mas, quando acendeu o abajur, viu que ele tinha caído rapidamente no sono.

Por todo o restante da semana, Leo ligou à noite para perguntar de Conor. Ela sabia, porém, que não era só por isso. Toda vez que ele telefonava, ela sentia um aperto no coração. As condições climáticas variavam muito, deixando o mar agitado. Ela enviou convites para a inauguração do Safira, o novo e sofisticado empório de Galle, que seria dali a três semanas. Até lá, as chuvas já deveriam ter acabado, e ela queria que houvesse tempo hábil para que o empório se firmasse apropriadamente e estivesse pronto para faturar um pouco com as vendas de Natal. Quanto antes se tornasse lucrativo, melhor.

À noite, Conor vinha para a cama dela. Ela segurava a mão do menino quando estava triste, e ele se aninhava junto a ela, como um filhote procurando o conforto materno. Louisa escondia isso de Irene e fazia questão de que ambos saíssem da cama antes da sogra. Quando Irene enfim foi embora, na manhã de sexta-feira, dessa vez insistindo para que Margo a acompanhasse, e garantindo que assim que chegasse a Colombo iria procurar seu advogado, Louisa sentiu-se aliviada. Ela pensou em Leo. Pelo menos, quando ele viesse buscar Conor, Irene não estaria pegando no pé dos dois.

No sábado a chuva deu uma trégua, e Louisa nutriu grandes esperanças de que o campo de críquete estaria seco o bastante para tentar ensinar Conor a jogar. Eles ficaram esperando no jardim. Conor sentiu-se imediatamente atraído por um pequeno trecho de mato no fundo do jardim, repleto de flores silvestres, borboletas e colibris. Rolou na grama com Tommy e Bouncer, e Louisa não pôde deixar de pensar no pobre Zip. De nada servira comunicar a polícia. Não conseguiram sequer localizar a criança paga para entregar a caixa.

Quando Leo chegou, indo direto para o jardim, sorriu para Louisa, e ela sentiu a pele formigar com a lembrança da noite que passaram juntos. Conor pulou em Leo, que levou o menino até a sala de estar, onde iam esperar por Jonathan.

"E então", disse Leo, segurando a criança em seu colo. "Como está se saindo?"

"Andamos de bicicleta e nadamos, e eu desenhei um retrato seu. Eu aprendi a dizer *Bonjour*."

"Isso é ótimo. Quem está te ensinando?"

"Camille. Ela é francesa."

Como se tivesse ouvido a deixa, a empregada da cozinha entrou na sala e sorriu para Louisa. "A senhora deseja um cesto com sanduíches para o críquete?"

"Não, acho que voltaremos a tempo do almoço."

"Muito bem, madame"."

"O que achou de Irene?", perguntou Leo a Conor.

"Ela é legal."

"Que bom."

Logo depois, Jonathan apareceu, com roupa de flanela, e todos partiram para o campo de críquete. Louisa havia encontrado os antigos tacos de críquete de Elliot e duas bolas de tênis. Jonathan havia arranjado estacas para o *wicket*.

"Pela regra, todos nós deveríamos estar de branco", disse Leo, quando chegaram, "e usar caneleiras até os joelhos"

"A primeira coisa que ele precisa entender é o objetivo do jogo", disse Jonathan.

Leo sacudiu a cabeça. "Primeiro vou mostrar como segurar o taco. Ouça, Conor, o importante é manter o taco na vertical e defender atacando a bola."

"Isso é muito complicado para ele", argumentou Jonathan. "Deixe só ele tentar rebater algumas bolas." Ele virou-se para Conor. "Aqui está, segure o taco que Leo vai arremessar."

"Ainda acho que, se começar com o taco na vertical, ele vai se sair melhor", disse Leo. Apesar disso, afastou-se vários metros e arremessou por baixo, o mais fraco que pôde. Conor, sentindo um pouco de dificuldade com o taco grande demais, errou as primeiras duas tentativas, mas no terceiro arremesso acertou a bola. Louisa aplaudiu, enquanto Conor pulou para cima e para baixo, comemorando.

"Muito bem!", elogiou Jonathan. "Agora, em geral os rebatedores são dois, um em cada ponta do *wicket*. Depois que o jogador de frente para o arremessador acerta a bola, os dois começam a correr, trocando de lugar um com o outro. É o que chamam de 'corrida'."

"Eu e Louisa podemos ser os rebatedores", disse Conor. "Você vai ter que correr rápido, Louisa."

Ela fez que sim com a cabeça, mas estava com dificuldade para tirar os olhos de Leo. "O senhor é quem manda!"

"Precisamos explicar o jogo um pouco mais", insistiu Jonathan.

"Antes dele aprender a segurar o taco?", questionou Leo, fazendo cara feia.

Jonathan fez uma cara séria. "Normalmente são dois times com onze jogadores cada, e o objetivo é marcar o maior número possível de corridas sem ter jogadores eliminados."

"Como os jogadores são eliminados?", perguntou Conor.

"Está vendo onde eu coloquei as estacas, bem atrás de você?", perguntou Jonathan.

"Estou."

"Teria que haver outro conjunto de estacas, não muito longe do arremessador. É onde fica o segundo rebatedor — no caso, Louisa. O outro time pode eliminá-lo ou pegando a bola depois que você rebater, ou fazendo a bola tocar nas estacas antes que você termine de correr."

"Então, eu rebato a bola e aí eu e Louisa corremos entre as estacas e marcamos corridas?"

"Excelente. Você entendeu. E o espaço entre um conjunto de estacas e outro é chamado de *wicket*."

"O que acontece quando você é eliminado?"

"Você sai, e outro rebatedor do seu time entra no seu lugar."

"Agora eu quero mesmo mostrar como se faz o taco na vertical", disse Leo. "Vai ser melhor se você aprender do começo."

Jonathan franziu o cenho. "Ainda acho que devemos só deixá-lo tentar."

"Mas ele vai ter mais chance se não bater com o taco na horizontal."

Louisa riu. "Parem com isso, vocês dois. É uma partida amistosa."

E assim a manhã passou, com Jonathan e Leo discutindo a melhor maneira de ensinar Conor a jogar críquete. Louisa observava com um sorriso irônico e cumpria seu dever como segunda rebatedora, sendo eliminada em todas as tentativas. Na hora do almoço, Jonathan foi na frente para a casa junto com Conor, enquanto Leo ficou para trás. Ele e Louisa seguiram devagar, bem atrás dos outros dois.

"Obrigado pela outra noite", disse ele, tocando o rosto dela. Louisa sorriu, sentindo uma energia percorrer seu corpo.

"É maravilhoso ver você. E ver Conor tão feliz. Mas eu queria dar uma palavrinha rápida enquanto estamos a sós."

"Ah, é?"

"Eu estou enlouquecendo de tanto pensar em Conor e Irene."

"E?"

"E pensando se não seria melhor se Irene ficasse com a guarda de Conor, no fim das contas."

Ela deteve o passo e o encarou. "Você não faz ideia de como ela é."

"Se você está dizendo."

Ela franziu a testa. "Se eu estou dizendo?"

"Desculpe, me expressei errado." Ele balançou a cabeça. "Conor ainda poderia vir me visitar de vez em quando. Em feriados e tal."

"Como você pode sequer cogitar uma coisa dessas?"

"Bem, pode ser que ele não possa ficar na sua casa para sempre. Você sabe disso."

"Por que não? Eu passei a gostar muito dele."

Ele engoliu em seco antes de falar. "Dá para ver que ele pode se tornar o filho que você não teve, Louisa. Mas..."

Ela franziu a testa. "Mas o quê? Ele precisa de uma mãe."

Ele se afastou ligeiramente e olhou de novo para ela. "Se alguma coisa mudar, eu não quero que você sofra."

"Nada precisa mudar."

Ele balançou a cabeça, com tristeza. "Analisei de todos os ângulos e, por mais que eu queira, simplesmente não consigo dar a Conor tudo o que ele precisa. Isso parte meu coração — mas Irene tem tempo, dinheiro, pode proporcionar um lar estável, e ela e Harold são os parentes de sangue mais próximos."

"Não posso acreditar no que estou ouvindo! Você não escutou quando eu contei como ela estragou o caráter de Elliot?"

"Você já pensou que pode ser... como direi? Um pouco suspeita para dizer isso?"

"*O quê?*"

"Convenhamos, Louisa. Temos que pensar no que é melhor para o Conor. Irene pode pagar uma boa educação. Você sabe que a fazenda está se expandindo, mas ainda não cheguei lá."

"Mas você o ama!"

"E tenho certeza de que Irene também vai amá-lo."

"Conor ama você, e não Irene. Pensei que acreditasse que ele estaria melhor com você."

"Eu acreditava."

"Mas agora só quer se livrar dele. É isso, não é? Bem, devo dizer que estou terrivelmente desapontada."

"Louisa, vamos. Seja racional."

"Não. Não há nada de racional nisso."

"Ouça, quando vou poder vê-la de novo? Aí podemos conversar sobre isso."

Ele pôs a mão em seu ombro, mas ela o afastou. "Não. Acho que não. Você não quer ser responsável por Conor. Fico contente de ter enxergado a verdade antes que algo mais pudesse acontecer entre nós. Traga Conor de volta amanhã à noite. Estou indo para casa."

Ela saiu pisando firme, ultrapassando o pai e Conor, entrou na casa e subiu para seu quarto. Chegando ao andar de cima, deitou-se na cama, sentindo a decepção na boca do estômago. Achava que Leo era diferente, que se preocupava com Conor, e que entre eles encontrariam uma maneira de cuidar do menininho. Entregar Conor a Irene parecia a pior solução possível.

Na manhã seguinte, seu pai apareceu de novo, de forma inesperada, dizendo que tinha uma coisa para ela, mas que estava lá fora, no jardim. Passaram pelas janelas francesas e ali, tremendo nos braços de Ashan, estava um pequeno filhote de spaniel branco e castanho. Louisa correu, e Ashan sorriu quando ela pegou o pequeno nos braços. Sua língua rosada pulou para fora e lambeu a bochecha da dona. "Oh, você é um amor. Qual vai ser o seu nome?"

"Peguei com um homem chamado Oliver", disse o pai dela.

"Oliver é um nome lindo."

Ela enfiou o nariz no seu pelo e então debulhou-se em lágrimas.

"Oh, querida, sinto muito. Será que eu fui insensível? Sei que nada pode substituir Zip."

Ela fez que não com a cabeça. "Ele é perfeito. Foi uma ideia ótima. Conor vai adorá-lo."

Na verdade, ela mal podia esperar pela noite em que Conor voltaria. Passou o resto do dia apresentando Oliver a Tommy e Bouncer, que farejou o recém-chegado e cheirou todas as suas partes antes de, aparentemente, aceitá-lo como um membro da família. Durante boa parte da tarde, o filhote dormiu no colo de Louisa enquanto ela folheava revistas, levantando-se só de vez em quando para levá-lo para fazer suas necessidades do lado de fora. Se Tommy e Bouncer estavam com ciúme, não demonstraram. E, se ela se estava ansiosa para ver Leo de novo, não aparentou.

À noite, ela foi até a porta quando os ouviu chegarem na caminhonete. Leo parecia rígido e sério. Louisa mal olhou para ele antes de dar as boas-vindas a Conor e dizer que havia uma adorável surpresa à sua espera.

"Leo também pode ver a surpresa?", perguntou ele.

"Talvez outra hora. Tenho certeza de que Leo deve ter muita coisa para fazer."

Conor deu um abraço em Leo.

Ela envolveu o menino nos braços e pediu que ele esperasse na sala de estar.

"Certo", disse ela para Leo. "Espero você de volta no sábado que vem, pela manhã. Passar bem."

Em seguida fechou a porta na cara dele, tentando ignorar seu coração acelerado. Sabia que poderia estar exagerando. Talvez no fundo Leo realmente estivesse pensando no que era melhor para Conor. Mas Louisa queria que ele lutasse pelo menino, em vez de optar pela saída mais fácil.

Depois disso, ela e Conor saíram para onde todos os cachorros estavam embolados juntos. No início, foi difícil distinguir o filhote entre tantas patas, mas depois ele se pôs de pé e saiu correndo, abanando o rabo.

"O nome dele é Oliver. Gostou?"

"É para mim?"

"Bem, é para nós dois. Ele pode ser nosso. Que tal?"

O olhar de adoração no rosto do menino enquanto acariciava o filhote encheu Louisa de alegria. Ela se sentia imensamente protetora, não apenas em relação ao novo cachorrinho, mas também ao próprio Conor. Eles tinham percorrido um longo caminho desde os primeiros e difíceis dias, e ela era obrigada a admitir que estava verdadeiramente começando a pensar no menino como seu.

46

Na segunda-feira, Louisa recebeu uma ligação de Margo, dizendo que os advogados haviam chegado a um acordo para que ela não precisasse comparecer à audiência de divórcio, pois apenas as fotos já valeriam como prova. Depois disso, Himal, o mestre de obras, apareceu trazendo alguma coisa. Como o tempo estava ruim, eles não conversavam à porta. Louisa o fez entrar, e já no saguão ele entregou-lhe um pacote.

"O que é isso?", ela perguntou.

Ele sorriu. "Abra. Descobrimos sob aquelas tábuas soltas do piso."

Ela abriu e encontrou um espesso bolo de notas. Imediatamente suspeitou que fosse o dinheiro perdido que Elliot havia retirado de sua conta. Por que ele havia feito o saque, ela ainda não sabia, a menos que estivesse planejando usá-lo para pagar sua dívida com De Vos. Enquanto pensava em De Vos, Louisa ficou pensando se o homem poderia aparecer mais tarde. A semana que lhe dera agora havia terminado, mas nem sinal dele ainda. Será que havia perdido a esperança?

"Belo gesto da sua parte, Himal", disse ela. "Obrigada."

"Eu imaginei que a senhora ficaria satisfeita."

Ela ergueu os olhos para ele. "Fiquei. Claro que fiquei. E tenho quase certeza de que sei de onde veio." Ela fez uma pausa, lembrando que não poderia revelar muito na frente dele. "Obrigada pela sua honestidade."

"Não é só isso. Há um problema, infelizmente."

"Hã?"

Ele balançou a cabeça, como quem pede desculpas. "Os preparativos para a loja estão prontos, mas um dos meus decoradores quebrou a perna. Só estou trabalhando com um no momento, então vai levar o dobro do tempo. Eu sei que a senhora queria inaugurar daqui a duas semanas."

"O senhor não consegue encontrar um substituto?"

"Nenhum dos meus prestadores de serviço está disponível. O New Oriental está sendo todo repintado, e por isso todo mundo está trabalhando lá."

Louisa refletiu a respeito. "Posso fazer um pouco da pintura eu mesma. Sou boa em subir escadas."

"Mas, senhora, isso seria um tanto inusitado."

"Fui eu mesma que pintei a sala de estar daqui. Vou trocar de roupa e vamos direto para lá."

O mestre de obras parecia inseguro. "Se a senhora tem certeza disso."

Ela sorriu, mas então se lembrou de Conor. "Oh", disse ela. "Preciso levar o menino comigo. Mas vou pensar em alguma coisa para que ele não corra nenhum risco."

"Talvez ele possa ficar lendo enquanto a senhora trabalha."

"Ou, melhor ainda, posso dar um pincel a ele, e pode ser que goste de ficar pintando também. E se ficar entediado, dou a ele algumas folhas de papel para desenhar."

"Estamos instalando as portas de aço da frente esta semana."

"Isso é maravilhoso. Obrigada."

Depois que ele foi embora, ela contou as notas e constatou que eram quase 15 mil rupias.

Um pouco mais tarde, Louisa estava vestindo um macacão, e dera uma de suas camisas para Conor usar. Ela arregaçou as mangas e examinou a aparência dele.

"Pronto. Que tal?"

"Eu gosto de pintar. Minha mãe me ensinou."

"Mas você sabe que vamos só pintar paredes, não é?"

"Sim. E depois vamos poder contar tudo para o Leo."

Ela fez que sim com a cabeça, mas a menção ao nome de Leo só serviu para entristecê-la.

Depois que o mestre de obras cobriu o chão com morim para proteger os ladrilhos de parquet, assim como os balcões de ébano, Louisa despejou um pouco da tinta branca da lata maior e passou a Conor uma menor. Em seguida, deu-lhe um pincel e pediu que pintasse a parte de baixo de uma parede, enquanto ela subia numa escada e começava a cuidar da parte de cima.

Durante cerca de uma hora, tudo o que se ouviu foi o som dos pincéis e dos pássaros cantando do lado de fora das janelas abertas. Conor parecia feliz por estar trabalhando com Louisa. Quando ela começou a cantar, cantou junto. Mais tarde, ficou desenhando nas folhas de papel que ela também lhe dera. Na hora do almoço, ela desceu da escada e disse que iam comer do lado de fora, no pátio. Ajudou o menino a lavar as mãos e abriu a porta. O vento tinha diminuído, e a luz do sol invadira o pátio coberto de mato. Ela limpou as folhas de um degrau e deu um tapinha.

"Venha sentar-se comigo."

Ela depositou o cesto no chão e Conor o abriu.

"Limonada!", exclamou, entusiasmado.

"E frutas, e sanduíches de ovo. Camille preparou para nós, então devem estar bons. Tem até uma tigelinha de salada de lentilha."

Enquanto o sol aquecia sua pele, Louisa pensou em como era bom estar sentada com Conor assim, em especial agora que ele havia recuperado o apetite e estava comendo normalmente. Os pesadelos também tinham cessado. Por isso, ele andava muito mais sereno como um todo.

"Gostoso o sanduíche", disse ele. "Posso comer outro, por favor?"

Ela deu-lhe um abraço apertado. "Pode comer quantos quiser!"

Himal saiu à procura deles, e disse que, no fim das contas, havia arranjado um decorador para terminar a pintura. Louisa sentiu-se aliviada. Esperava que o empório fosse concluído até o fim da semana, pois na seguinte os diversos expositores começariam a trazer seus produtos. Na semana depois dessa, Louisa faria uma grande inauguração, para a qual estavam previstos drinques e canapés. Agora parecia, afinal, que tudo ia ficar pronto a tempo. Tudo concorria para um resultado maravilhoso. Não fossem as coisas com Leo, ela não estaria sentindo a terrível dor de perder algo que mal tinha começado e de que tanto precisava. Ela balançou a cabeça. Não fazia sentido ficar remoendo o que poderia ter sido. Não havia como concordar com a sugestão dele de que Conor deveria morar com Irene.

Quando terminaram de comer, ela olhou para Conor. "Acho que já pintamos o bastante. Que tal um bom mergulho? Depois de fazer a digestão do almoço, é claro."

Ele deu um salto. "Sim!"

Mas os problemas no empório não tinham terminado, como Louisa constatou no dia seguinte, quando Himal bateu na porta após uma noite tempestuosa que manteve todos acordados. A expressão no rosto dele, enquanto explicava o ocorrido, era grave.

"Um coqueiro caiu sobre a cúpula, senhora. O vento deve ter derrubado ontem à noite. Descobrimos hoje cedo. Danificou muito o vidro."

"Oh, não! O que dá para o senhor fazer?"

"Instalamos uma cobertura temporária sobre a cúpula enquanto não tem vidro. Provavelmente vamos precisar de um engenheiro de estruturas para fornecer um relatório sobre o estado do telhado, caso haja mais danos."

"E quanto tempo isso pode levar?"

"Alguns dias. E o vidro fez a maior sujeira. Vai ser preciso limpar tudo antes de usar as prateleiras."

"E a minha festa de inauguração?", perguntou Louisa, desolada.

"Vai ser preciso adiar."

"Mas todos os convites foram enviados e todos os fornecedores estão avisados para providenciar a entrega das mercadorias."

"Sinto muito, senhora."

*

Na quarta-feira fez sol forte. Com peso no coração, porém, Louisa passou a manhã enviando avisos de cancelamento para todos os convidados e informando aos fornecedores que a inauguração do empório Safira seria adiada. À tarde não havia nenhum sinal de chuva. Crianças jogavam bola por toda a cidade, depois da aula, atravancando o caminho dos carros de boi e causando uma desordem geral. Às três da tarde, quando Conor implorou para que o deixasse pedalar sozinho pelas ruas do entorno, Louisa concordou, mas avisou que ele deveria estar de volta a tempo para o chá das quatro. Deu-lhe seu relógio velho para que pudesse ficar de olho na hora e certificou-se de que ele realmente sabia lê-lo. Poucos carros passavam na rua. Por isso, não havia motivo para preocupação, e todos dirigiam atentos às crianças.

Ela continuava triste por causa de Leo; havia se enchido de tanta esperança. Incapaz de direcionar a mente para pensamentos mais alegres, ficou olhando pela janela durante algum tempo, até que por fim conseguiu passar uma hora lendo *Hangman's Holiday*, um livro de contos de detetive de Dorothy L. Sayers que William havia trazido para Margo. Louisa gostava de contos. Dava para ler rapidamente e depois cuidar de outras coisas, enquanto um romance podia consumir dias inteiros, e com Conor e um filhote de cachorro por perto isso não era possível.

Ela olhou para o relógio. Já eram quatro e dez. Ashan entrou para dizer que o chá estava servido na sala de jantar. Eles sempre tomavam chá da tarde, com sanduíches, biscoitos e bolo, e geralmente ela desfrutava disso com Conor. Louisa levou os cachorros para o jardim e os deixou lá brincando, enquanto vigiava se Conor aparecia na rua. Ele devia ter ido mais longe do que o previsto, porque não havia sinal do menino. Não era motivo para preocupação. Quando criança, ela mesma passava horas na rua, sozinha, com a bicicleta. Voltou para dentro e, dando mais quinze minutos antes de checar novamente, decidiu começar o chá sem ele. Serviu-se e bebeu uma xícara do chá, já morno, e comeu um sanduíche de pepino. Depois do chá, chamou os cães para dentro, pôs uma coleira em Tommy e levou-o com ela para fora, enquanto procurava de novo por Conor. Já eram quatro e trinta e cinco.

Ela desceu a rua, espiando de vez em quando nos diversos becos. A princípio, não havia sinal dele, mas por fim vislumbrou uma bicicleta de criança despontando por trás de uns caixotes, do lado de fora de uma quitanda. Ela puxou a bicicleta e reconheceu como a de Conor. Teria ele ido à loja por algum motivo? Louisa entrou e perguntou ao dono, um cingalês, se ele havia visto um menino pequeno com cabelos negros e encaracolados. O dono refletiu por um momento.

"Eu o vi descendo a rua de bicicleta quando saí para buscar uma caixa de bananas."

"O senhor não falou com ele?"

"Não."

Ela sentiu uma pontada de apreensão. Provavelmente era bobagem de sua cabeça. Ele devia ter largado a bicicleta e decidido caminhar, talvez até a praia. Foi conferir na praia, mas ele também não estava lá. Olhando para o oceano sem limites, ela sentiu o torpor da ansiedade se aprofundar aos poucos. Conor teria entrado na água sozinho? Louisa voltou ao labirinto de ruas e caminhou por mais de uma hora, mas ainda não havia sinal dele. Voltou para a bicicleta e decidiu falar com o lojista novamente.

"Lembrei-me de uma coisa", disse o homem. "Quando saí para pegar uma segunda caixa, aquela cheia de rambutãs, vi o menino de novo."

"O que ele estava fazendo? Pedalando ainda?"

"Ele estava de pé, montado na bicicleta, conversando com um homem em um carro verde velho. O carro chamou minha atenção, porque em geral eu conheço todos os daqui."

"E esse não era?"

"Não."

"E depois, o que aconteceu?"

Ele balançou a cabeça. "Eu estava ocupado carregando as frutas. Será que o homem estava pedindo informações?"

"Obrigada", disse Louisa.

Ela indagou em algumas outras lojas, porém não conseguiu descobrir mais nada, e depois levou a bicicleta para casa com uma das mãos, enquanto segurava a coleira de Tommy com a outra. Onde o menino teria ido parar?

Ela foi obrigada a admitir que não sabia o que fazer. Teria que ligar para Leo. Havia anotado o novo número dele em seu caderninho de endereços e folheou-o até achar, tentando dizer a si mesma que tudo ia ficar bem. Conor logo apareceria, com a cara envergonhada e cheio de desculpas.

Ela discou o número, torcendo para que Leo estivesse em casa. Eram quinze para as seis. Faltava pouco para o anoitecer e, com um pouco de sorte, ele já teria voltado. Foi Kamu quem atendeu, mas disse que Leo estava. Ela esperou e, quando o ouviu na linha, sua respiração vacilou.

"Leo", disse ela, engolindo em seco e lutando para esconder o tom de voz que a denunciava. "Eu... eu... não estou conseguindo encontrar Conor."

"Como assim?"

"Exatamente o que eu disse. Ele está desaparecido há quase duas horas e fiquei na rua procurando por ele. Encontrei a bicicleta, mas ele não."

"Não saia daí, para o caso de ele aparecer. Estou indo já pegar a moto."

"Eu estarei por aqui."

Louisa não tinha visto Leo desde a ríspida despedida da noite de domingo. Quando ele chegou, ela notou a barba por fazer e um ar cansado em torno dos olhos. Queria demonstrar frieza, mas sabia que tinha que deixar de lado os sentimentos se quisessem trabalhar juntos para encontrar Conor.

"Eu nunca vou me perdoar se...", disse ela, interrompendo-se, e ainda lutando para reprimir a apreensão.

"Não vamos nos deixar levar pela imaginação", disse ele. "Vamos tratar só de encontrá-lo. Já pensou que ele poderia estar na casa do seu pai?"

Ela deu um enorme suspiro de alívio. "É claro! Não pensei! Vamos direto para lá agora."

Eles caminharam em silêncio até a casa de Jonathan e, enquanto ela tocava a campainha, Leo ficou olhando para o chão antes de erguer os olhos. "Olha, Louisa, eu queria..."

Mas ele foi interrompido pelo mordomo do pai dela, que atendeu a porta. Enquanto esperavam por Jonathan no corredor, ela falou. "O que você queria dizer?"

Ela olhou em seus olhos escuros e inteligentes.

Ele balançou a cabeça. "Isso pode esperar."

Um instante depois, Jonathan apareceu, enxugando as mãos em uma toalha. "Só estava terminando de cuidar de um pedaço do jardim enquanto ainda tem luz", disse ele.

"Papai, Conor está com você?"

Ele franziu a testa. "Não o vi hoje o dia inteiro. Por quê?"

"Não o estamos encontrando. Procurei em todos os lugares imagináveis."

"E quanto à pedra da Bandeira?"

"Ele não iria mergulhar de lá. É pequeno demais."

"Não estou dizendo que ele iria mergulhar, mas pode ter ido assistir aos que mergulham."

Leo já estava indo em direção à porta. "Eu vou até lá. Louisa, é melhor que você espere em casa, caso ele apareça."

"Vou esperar com você, querida. Não se preocupe, vamos encontrá-lo, não vamos, Leo?"

"Claro que sim." Tendo dito isso, Leo abriu a porta e saiu.

Enquanto voltavam para casa, Louisa contou ao pai o que o comerciante havia comentado, sobre ter visto Conor conversando com um homem em um carro.

"Não gostei de saber disso", disse ele.

"Pode ser que ele estivesse só indicando o caminho ao homem."

"Talvez."

Quando chegaram a casa, Louisa pediu a Ashan que servisse um uísque ao pai.

"E você?", Jonathan perguntou quando se sentou no sofá.

Ela balançou a cabeça. "O que faremos agora?"

"Vou ligar para a polícia. Informá-los que ele está desaparecido." Ele se levantou e foi ao corredor para usar o telefone. Louisa não conseguia parar quieta. Andou de um lado para o outro, e depois foi olhar pela janela.

O pai dela voltou. "Vão ficar à procura dele. Puseram um homem para cuidar disso."

"Será que ele escalou a muralha e caiu? Quem sabe esteja caído em algum lugar com o tornozelo quebrado. Logo, logo vai ficar escuro demais para enxergar qualquer coisa, não?"

"Tente não pensar muito nisso."

Depois de alguns momentos, eles ouviram a porta da frente abrir e fechar.

"É Leo voltando", disse ela, mas foi Ashan quem entrou na sala, com uma expressão grave no rosto.

"Uma criança acabou de entregar este envelope."

Ela o abriu e leu o bilhete que estava dentro. Levou imediatamente a mão à boca.

"O que é?"

Ela entregou o bilhete ao pai, que o leu e olhou para ela. "Santo Deus!"

"Sim", disse ela, quase engasgando com as próprias palavras.

"Eles querem trinta mil rupias. O dobro do que você me disse que Himal encontrou embaixo do piso. É uma fortuna: daria para comprar algumas boas casas."

"Leia o resto, papai"

"*Não envolva a polícia. Aguarde nosso contato.*"

Ela sentou-se, com as mãos na cabeça, balançando para a frente e para trás.

"Senhora", disse Ashan. "Há algo em que eu possa ajudar?"

Incapaz de falar, Louisa só fez que não com a cabeça, e Ashan saiu da sala. Quando Leo voltou para lhes dizer que não vira sinal de Conor, Louisa olhou para o pai. "Mostre o bilhete."

Leo leu, e uma expressão de horror tomou conta de seu rosto.

"Meu Jesus. Ah, se eu puser as mãos neles!"

"Precisamos pensar", disse Jonathan.

"Não há nada a pensar", retrucou Leo. "Temos que ir encontrá-los."

Louisa olhou para os dois, enquanto uma onda de calor se espalhava pelo seu corpo. Sentiu o coração palpitando, os olhos queimando. "Mas não sabemos onde procurar. E se o machucarem? Não vou suportar..."

Jonathan andava de um lado para o outro na sala de estar. "Eles não vão machucá-lo enquanto ele valer dinheiro. Acho que devemos falar com o inspetor-chefe Roberts."

"Eles disseram 'nada de polícia'", argumentou Leo.

As lágrimas de Louisa começaram a cair. "Eu nunca deveria tê-lo deixado sair sozinho. A culpa é minha."

"Você não pode pensar assim", disse Leo, que parecia a ponto de ir em direção a ela.

Em vez disso, foi Jonathan quem se aproximou de Louisa, abrindo os braços para a filha. Ela se levantou e ele a abraçou.

"Acho que você está certo, papai", disse Louisa, afastando-se. "Temos que envolver a polícia, mas eles precisam compreender que tem que ser em surdina."

Depois que Jonathan ligou para Roberts, os três sentaram-se, bebendo uísque e esperando o policial chegar. Pediram que se esgueirasse pelo portão do jardim, para o caso de alguém estar vigiando a entrada da rua principal.

Quando Roberts chegou, já estava ficando tarde.

Antes de qualquer coisa, ele chamou Ashan à sala para lhe perguntar quem entregou o bilhete.

"Era uma criança, só um menino", disse Ashan, com os olhos embaçados de medo. "Eu perguntei de quem era, mas ele disse que um homem lhe dera uma rupia para entregar."

"Ele sabia quem era esse homem?"

Ashan balançou a cabeça. "Tive a impressão de que não. Sinto muito não poder ajudar mais."

"Obrigado, Ashan", disse Roberts, passando a mão pela carapinha. "Você pode ir."

"Então, e agora?", perguntou Leo.

"Bem, não temos pistas do paradeiro da criança, mas sabemos quem deve estar por trás disso."

"De Vos ou Cooper. Ou ambos", disse Louisa, com um peso no coração.

"Parece provável. Eles devem ter achado que não iam conseguir o dinheiro de outro jeito. Então, um deles resolveu recorrer a isso."

Roberts pôs na cabeça o chapéu, que estava segurando. "É melhor eu ir. Liguem para meu número pessoal em casa, se souberem de mais alguma coisa hoje à noite. Caso contrário, falamos amanhã, mas não voltarei à luz do dia. Não é bom que saibam que estou envolvido."

"Então, o que fazemos?"

"Tentem dormir um pouco. É tudo que posso sugerir."

Jonathan também se preparou para ir embora. "O senhor sai pelos fundos, inspetor. Eu sairei pela porta da frente. Ele está certo, Louisa, tente dormir um pouco."

Depois que Roberts e Jonathan saíram, Louisa olhou para Leo. Houve um silêncio constrangedor entre eles.

"Louisa", disse ele. "Peço mil desculpas. Eu estava errado a respeito de Irene."

"Ah, é?"

"Não sei o que me passou pela cabeça. Estava preocupado por não poder dar a Conor o que ele precisava, e me pareceu uma solução. Mas agora, com tudo isso..." Ele abriu os braços. "Bem, temos que trazê-lo de volta. Prometo que, quando fizermos isso, nunca o deixarei ir embora."

Ela engoliu em seco. "Será que vamos trazê-lo de volta?"

Ele se aproximou dela. "Claro." Em seguida, envolveu-a em seus braços.

Quando eles se separaram, Leo disse que ia dormir em um dos quartos de hóspedes.

"Não", disse ela. "Preciso de você perto de mim."

Eles subiram juntos e deitaram na cama completamente vestidos. "Por favor, só me abrace", pediu ela, enquanto a noite os envolvia em silêncio. "Não vou conseguir dormir."

Depois disso, ela ficou olhando para a escuridão, ouvindo o barulho do mar e das ondas quebrando na praia. O medo a impedia de respirar. Mesmo com Leo ao lado e sentindo o calor de seu corpo, era uma noite vazia e solitária.

47

Louisa olhou pela janela e viu o amanhecer pálido se tornar uma manhã reluzente, com um céu azul maravilhoso e um mar cintilante de turquesa e prata. Ela se sentiu aliviada. Sem chuva, seria mais fácil procurar Conor.

Ela e Leo desceram juntos para o café da manhã. As torradas, porém, ficaram entaladas em sua garganta, e seu estômago parecia ter um nó. Depois de beber um pouco de café, conversou com todos os criados. Teriam visto algo suspeito? Ouvido alguma coisa? Apenas a jovem francesa, Camille, ruborizava ao ser questionada.

Um pouco mais tarde, Louisa encontrou Camille chorando no jardim.

“Qual é o problema?”, perguntou Louisa.

Camille balançou a cabeça e olhou para o chão, os ombros ainda sacudindo.

“Vamos. Seja o que for, não pode ser tão ruim assim.”

A moça olhou para ela. “Sinto muito. Sinto de verdade.”

“Sente o quê?”

Camille baixou a cabeça.

“Sente o quê?”, repetiu Louisa.

“Me ofereceram dinheiro.”

“Quem lhe ofereceu dinheiro?”

“Eu precisava para economizar para a passagem de volta para casa.”

Um calafrio percorreu Louisa. “O que você fez?”

“Uma ou duas vezes eu disse a um homem aonde a senhora estava indo quando estava fora.”

Louisa respirou fundo. “Mas como você sabia?”

“Eu ouvi. Criados ouvem tudo, madame. Não é tão difícil.”

“Quando foi isso?”

“Um tempinho atrás, e recentemente de novo. Eu não sabia que alguém iria levar a criança.”

“Como você sabe que é a mesma pessoa?”

“O mesmo homem de antes me perguntou, na semana passada, se deixavam a criança brincar sozinha na rua. Jamais me ocorreu isso. Ele estava falando sobre crianças em geral, como quem puxava conversa.”

“Que homem?” Ela agarrou a menina pelos ombros. “*Que homem?*”

“Um australiano. Não sei o nome dele. Por favor, não me denuncie para a polícia. Não me dei conta de que era tão sério. Eu não contei nada a ele. Só disse que deixavam Conor brincar lá fora, às vezes, que eu não sabia direito.”

“Não pensou no que isso podia significar?”

Camille fez que não com a cabeça.

Louisa teve vontade de esganá-la. “Meu Deus. Então é *você* que tem revelado minha movimentação a eles. Faz quanto tempo que isso vem acontecendo? Meses? Desde que invadiram a casa?”

A jovem se afastou dela. “O que a senhora vai fazer?”

Ela balançou a cabeça. “Uma coisa é certa: a polícia vai querer falar com você. Garota idiota, idiota! Se alguma coisa acontecer com o menino, será culpa sua!”

Horas depois, Louisa e Leo percorreram todas as casas e lojas da cidade, perguntando se alguém havia visto o que acontecera quando Conor foi levado. Saindo das muralhas, foram à polícia, que havia escalado um homem para conferir sigilosamente se o menino não havia sido escondido em algum lugar perto do mar. Apenas um comerciante disse que tinha visto um carro verde com dois homens e uma criança indo para o Portão Antigo.

"Então, caso fossem eles, esconderam-no em algum lugar fora da cidade", disse Leo.

"Mas pode ser qualquer lugar! Não sabemos nem se foram para o oeste, em direção de Colombo, ou para o leste."

Ele deu um suspiro profundo. "Vamos para casa. Não há nada mais que possamos fazer aqui."

Ficaram em casa durante cerca de uma hora, andando em círculos num silêncio aturdido, folheando revistas sem prestar atenção no que liam, deixando-as de lado, pedindo chá sem bebê-lo quando chegava. Então a campainha cortante do telefone interrompeu suas divagações. Ouviram Ashan atender à chamada. Quando Louisa olhou para Leo, ele abriu um sorriso amarelo, e os dois trocaram um olhar esperançoso. Ela saboreou aquele momento de conexão, tão abençoado e precioso. Mas então Ashan chamou Louisa ao corredor.

Ele estava pálido quando ela pegou o telefone para escutar.

"Vou dizer uma vez só." Era uma voz fortemente alterada. "Ao meio-dia de amanhã, vá ao baluarte do Sol com as trinta mil rúpias. Coloque-as em uma caixa de sapatos e embrulhe-a em papel pardo, como se fosse um pacote comum. Ali perto há um armazém, e a porta estará aberta. Deixe o pacote lá. Entendeu?"

Ela murmurou que sim.

"Se fizer o que digo, a criança será devolvida. Não envolva a polícia."

Com um clique, a linha caiu.

Quando Leo apareceu, ela estava de pé no corredor, segurando o fone e tremendo da cabeça aos pés. Sentiu uma onda de calor, seguida do tipo de náusea que vem antes de um desmaio. Ele tomou o telefone de suas mãos, recolocou-o no gancho e a levou de volta cuidadosamente para a sala de estar.

"Venha", disse ele. "Você precisa se sentar."

Ela repetiu a ele o que o homem do outro lado da linha lhe dissera. "Preciso contar a meu pai também."

"Sente-se por um minuto até parar de tremer."

Ela respirou fundo, enquanto ele acariciava suas costas. Então se levantou.

"Vou com você", anunciou ele.

"Não, você fica aqui, para o caso de ligarem de novo."

"Posso ir falar com Jonathan por você."

"Prefiro ir sozinha."

Ela olhou pela janela para o céu escuro. O tempo havia mudado. Por isso, pegou um guarda-chuva e saiu a pé pela porta da frente, rumo à casa do pai.

Embora a distância fosse curta, cada passo parecia cem quilômetros. Quando chegou, sua respiração se resumia a breves soluços.

Jonathan levou-a para o escritório e deu-lhe um copo de água. "Acalme-se", disse ele. "Beba devagar."

Ela tomou a água e contou sobre o telefonema.

"Temos que dar o dinheiro a eles", disse ela. "E se fizerem mal a ele, papai? É um menino tão pequeno."

O pai acariciou-lhe a mão. "E você se preocupa com ele, eu sei."

"Nunca pensei que me sentiria assim em relação a Conor, mas faria qualquer coisa para tê-lo de volta."

"É muito dinheiro, mas eu concordo. Você ainda tem o que o Himal encontrou, e vou tentar levantar o resto. Vai ser um sacrifício, mas posso cobrar alguns favores. Trata-se da vida de uma criança, afinal."

Logo depois, Leo apareceu, dizendo que não podia simplesmente ficar sentado esperando.

"Vou entrar em contato com Roberts", disse Jonathan. "Avisá-lo do telefonema."

"Vamos trazê-lo de volta, não vamos?", disse ela.

"Espero que sim. Mas você deve estar preparada. Mesmo entregando o dinheiro, pode ser que as coisas não saiam do jeito como desejamos", disse Jonathan. "Conor é o único que pode apresentar evidências daqueles que o sequestraram."

"Vamos ouvir o conselho do inspetor-chefe Roberts sobre o que fazer", sugeriu Leo.

Eles ficaram esperando enquanto Jonathan falava com Roberts. O inspetor disse que policiais à paisana de Colombo estariam patrulhando as ruas pela manhã. Eles teriam menos chance de ser reconhecidos. Roberts também falou que em sua opinião a melhor pessoa para entregar o pacote de dinheiro seria Leo.

"Quem deve ir sou eu", disse Louisa.

Jonathan fez que não com a cabeça. "Roberts disse que não. Os criminosos estarão à espreita em algum lugar da cidade, ele acredita, e acha que a polícia tem uma boa chance de prendê-los. Mas eles vão querer sair correndo da cidade assim que receberem o dinheiro. Pode ser perigoso."

O resto do dia transcorreu num clima de ansiedade. Louisa ainda não conseguia comer, embora Leo a tenha convencido a pelo menos beber um pouco de leite. Na maior parte do tempo, ficou olhando fixamente pela janela, rezando para que Conor estivesse, e permanecesse, ileso.

"Assim que o trouxermos de volta, vou dar entrada no processo de adoção", disse Leo.

"Não sei até onde Irene já foi no requerimento de guarda."

"Tenho certeza de que os tribunais prefeririam que a criança ficasse em sua própria casa, e com um responsável mais jovem."

"E a escola?"

"Estou economizando para colocá-lo no internato."

"Nisso eu posso ajudar." Ela sentiu um nó na garganta. "Mas, Leo, e se eles o machucarem..."

"Não pense nisso, Louisa. Precisamos acreditar que vai dar tudo certo. Precisamos."

Ele falou um pouco mais sobre o futuro, mas Louisa sabia que estava apenas tentando distraí-la do horror do que poderia acontecer se tudo desse errado. Fazia apenas alguns anos desde o sequestro do bebê Lindbergh, cujo desfecho trágico chocou o mundo. E se eles nunca mais vissem Conor vivo?

48

Louisa tinha dormido um pouco, mas acordou muito cedo na manhã de sexta-feira. Imediatamente sentiu receio do que o dia reservava. Tentou enfrentar o medo, mas, sob a superfície, os pensamentos se acumulavam, mantendo-a prisioneira de uma ansiedade devoradora. Leo dormia ao lado. Ela escutou a respiração dele e desejou que pudessem estar sempre juntos. Mas não daquele jeito, não com aquele terrível pavor que a corroía por dentro. Quando ele abriu os olhos, sorriu para ela.

"Vai dar tudo certo", disse ele. "Precisamos acreditar."

Quando Louisa balançou a cabeça, deu-se conta de tudo o que Conor significava para ela. "Estou com uma sensação de enjoo no estômago."

"São seus nervos. É natural. Eu mesmo estou me sentindo meio enjoado."

Vestiram-se rapidamente e saíram para uma caminhada pelas muralhas, onde ela contemplou o mar, tão cinzento e imóvel, cheio de destroços misteriosos. Olhou para o céu de chumbo. A chuva estava a caminho de novo. O vento aumentou, e tudo pareceu muito frágil, como se uma grande onda pudesse levar seu mundo.

Ela virou-se em sua direção, e ele estreitou-a contra o peito. Não havia palavras para descrever aquilo. Era puro medo animal e carinho instintivo. Ele tirou o cabelo dos olhos dela, que assentiu com a cabeça, respondendo à sua pergunta silenciosa. Mas não estava conseguindo lidar com aquilo, e ele sabia. Pegou na mão dela e caminharam de volta para casa.

Às dez horas, ela estava tão tensa que mal conseguia respirar. Sentiu as lágrimas queimando suas pálpebras, mas fez força para não chorar. Estavam esperando na sala de estar, andando em volta da mobília, sentando-se um pouco depois, andando de novo, conferindo o horário de poucos em poucos minutos. Ela segurava a mão de Leo de vez em quando, apertando-a com força.

Roberts tinha dito que os policiais à paisana ficariam vigiando todos os lugares possíveis, mas Louisa ainda temia que tudo desse errado. Enquanto os minutos passavam, seu coração batia forte, e ela percebeu que Leo foi ficando mais tenso. Jonathan chegou com a outra metade do dinheiro e, às onze e meia, Leo começou a se preparar para sair com o pacote.

Depois que ele foi embora, Louisa esperou inquieta, pensando em Conor e agora também em Leo. Lembranças do menino passavam por sua cabeça. Ela se recordou do dia em que o viu pela primeira vez, e do quanto ficou horrorizada por sua semelhança com Elliot. Aos poucos, foi surgindo um delicado elo entre os dois, embora ela tivesse consciência da dolorosa vulnerabilidade de Conor, e do quanto ainda estava sofrendo com a terrível perda dos pais. Não ia deixar de ser assim. Ele ia continuar a lembrar. A sofrer. Tinha passado por coisas demais, e seria impensável se algo terrível acontecesse com ele agora.

Agora que ele estava fora do alcance dela, fora do alcance de qualquer um deles, ela foi até o quarto do menino e pegou o ursinho Albert, depois sentiu o cheiro dos cabelos desgrenhados de Conor, que persistia no travesseiro. Levou o ursinho velho ao nariz e, dilacerada pela dor, embalou-o como um bebê. *Meu Deus, por favor. Protegei-o.* Ficou em silêncio por mais algum tempo, ansiosa para que ele voltasse a qualquer custo, e depois começou a arrumar suas coisas. Ele ia gostar de um quarto arrumado, não ia? Ficaria feliz se ela o deixasse limpinho para quando chegasse em casa. Um soluço. *Quando, e não se. Quando, e não se.*

Louisa se abaixou para olhar embaixo da cama e encontrou alguns desenhos que ele escondera ali. Contemplou os retratos infantis das pessoas em sua vida. Havia Zinnia, com seus longos cabelos ruivos, e um homem de olhos verdes e cabelo encaracolado escuro, sem dúvida Elliot. Havia um retrato do próprio Conor em um barco de pesca com um homem ruivo, que obviamente era Leo. Mas ele também fez um desenho do novo cachorrinho, Oliver, e por fim da própria Louisa, andando de bicicleta ao seu lado. Isso representava muito para ela, e lágrimas umedeceram seus olhos quando viu que havia sido incluída no mundo dele.

Ela abriu o cesto de roupas, cheio pela metade, retirou algumas peças e levou-as para a lavanderia. Não era tarefa sua lavar roupa, mas ela precisava se manter ocupada, ou a ansiedade iria consumi-la. Jogou um pijama, alguns calções e duas camisas na nova Wringer Washer, sua primeira máquina de lavar roupas. Ainda mandava as peças maiores para o *dhobi*, mas em tempos recentes cada vez mais gente estava mandando instalar essas máquinas novas em casa, e a sua era particularmente útil com a chegada de Conor. Depois de ligar o aparelho, saiu da lavanderia e foi para o jardim, onde Jonathan estava sentado em um banco, olhando para o horizonte.

"Se importa se eu me sentar com você?", perguntou ela.

Ele deu um tapinha no banco ao seu lado.

"Ai, meu Deus. Acho que não consigo suportar."

"Eu sei."

Oliver estava deitado a seus pés, de barriga para cima, e ela se inclinou para fazer cócegas na barriguinha dele. "Conor adora Oliver", disse ela, com a voz embargada.

"Seja forte", disse Jonathan.

Ela fitou o pai e viu sua testa franzida, que deixava evidente sua preocupação. Abaixou-se e, para se consolar, pegou o filhote nos braços e começou a acariciar suas orelhas macias. A espera estava ficando insuportável, levando sua mente a divagar por zonas sombrias que a faziam encolher-se de medo. Tinha a impressão de que sua vida perdera o rumo, e agora estava desfeita como um pedaço de pano usado cheio de pontas soltas. Olhava para o relógio de minuto em minuto e, ao cabo de uma hora, falou, depois de respirar fundo. "A esta altura já não deveríamos ter tido notícias?"

"Não necessariamente."

"Eu mesma deveria ter ido. Você acha que Leo está em segurança?"

"Ele é um homem capaz de se cuidar sozinho. Não se preocupe."

"Não tenho como."

Os dois compartilharam um longo período de silêncio, enquanto Louisa fechava os olhos para orar. Jonathan segurou sua mão e apertou-a. Ela sabia que, apesar de estar tão preocupado quanto, ele estava fazendo todo o esforço possível para esconder.

Ao ouvir um barulho na rua, Oliver pulou do colo de Louisa e correu para o portão do jardim. Ela se levantou para ver o que estava acontecendo e viu o portão se abrindo. Sua boca ficou seca quando Conor entrou correndo pelo jardim, seguido por Leo. Tudo ficou imóvel quando Conor se deteve. Até o vento pareceu ter parado. Mesmo com o coração na boca, Louisa controlou os nervos e estendeu as mãos trêmulas para a criança. Os dois olharam um para o outro por um instante, sem que ela soubesse o que ele ia fazer. Queria abraçá-lo, protegê-lo do mal, não o deixar mais ir embora, porém o primeiro gesto tinha que partir dele. A espera parecia não acabar, mas então ele deu um passo à frente e, um instante depois, correu para ela com lágrimas nos olhos e atirou-se em seus braços. Seu coração pulava de alívio enquanto o levava para o banco onde estava sentada, apertando-o contra si, envolvendo-o em todo o amor que tinha dentro de si. Jonathan se levantou e dirigiu-se a Leo, para apertar-lhe a mão.

"Bom trabalho, meu jovem", disse ele.

Enquanto isso, Louisa sussurrava no ouvido de Conor: "Você está em segurança agora, querido. Nada de ruim vai voltar a acontecer."

Com os dedos, ela enxugou as lágrimas dele. "Agora já acabou. E, olhe, Oliver está aqui para lhe dar um beijo de boas-vindas."

O cachorro pulou no banco e lambeu o rosto de Conor.

"Pronto, está vendo? Oliver vai cuidar de você."

"Leo também", disse ele, olhando para ela, com os olhos verdes ainda cheios de lágrimas.

"Leo também", disse ela.

"E você?"

"Claro que vou."

49

CINNAMON HILLS, DOIS MESES DEPOIS

A estação das chuvas já estava totalmente encerrada. Em um lindo dia do início de dezembro, Louisa e Conor estavam caminhando pelos confins da fazenda de canela. O menino estava empolgado para levá-la a um dos seus lugares favoritos. Quando chegaram a uma pequena clareira cercada de azaleias, ele abriu os braços e começou a rodopiar.

"Aqui é o meu lugar", disse ele.

Louisa ouviu os pássaros eriçando as penas e se remexendo nas árvores. Sentiu o cheiro da canela. Quase dava para saborear o mar salgado.

"Gostou do meu recanto?", perguntou ele.

"Adorei. Obrigada por me mostrar."

"Agora, temos que atirar uma pedrinha o mais longe possível, e depois andar em círculo. Vou mostrar como é."

Ele escolheu um seixo e, com a testa franzida, concentrou-se e lançou-o o mais longe possível. Depois disso, caminhou pela clareira cercada de mata fechada, arrastando as sandálias pelos ramos e quebrando as folhas secas sob seus pés.

"Sua vez agora." Louisa imitou Conor. Os dois riram da seriedade com que ela executou a tarefa. Ele segurou a mão que ela lhe estendeu. "Pronto para seu chá de aniversário?"

Ele fez que sim com a cabeça e sorriu para ela.

Os dois voltaram andando, no meio das árvores, por trilhas que já eram familiares para Louisa. Embora ainda tivesse a casa em Galle, e o empório Safira estivesse prestes a ser inaugurado, depois de um atraso maior que o esperado, havia passado a maior parte dos dois meses anteriores com Conor e Leo na fazenda.

Leo explicou que, depois que o dinheiro foi deixado para os sequestradores no armazém, a polícia seguiu o carro verde e conseguiu prender De Vos e Cooper em uma casa vazia, perto da praia, a poucos quilômetros de Galle, onde havia sido o cativeiro de Conor.

A única nuvem negra no horizonte agora era a anunciada batalha pela guarda. À medida que se aproximava a data da audiência, a testa de Leo ia ficando mais enrugada.

Era cedo demais para prever o que aconteceria, mas ambos estavam preocupados com o desfecho. Enquanto isso, Leo dava a Louisa provas mais do que suficientes de que a amava, e ela começava a pensar em passar o resto da vida com ele. Eles falavam em casamento como uma forma de fortalecer a argumentação para a adoção de Conor, mas concluíram que a pressa não era o jeito ideal de começar a vida conjugal. Precisaria ser algo especial, não vinculado a qualquer outra coisa. Porém ele já havia lhe dado uma aliança de diamante que pertencera à avó.

Eles chegaram ao alto do morro, e Conor bateu palmas quando viu uma mesa posta na frente da casa, arrumada com pratos e copos. E oito balões amarrados, dois em cada canto.

"Onde está a gelatina?", perguntou, quando Leo apareceu e juntou-se a eles.

"Não podemos trazer a comida enquanto não chegar todo mundo."

"E *quando* eles chegam? Quando?"

Louisa olhou para Leo, que tinha se arrumado: a barba por fazer tinha sumido, e ele estava vestindo uma camisa branca que realçava seu belo bronzeado. Ela sentiu um arrepio de satisfação.

Eles ouviram o barulho de um carro subindo a estrada.

"Eles chegaram! Eles chegaram!", gritou Conor.

O carro encostou e Jonathan, Margo e Irene desceram. Louisa e Leo trocaram olhares, ambos claramente surpresos por ver Irene.

Margo foi até a traseira do carro e abriu o porta-malas, de onde tirou um monte de embrulhos.

"Primeiro os presentes, eu acho, e depois o bolo de aniversário", disse Leo.

"Sim! Sim!" Conor bateu palmas novamente.

"Feliz aniversário!", Jonathan disse, entregando-lhe uma enorme caixa quadrada.

Conor rasgou o papel de embrulho. "Um trem", gritou. "Um trem de verdade!"

"É o trenzinho Lionel Blue Comet", disse Jonathan. "Uma réplica de um trem americano de verdade chamado Blue Comet, que funcionava em Nova Jersey. Foi pintado de azul para combinar com o litoral de lá. Tire o teto e olhe por dentro."

Conor tirou a parte de cima e todos olharam para dentro, admirando-se com a riqueza de detalhes. Tudo, dos assentos à iluminação, parecia totalmente real.

"Deve ter custado uma fortuna, pai", comentou Louisa em voz baixa.

"Custou, mas olhe para o rosto do menino! E, no fim das contas, recebemos nosso dinheiro de volta."

Ainda houve mais presentes depois: quebra-cabeças, livros e um conjunto de pintura. Por fim, Irene pegou um pacotinho e desembrulhou um lindo caderno de desenho com capa de couro. "Para você desenhar todos os seus insetos", disse ela, toda sorridente. "E ainda tenho outros presentes para mais tarde."

Louisa estava inquieta em relação ao motivo da vinda da sogra, mas, depois de se regalarem com bolo e gelatina, Irene pediu para conversar a sós com Leo e Louisa, enquanto Margo e Jonathan ajudavam Conor a montar o trenzinho. Subiram para a sala de estar e, depois que se sentaram, ela principiou.

"Acho que é apropriado dizer que eu venho refletindo em relação à situação."

Louisa olhou para Leo, imaginando o que aquilo poderia significar.

"Depois de uma longa conversa com Harold... aliás, ele pediu para se desculpar por não estar aqui. Pressão do trabalho, vocês sabem. Já deveria estar aposentado, mas continuam pedindo para ele trabalhar. Seja como for, também conversei com Margo e cheguei a uma conclusão."

"É?", disse Louisa.

"Percebi que, ao lutar pela guarda de Conor, eu estava tentando trazer Elliot de volta. Margo me fez perceber que era injusto para o menino esperar que ele tomasse o lugar de Elliot."

Louisa assentiu.

"Margo também deixou claro que, como Conor é ilegítimo, poderia acontecer de nenhuma das minhas amigas aceitá-lo, e isso seria difícil de suportar."

"Prossiga", disse Louisa.

"Não posso trazer de volta o meu filho morto. Usar o menino para tentar fazer isso seria um fardo terrível para ele. Não posso trazer de volta nenhum dos meus filhos mortos, assim como você, Louisa, não pode trazer de volta sua menininha natimorta."

"Não mesmo", respondeu Louisa.

"Não foi uma decisão fácil. Meu coração estava determinado a criar esse menino. Foi difícil desistir dele. Eu me senti como se estivesse deixando Elliot partir de novo, e isso doeu. Mas Conor não é Elliot — e o lugar dele é com você, Leo. Estou velha demais para cuidar de uma criança agora."

"É uma decisão corajosa", disse Leo. "E eu fico agradecido de verdade."

"Bem, considerando que retirei meu pedido, suponho que pela lei você ficará com a guarda integral, e em breve poderá adotá-lo."

Louisa ficou exultante. Eles não esperavam aquela reviravolta.

"Minha única condição é que o tragam para me ver de vez em quando."

"Nem precisava dizer", Leo respondeu, com a voz embargada. "Faremos de tudo para que ele visite a avó regularmente. Dou minha palavra: você será importante na vida dele. Obrigado, Irene."

Irene enxugou os olhos com um lenço. "Cometi muitos erros com Elliot. Hoje me dou conta disso. E, embora eu possa vir a me arrepender, acho que é o único caminho a seguir. Temos que fazer o que é certo para o garoto, não é?"

Louisa olhou para Leo, que abrira um amplo sorriso. Ele se levantou, foi até Irene e estendeu-lhe a mão. "Obrigado. Muito obrigado."

Um pouco mais tarde, Louisa e Margo estavam discutindo o ocorrido.

"Que bom que deu certo", disse Margo. "Descer do pedestal foi extremamente difícil para mamãe. Você sabe como ela é. Mas no final das contas enxergou a verdade."

"Muito obrigada por ter falado com ela."

"Agora, me diga o que está acontecendo com De Vos e aquele homem horrível, Cooper."

"Eles ainda estão sob custódia da polícia, e em breve serão julgados. Resta pouca dúvida de que vão ficar fora de circulação por muito tempo. Sequestrar uma criança é uma acusação muito séria."

"Estou aliviada por Leo. Fico muito contente que estejam juntos, como deve ser, depois de tudo por que você passou. Gosto dele de verdade."

"O que aconteceu nos aproximou. Nosso sofrimento com a possibilidade de perder Conor nos fez perceber que não tínhamos tempo a perder."

"Também tenho novidades. O divórcio ainda vai demorar um bom tempo, mas William vai voltar para cá no mês que vem."

"Você contou a Irene?"

"Não. Enquanto estava lutando para mudar a opinião dela sobre Conor, eu não queria que nada mais atrapalhasse."

"Suponho que isso significa que você vai voltar para a Inglaterra."

Margo fez que sim com a cabeça. "Ele trabalha lá, e não vai ser difícil eu arrumar outro emprego."

"Mas você vai se casar aqui?"

Margo sorriu. "Só se o divórcio sair a tempo."

Naquela noite, depois que todos se foram e Conor já se enfiara na cama, Louisa e Leo sentaram-se lado a lado na varanda, cobertos de repelente de mosquitos.

"Feliz?", disse ele.

"Mais do que imaginei ser possível."

Os dois olharam para o céu azul-escuro. Era uma noite clara e quente. O céu estava iluminado por estrelas, e havia um cheiro de terra úmida e madeira queimada no ar.

"Escute o mar", disse ela, desejando poder enxergar na escuridão a superfície prateada do oceano. "Não acaba nunca, não é?"

"Mas nós acabamos."

"Sim."

Ele se debruçou e, embora o beijo que deu em seus lábios tenha sido levíssimo, fez o corpo dela tremer por inteiro.

"Temos que tirar o máximo proveito de cada instante", sussurrou ela enquanto ele acariciava seu pescoço.

"Vamos parar de olhar para trás", disse Leo. "Mas você nunca precisa fingir comigo. E eu vou entender nos momentos em que não for fácil."

Ela voltou os olhos para as estrelas. A imagem de Elliot apareceu em sua mente, mas Louisa sacudiu a cabeça, e o pensamento se foi. Ela não teria mais medo daquela assombração silenciosa.

"Já chega de Elliot", disse ela. "Chega de angústia. Chega de pesadelos. Só o aqui. Só o agora. Só você e eu."

"E Conor."

"E Conor."

Eles deram as mãos e contemplaram a noite abafada da fazenda, em que os vaga-lumes reluziam na mata e as cigarras faziam um barulho insistente.

"É tão lindo", disse ela.

"Você também."

Louisa sabia que poderia haver momentos difíceis, à medida que se adaptassem à vida nova de família, mas estava feliz, mais feliz do que alguma vez imaginara que seria, e juntos eles encontrariam seu caminho. O empório ia tomar muito do seu tempo, mas agora ela estava forte, mais forte do que nunca.

Dois dias depois, Louisa examinava o empório, em um dia de sol forte. A área central faiscava, com safiras nas prateleiras de vidro, e os balcões de ébano brilhavam, formando um contraste maravilhoso com o brilho das paredes brancas, exatamente como ela imaginara. No andar de cima, na galeria, as pinturas de Savi Ravasinghe estavam expostas em lugar de destaque e, na primeira sala do térreo, sedas deslumbrantes refletiam a luz do lustre. Os comerciantes estavam prontos, dando apenas os últimos retoques em suas vitrines. Havia uma mesa cheia de garrafas de champanhe e canapés.

Quando os primeiros convidados chegaram, Louisa acolheu-os calorosamente. Tinha escolhido um vestido de noite dourado, envolto em seda prateada. Afinal de contas, era o ponto culminante de meses de trabalho, e ela queria arrasar. Desde o começo, tivera uma visão para o empório e, agora que virara realidade, ela irradiava felicidade. Leo sorriu para ela, do outro lado do salão principal, enquanto Conor oferecia pratinhos de canapés para os encantados convidados e Jonathan saudava os amigos.

Todos os amigos e conhecidos já tinham chegado, e ela ficou satisfeita em ver vários produtores de borracha com as esposas. Os salões se encheram rapidamente e, quando Louisa tocou a campainha, fez-se silêncio.

"Obrigada a todos por terem vindo", disse ela. "Declaro neste momento o empório devidamente inaugurado. Espero que todos se divirtam."

A multidão reunida aplaudiu com fervor, e depois disso ela se afastou para observar. Gwen se aproximou, carregando Alice nos braços.

"Não consigo acreditar! Como ela está enorme!", exclamou Louisa.

"Está com mais de um ano."

"Já está engatinhando?"

"Muito mais que isso. Está tentando andar e sabe se arrastar de bumbum na maior velocidade. Não posso perdê-la de vista!" Ela fez cócegas na menininha e foi recompensada por um riso entusiasmado. "Ela é muito bem-humorada."

"E Hugh?"

Gwen olhou ao redor. "Acho que ele está ajudando Conor com os canapés."

Louisa sorriu. "Não seria incrível se eles ficassem amigos?"

Gwen concordou. Então, beijou Louisa no rosto antes de sair para encontrar Laurence.

Ao ouvir as caixas registradoras começando a tilintar, Louisa sentiu-se aliviada, apesar de todas as provações dos meses anteriores, por ter tomado a decisão certa de seguir adiante com o projeto. O Safira seria um sucesso. Ela também se sentiu imensamente grata por todo o apoio que recebera do pai, de Margo, Gwen e Leo. Sem eles, a história poderia ter sido outra; os bons amigos eram tudo, verdadeiros pilares de sua vida. De seu ponto de observação, Leo continuava sorrindo. Então aproximou-se e, enquanto segurava sua mão, ela sentiu o coração pleno de felicidade.

Que ano havia sido aquele. Ela teria perdoado Elliot? Sendo franca consigo mesma, não totalmente. Seus olhos ficaram embaçados ao pensar nisso. Já havia ficado bem para trás aqueles dias do passado, despreocupados e tranquilos. Considerando o que aconteceu depois, era impossível valorizar o que viveram juntos. Ela queria poder pensar com carinho no passado, sem se deixar contaminar pela raiva, e sabia que perdoá-lo era a única maneira de ficar de fato em paz. Era o que ela ia fazer. Tinha certeza disso e, embora ainda recordasse que o amara de todo o coração, ele não podia mais magoá-la como antes, porque decidira esquecer. Tinha a força e a coragem para isso, mas, acima de tudo, todas as razões para viver. A destruição de sua antiga vida dera lugar a uma Louisa mais madura e mais sábia. Ter vivenciado a dor mais lancinante fazia brilhar ainda mais o sol em sua existência. E, no fim das contas, apesar das tragédias ocorridas, apesar da perda de Julia, de Elliot e de Zinnia, a vida lhe deu uma preciosa criança para criar. Louisa volveu os olhos para a cúpula do prédio e fez uma promessa: o que quer que a vida colocasse diante deles, ela nunca decepcionaria Conor.

Agradecimentos

Sou grata à minha agente, Caroline Hardman, da Hardman & Swainson, pelo apoio, pelo trabalho árduo e pelo brilhantismo em geral. Ela foi um esteio desde o primeiro dia, e tenho muita sorte de tê-la ao meu lado. Também gostaria de agradecer em especial à minha editora e diretora editorial da Viking/ Penguin, Venetia Butterfield, que foi capaz de, lendo meus esboços iniciais, "enxergar" o caminho que eu devia seguir com o manuscrito. O primeiro feedback é valiosíssimo, e Caroline e Venetia são colaboradoras maravilhosas e de ideias claras, em quem confio completamente.

Gostaria de agradecer a toda a equipe Penguin: Isabel Wall, que leu um esboço inicial, minha assessora de imprensa Anna Ridley, que é a pessoa mais linda do mundo, e claro, o trio do marketing — Rose Poole, Elke Desanghere e Josie Murdoch. Também devo agradecer à minha revisora, Elisabeth Merriman, à editoria de arte, à equipe de direitos, produção, vendas e distribuição. Tenho plena consciência de que todos tiveram um papel na publicação deste livro e dos meus outros quatro.

Muito obrigada também aos blogueiros, pela gentileza de ler e resenhar o livro. Eles são heróis não reconhecidos. Além disso, Janine Vanigasooriya, no Sri Lanka, foi de enorme valia no envio de informações sobre os pássaros do sul. E, por fim, quero agradecer a Richard Jefferies por sua pesquisa impecável e por me manter alimentada.

Jamais esperei que esta jornada pela literatura fosse acontecer, mas sou muito grata por isso e espero continuar escrevendo enquanto as pessoas quiserem ler meus livros. Por isso, talvez o maior agradecimento de todos seja a vocês, meus leitores. Obrigada.

TIPOGRAFIA Adriane por Marconi Lima
DIAGRAMAÇÃO Verba Editorial
PAPEL Pólen Soft, Suzano Papel e Celulose
IMPRESSÃO Gráfica Bartira, abril de 2019

FSC
www.fsc.org
MISTO
Papel produzido a partir de fontes responsáveis
FSC® C105484

A marca FSC® é a garantia de que a madeira utilizada na fabricação do papel deste livro provém de florestas que foram gerenciadas de maneira ambientalmente correta, socialmente justa e economicamente viável, além de outras fontes de origem controlada.